D1213220

JUEGO LIMPIO

MARÍA TERESA LEÓN

Juego limpio

SEIX BARRAL

Cubierta: Joan Batallé

Primera edición: febrero 1987

ISBN: 84-322-4585-2

Depósito legal: B. 619-1987

Impreso en España

De muchas cosas he de hablaros. Quiero decirlas a tapadas en estas hojas que nadie leerá. He salvado apenas unas cenizas alegres, vivido una lección. Estoy en ese punto doloroso que es como un gemido que avergüenza y que mis maestros de moral llamaban arrepentimiento. Llevo los ojos cargados de verdades, que no me pertenecen. No sé cómo hacerlas salir. Soy un navío atracado a la soledad de un puerto y sufro porque quisiera encontrarme con el marinero borracho que conoce las mejores tabernas y acompañarle muelle abajo, en silencio, pensando en las alegres cosas que se fueron. ¿Dónde están? ¡Oh, que vuelvan mis amigos con su risa clara y su fortaleza! Pero ¿soy yo o ellos los que se han marchado? Rezo mucho. Soy famoso por mi fervor. Quien lo dude puede preguntar a los que me rodean: al padre Superior, enemigo de los iluminados, o al padre Blas Torrero, ese santo que arranca páginas de su san Juan de la Cruz para leerlas en la iglesia, fervorosamente: «Pastores, los que fuerdes allá por las majadas al otero...» Todos los *pastores* que me guardan estarán conformes en que la *prodigiosa experiencia* que he vivido sirvió para multiplicar mi renunciamiento. ¡Ay, si supieran que la más estrecha disciplina no consigue arrancar la duda de mi corazón! ¡Si adivinaran que me horroriza la palabra matar y, sin embargo, he aplaudido al ver un avión *enemigo* caer envuelto en llamas! No, no creo en sus razones de orden, de jerarquía, de tradición, de buen sentido. Mi doblez, sí, mi doblez, el otro color de mi corazón, me lleva a negarlos, en cuanto oigo hablar de victoria. Yo he visto esa victoria. ¡Qué poco tiempo se necesita para establecer el mal! Jamás creí que los mortales pudieran encontrarlo tan a mano, ahí, con sólo inclinar la mejilla a derecha o izquierda, con sólo emborracharse de poder. Y lo digo tristemente en la noche de mi remordimiento, en el túnel de lágrimas donde camino. Seré un ignorante, pero aún me pregunto: ¿quiénes, quiénes tenían razón? Porque mis hábitos, mis pobres hábitos negros de paño mal tostado de sol místico, se adelgazan, de pronto, sobre mis rodillas, hasta desvanecerse en el humilde color verde garbanzo de soldado de la República...

Sí, yo he sido soldado.

Aún no puedo explicarme cómo sucedió. Ya sentía de chico en mi ánimo que las grandes empresas humanas no se habían hecho para caber en mi cerebro. Al pobre le gustaba irse por los deslizantes caminos de la fantasía. ¡Qué bien soñaba! «Este niño será un inútil», golpeaba en el suelo mi abuelo con su cayada pastoril entre las manos demasiado espesas, demasiado peludas para cerrarse completamente mientras tendía sus pies hacia las brasas del enebro. «Es mozuco», le argüía su nuera, mi madre, la pasiega de oro que me dio esta existencia terrenal. «Será cura», sentenciaba mi abuela con las narices venteando deleites sagrados. Y así fue. Yo soy el producto de la ansiedad familiar al juzgarme inútil para la vida. «Será cura.» ¡Dios mío! ¿Por qué te consagrarán a los inútiles como yo? Perdone tu infinita misericordia esta confianza lugareña en los milagros que puede producir tu divino servicio.

Y aquí estoy.

Yo nací, según me dijeron, según me enteré mucho más tarde, el año exacto en que un pintor sin nombre juraba en la cama de un hospital alemán raptar a Europa a los profundos infiernos. Por España, lugar de mi cuna, todo estaba neutral y tranquilo. No nos habían tocado las ratas, los piojos, los terrores nocturnos de las trincheras, la angustia de los ataques ni la muerte, por eso sapos y grillos alternaban cuando, en un si apenas entre prado y castañar que tenía mi abuelo, nacía yo. La paz dicen que era el venturoso vestido de aquel amanecer. Un estado de paz, una verdadera paz neutral sin alarmas ni quejas, una paz de pájaros cantores, murmullo de yerbas, susurro de árboles, una paz de aldea entreabriendo las pestañas del valle para despertar. Dicen que en esa paz bucólica el único grito de guerra lo di yo. En el misterioso origen de la llegada a la vida siempre los incautos recién nacidos se encuentran con alguien que los zarandea para que conozcan el misterioso resorte del llanto. La buena o mala mujer que asistió a mi madre, castigaba mi asombro antivital con sonoros azotes.

De ahí mis gritos. De ahí mi afán constante por volver al sueño misterioso de donde me arrancaron.

Sospecho que a nadie le interesan estos latidos de mi sinceridad, por eso voy escribiéndolos. Me interesan a mí. Son mi memoria. Pobre fraile vivo en un convento donde los claustros y corredores parecen caminos sin estación terminal. Esto no es exacto; espero que terminen en el cielo. Tengo fe. Fe en que alguien con jurisdicción suprema allá en lo alto lea estos sollozos. Estos sollozos después de aquella alegría. ¡Jesús, Señor, qué hermosa risa grande y sana puede albergar el mundo de los malos! Yo no podía concebir que esa gente, pintada siempre ante mí con los colores más feos, fuera tan alegre. Señor, yo tuve un perro que no era mío, sino de los rebaños de mi abuelo, pero que reconocía mi voz y mis rodillas; un perro aleonado, trujillano, peludo, hirsuto, crespo, agrio, bronco que se erizaba en cuanto crujía una puerta; uno de esos perros a quien hay que llamar *León*, pero a quien nosotros bautizamos *Prim*. Pues bien, *Prim*, después de destrozar una oveja vecina, se acercaba a mi cariño, con los hocicos sangrientos. ¡Qué chispas de ignorancia le relucían en los ojos, qué inocencia en el calor de sus fauces satisfechas! Lo siento como si ahora mismo se limpiase las huellas de su crimen en mi pantalón de pana, tan niño, tan sincero. Yo quisiera hacer como él apretado a tus rodillas misericordiosas y aquí estoy de rodillas ante ti, hablando.

Sigo, aunque comprendo muy bien que estas notas me pueden costar hasta esta pobre libertad de mi celda. Me juego mi libertad por la verdad. ¡Pero si no las leerá nadie, tonto! No importa, hay un margen de probabilidades como el que tiene en el cajón de su mesa de trabajo una pistola cargada y le quita el seguro. Escribo porque sin esto me sentiría lleno de piedras, cobarde. Cobarde porque no me atreví a gritar mi aventura —¿mi ventura?— más importante para mí, pues que fue mía, que Jasón y el Vellocino de Oro, más hermosa. Pero no se hubiesen molestado en creerme. Me confesaron y no creyeron mi confesión. Les dije... Era inútil decirles, y si se hubieran dado cuenta de lo que yo decía en medio de su triunfo hubieran sido capaces de echarme a los leones. No hubiera podido convencerles nunca de que lo que yo llevo dentro no es la duda de mi fe sino la aventura de mi fe, las pruebas a que la sometí. Si yo gritase esto exigiría emigrar vestido con un traje distinto, perder mis costumbres, abandonar este texto de Lucrecio al cual pongo notas, unas en rojo y otras en azul, para dar unas al censor y reservarme otras para mi deleite. ¿Egoísmo? Sí, y también dejar de pasearme por este aroma de arrayanes que levantan nuestros pasos al tropezar los hábitos con los setos del huerto; y Madrid suspendido en la luz limón de los crepúsculos; y hasta estas mínimas partículas de lo que me quedó, ya que entre los interrogatorios se me irían volando. Me quedo. Aquí permanezco acobardado y solo, confiándome al hilo negro de mi escritura de niño inservible, como aseguraba mi abuelo. ¡Pobre! Que en paz descanse. De él me viene este juicio exacto sobre la apreciación de mis fuerzas. Sólo sirvo para deslizarme entre los sueños.

Y eso hago.

Cuando llamaron a la puertecita me sentí más conforme con mi suerte. ¡Al fin iba a saber! Porque en aquella estrecha carbonera no había ni cucarachas para ejercitar mi paciencia. Dijeron mi nombre: «Camilo, Camilo» y una luz entró primero cortando al bies la cara de Xavierito Mora. Detrás, mi cuñada convenciéndole de algo. Llevaba sobre el hombro un fusil. Empujé la puerta de la carbonera y salí cojeando.

—Camilo, vengo a buscarte. ¡Mujer, déjelo ir! Es mucho más prudente que Camilo se incorpore a las milicias.

—¿Ya te volviste loco tú también?

Yo zanjé la ristra de peros que ahogaban a Panchita:

—¿Adónde hay que ir?

—¡Pero, Camilo, si tú no sirves para nada, si vas pregonando lo que eres con tus manitas de niña, si el pelo de la barba te salió para dentro, siii...!

—Pregunto que adónde hay que ir y tú, me ofendes.

—Cerca, a la Inspección de Milicias —insistió Xavier Mora haciéndome guiños.

—Pues vamos, vamos pronto. Mi vocación tiene un límite. Soñé con celdas estrechas, con privaciones, pero jamás con carboneras donde la limpieza de Panchita no mantiene vivo ni las cucarachas. ¡Andando! Puede que un fusil pese menos que un breviario.

Panchita se quedó murmurando mientras salíamos.

—Sobre todo si se tira.

¡Si se tira! Junto a mí está en esta mesa acompañándome siempre. La traducción dormita y mi alma vuela para encontrarse entre los fantasmas queridos de aquellas horas. Es hoy una resplandeciente tarde de junio —1939, si queréis precisiones— y vuelan mis pensamientos hechos lárgalo de la acariciada cometa de mi infancia. ¡Oh, aquella cuerda sebosa entre los manoseados tesoros de mi bolsillo! Una carta de baraja, una piedrecilla, un clavo torcido, la misteriosa casa de un caracol... ¡Y los pensamientos! Con frecuencia cerraba los ojos y me veía abierto en canal. Otras veces eran mis brazos los que mostraban venas, músculos y arterias obsesionado por las láminas de la fisiología, tan desagradables con sus tonos carmesíes y azules, y de las que no apartaba los ojos hasta verlas moverse. Sobre todo el cerebro. El cerebro lo vi por primera vez en una vidriera como la orografía de un planeta blando, abollado, blancuzco, asqueroso, pero del que me dijeron que pregonaba la obra más grande de Dios. Esa obra de su sabiduría estaba rodeada de pinzas, fórceps, cánulas, gomas, agujas para horribles pinchazos profundos y vasijas con engendros espantosos y tenias y nudos de inconfesables males. Pero en el centro de aquel horror había un estanquito de agua muy pura, renovada con el hilo de agua que una señorita, colocada en el centro, tenía la bondad de entregarle. Y nadaban peces y patos y ranas de celuloide y tortugas vivas diminutas y justo, en el fondo de aquel reflejo verde, entre rocas y espejos, una sirena. Sí, no la puedo olvidar. Una sirena de porcelana con medio cuerpo vivo, ondulando... ¡Ay, que ésa fue mi primera tentación! Todo lo que la rodeaba era extraño, sucio, asqueroso, lleno de descuido polvoriento, pero tal vez por eso brillaba así la sirena perdida en lo hondo. Turbia, angustiosa de significados, fascinadora, con todo lo que la rodeaba descuidado y abierta en cruz al paso de la guerra, rota y con las entrañas clamando estaba España. El mundo la miraba con rencor porque interrumpía su siesta; yo me quedé mudo. Allá, en el fondo del agua verduzca una sirena me sonreía. Me pareció mirarla en los ojos cuando entré en el cuartel.

En vez de encontrarme en tierra desconocida todo lo que me salió al paso me resultó familiar. Xavier Mora, tan soldado sin experiencia como yo, me daba consejos inútiles.

—No te sonrojes cuando oigas hablar de las mujeres.

—¿Olvidas que mi orden es de confesores?

—Te lo advierto por lo que pudiera sucederte.

—Gracias. Yo también sabré hablar de ellas.

—¡Cómo se te transparenta la hilacha monacal en esa fanfarronada! Ellos no hablan de la mujer, sino de su sexo.

—Jamás te había oído palabra tan fea.

—Bueno, de nuestras diferencias, hazte el tonto.

—No existen diferencias en la obra armoniosa de Dios.

—¿Te haces el necio?

—De ninguna manera. Todo cuanto Dios creó es hermoso.

—Me retiro del campo de las sutilezas y con tu pan te lo comas.

—¡Chabacano!

Tenía razón Xavier Mora, hablaron de mujeres. Hablaron en voz baja al tumbarse solitarios en los camastros de la enorme sala conventual donde estaban instaladas las milicias. Hablaron de mujeres titubeando, con pudorosos miramientos.

—¿Tienes novia?

Se volcó más a la derecha mi compañero para que yo pudiera oír. ¿Novia? ¡Qué gracia! ¡Novia, qué bonita palabra! Creo que desde mis once años no la había vuelto a oír. Novia, no, no tenía novia.

—Entonces, ¿quién te aguarda?

—Mi cuñada. Tengo un hermano casado en Madrid. Tiene botica, hijos que van creciendo y es sencillo en su manera de pensar.

—¿Vives con él?

—Sí, creo que sí...

—¿Estudiante?

Le gruñí una respuesta afirmativa para que se callase.

—Ya me lo pareció cuando te dieron a desmontar la ametralladora.

Se acercó un hombre viejo, sentándose en el borde del colchón. Ése recordaba sin casi disimular las lágrimas a su mujer.

—La pobre ya no es joven, pero ¡más remaja para el trabajo! ¡Contra, parece bonita! No tenemos suerte; la hice salir de Molina de Aragón para irnos de panaderos a Córdoba y hace un mes que venimos huyendo.

Una bruma triste iba cubriendo los cabezales de aquellas camas de cuartel, recordaban humildemente, aquellos hombres de edades dispares, los goces y besos pobres entre dos trabajos.

—La mía no quiere apartarse de la puerta.

Añadió una voz en lo oscuro y vimos caer las partículas encendidas de su cigarrillo. Recuerdo que al prender su mechero le vi los pies sucios y las piernas de tendones blanquecinos. Era un hombre bronco. Recordaba los raptos primitivos y las decisiones violentas. ¿Y por aquel ser feo y tosco una mujer penaba sin consuelo? Llegaba a la puerta del cuartel al salir el sol, y con el sol se retiraba a algún rinconcito miserable y pobre, desamparada sin la presencia de su dueño. ¡Cuánto amor en las medidas palabras, en la honestidad con que balbuceaban sobre esa cuestión tan espinosa que nuestra orden pide para ella voto de solemne renuncia! ¡Quién lo hubiese pensado! Todas las conversaciones de aquellos «compañeros de armas» se iban disolviendo en un triste lamento familiar de hijos sin refugio. Cuando los superiores juzgaron nuestra instrucción militar —¡ay, qué exigua!— terminada, dispusieron que abandonáramos el cuartel por el frente. Salimos antes del alba. La mujer —¡qué casualidad triste!— no estaba en la puerta... Luego —¡Dios mío!— la mujer no necesitó aguardar ante nuestra puerta...

Al llegar al frente me pregunté: ¿por qué estoy en ellos?

Me lo sigo preguntando desde entonces. ¿Qué hacía yo en aquella ladera de la sierra de Guadarrama —cerca de Tablada la sierra pasada— combatiendo, dicen, por la libertad? El Arcipreste de Hita no pudo pensar nunca en lo que a mí me era dado ver. Me pareció entonces una absurda manera de perder el tiempo. Ya no se bajaba a dormir a Madrid, ni se tomaba café en Cercedilla, pero esperábamos, mano sobre mano, como en unas vacaciones indefinidamente prolongadas. Observo a mis compañeros. Son casi todos o disparatadamente jóvenes o demasiado viejos. Las ideas, por primitivas y recién nacidas, se parecen. Yo no sé de qué hablar con ellos. Xavier Mora ha encontrado el truco y les dice: «Sí, chico, sí... Claro, claro que sí... a los burgueses, lo primero, palo» y cosas por ese orden que me ruborizan y hacen temer por su cerebro. Pero con sus torpezas idiomáticas, con sus balbuceos mentales, Xavier

Mora ha conseguido amigos, yo no. Les tengo miedo. Antes, cuando entraba en el mundo desconocido de un bosque o iba a examinarme, cantaba entre dientes, ahora eso me parece banal. Si descubren quién soy me espera la muerte. La gente es risueña y brava. Me comunican su valor con un: « ¡Vamos, poca lacha, tírate al suelo que vienen las pavas! » y frases hechas para cada ocasión que al principio erizaban mis nervios. Después adquirí junto a ellos las costumbres que los seres humanos introdujeron en sus ejércitos, desde que la guerra deambula por el mundo y abolí todo prejuicio de los oídos, sumergiéndome en la tolerancia de todas las miserias. Pero ¿es cierto que se puede vivir así? Dios mío, tú diste a Job en su muladar una teja para remediarse, pero le rodeaba la paz mientras que nosotros no podíamos ni sentarnos para rascarnos, porque corríamos el peligro de entrar en el vuelo de una ráfaga de ametralladora a encontrarnos con la muerte. Otra forma de miseria era la política. Las pasiones más virulentas estallaban sin saber por qué. Sonaban los tiros y aquellos *enemigos de la misma idea* eran capaces de morir por el compañero, que horas antes hubieran deseado matar. Llegué a desear el combate y confié mis observaciones a Xavier Mora, quien me llamó estúpido. Casi se murió de risa cuando le conté que uno de aquellos «pobres del mundo» me había entregado sus guantazos de lana, gruñéndome:

—Toma, no me he puesto guantes jamás y me avergüenzan las manos.

Las manos que me mostró eran velludas, jornaleras, macizas, campo triste y calloso de trabajos rudos, venas en relieve y la piel escrita y resquebrajada. Me ocurrió pensar que ya ni el sol ni el frío las atravesaba y metí mis manos. Las guardé, porque al hablarme con tan inusitada gentileza, vi que me miraba con un ojo feroz levantándolo siniestro hacia una ceja:

—Además tú me pareces medio señorita.

Aún veo su mirada oscura. ¿Por qué será el mundo de los intolerantes? Pero yo mismo era un intolerante. No comprendía nada de su odio y me repetía: ¿Tantos años de civilización van a pasar a manos de estas gentes zafias, apenas alfabetas, que destruirán como niños feroces los monumentos de la fe religiosa? Comprendo que a los ricos les ha faltado caridad, pero ¿y nosotros que hicimos voto de pobreza? A días, para no asfixiarme en aburrimiento, hablaba con Xavier Mora de las cualidades que iba descubriendo y de mis dificultades de asimilación.

—Claro, tonto, eso es porque ni tú ni yo somos de su calaña.

—Tu calaña no la conozco, la mía debía estar hecha de comprensión hacia el prójimo.

—Pues prueba. Anda, diles que eres un frailuco, verás qué te sucede.

—Seguramente nada. Deben ya saber que mis fuerzas no alcanzan para ser enemigo de nadie.

—¿Y todos los curas fusilados? ¿Y todos los ricos y los marqueses y los condes y los militares de carrera muertos o en la cárcel? Entre ellos también habría infelices como tú. Odian a los que no son de su clase, ¿está claro?

—Sí, sí, pero ¿por qué los odian?

—Mira, déjame con tus teologías.

Xavierito Mora no era mucho más culto que el hombretón que me había regalado los guantes. Hijo de militar, creía en la imposición armada del orden. Con frecuencia hablaba de afiliarse a Falange Española, pero iba retrasándolo porque no era ningún valiente. Le gustaba mentir, alardeando de amistades. Pero yo tampoco estaba mucho más seguro de mí mismo. No comprendía bien por qué el mundo podía dividirse de manera tan simplista en izquierdas y derechas, pero me sorprendí odiando el gesto amable de aquel hombre, de aquel hombre bueno. Sentí como si el aceptar aquellos guantes me colocase bajo su dependencia y cuando más pensaba en el impulso bondadoso más me avergonzaba. ¡Oh, si hubiese podido sumergirme en mi convento, librarme de las dudas, acogerme a mi tranquilidad de intelectual que va para arabista ilustre, junto a un eximio maestro! Pero ¿quién había roto el equilibrio de mi vida, de mis aspiraciones, de mi fe? Ellos, nada más que ellos. La sangre se me teñía de maldad y me sentía perfectamente pecador y hasta satisfecho de mi pecado de odio que era como una respuesta a mis preguntas. Sí, todo aquello era absurdo y yo perdía el tiempo en querer descifrar un enigma que hacía muchísimo tiempo estaba resuelto. Franco tenía razón: él era el salvador de España.

Fue entonces cuando conocí a Santiago el Verde.

Les había dado por cultivarse a los soldados de mi unidad. Cambiamos de frente y cuando regresé, después de un permiso que me dieron para comprar libros y ponerme en contacto con las Milicias de la Cultura, me hice cargo de una chabola, apenas separada de unas trincheras poco profundas, cerca del Jarama, donde habían escrito en grandes letras «RINCÓN DE CULTURA». El leer la palabra pareció devolverme la alegría. No era esto sólo. Regresaba de ver a Panchita, a su hijo antipático, a mi hermano abúlico y las calles de Madrid mordidas de metralla, las gentes serenas, los tranvías cumpliendo su recorrido, las amas de casa en las colas... Los soldados encontraban poco que comprar en aquel Madrid valeroso y pobre: cinturones de cuero barato, frasquitos de perfume para la novia, pañuelos pintados con alegorías y libros. Subían los milicianos a las trincheras con verdaderos cargamentos de libros. Yo me instalé en mi rincón y venían a enseñármelos. Organicé las clases. Ni uno solo de aquellos seres, que tal vez horas más tarde les tocase morir, dijo nunca que no quería aprender a leer. ¿Qué leían? Novelas, manuales del perfecto conductor o del electricista, relatos de viajes o libros de historia. Una sola vez llegó a la trinchera un libro pornográfico. Santiago el Verde, un hombre serio y negro, a quien llamaban así por ser vecino de esa calle, agarró el volumen y lo examinó con atención mientras le formábamos rueda. Miraba atentamente aquellos dibujos que pretendían con su fidelidad despertar los más oscuros instintos del hombre. Volaban entre sus dedos los rudimentarios perfiles azules y rojos y nadie se atrevía a chistar. Por fin, Santiago el Verde, cazurro y socarrón, le preguntó:

—¿Sabes leer?

Presentimos que la voz de Santiago el Verde se había endurecido de pronto. Todos alargaron el cuello muertos de curiosidad, mostrando una miseria común como vidrieras iguales con colores distintos que reciben una llama.

—¿Sabes leer?

La voz seca nos sobrecogió, pues así se anuncia a la comunidad de los hombres la llegada de un ser más fuerte.

—¿Sabes leer?

El soldado borró la sonrisa que lo había protegido para convertir su rostro en la mueca del tonto del pueblo, ese necio que come pan con moscas mojado en el pilón donde abrevan las caballerías.

—¿Sabes leer, te pregunto?

—No. ¡Y qué!

—Nada, hombre, nada, que ésta es una buena ocasión para aprender. Porque los pobres necesitamos saber leer para que no nos engañen.

Santiago el Verde acompañó estas palabras con una ojeada en redondo, auscultándonos el corazón como diciéndonos: ¿verdad que hay que aprender a leer? Pues ahí es nada poder ir en el tranvía sin preguntar en qué calle se ha de bajar uno... enterarse de lo que ocurre desde el hombro de un vecino que abre un diario... decir a la novia: escríbeme, y no tener que pedir por favor: ¿Me querrías leer esta carta?... y que cuando un orador político hable, ya se hayan leído los buenos periódicos, que no engañan al obrero con palabras incomprensibles. Eso, que no nos engañen. Y poder leer los libros donde se habla de los problemas del proletariado ¿usted comprende? Porque los obreros y el hambre son iguales en un sitio que en otro y él sabía que existían libros donde se contaban historias fantásticas de lo que habían conseguido en otros países gentes como él, que era tornero. Saber leer era como vivir por su cuenta, como establecerse en un lugar próspero que daría su fruto. Y entonces discutir con razones al carnicero o ante una frasca de vino —porque eso de hablar de mujeres es bueno para un rato—, con los compañeros que aún conservan telarañas sobre el clero y el capitalismo... ¡Oh, Santiago el Verde, aunque Dios multiplicase los años de mi vida y mi memoria, no te podría olvidar! Con los ojos llenos de preguntas te volviste hacia mí:

—Y tú ¿sabes leer?

Todos se rieron de la salida, encontrando gracioso el preguntarle si sabía leer al responsable de la cultura del batallón, pero yo, seriamente, respondí:

—Sí, mi teniente.

Me alargó el libro. Sentí que al contacto de aquella inmundicia los dedos se me helaban. Era un contacto viscoso, como si los sapos espesos de piel turbia que torturaban a los anacoretas me tocasen. Desconfié de mis piernas, agitadas por estrafalarios terrores.

—Anda, lee.

¡Adiós mi inocencia absoluta! Ibas a ver, pobre Camilo, todas las torpezas que te evitaron en el seminario con tanto celo, monstruosamente a las claras. Tus idiotas ojos frailunos iban a llevarte al conocimiento de tristes verdades humanas, insospechadas por ti. ¡Adiós inocencia! Me despedí casi temblando. Abrí el libro. Las rayas ininteligibles primero me parecieron escritas en un idioma milenario de clave perdida.

—Anda, lee.

Me estaba traicionando. Enrojecía. Las flacas piernas rayadas de azul se descompusieron para mi vista en arañas estrambóticas y sin apartarme del primer renglón urdieron mis labios:

—« ¡Ay, cuán hermosa, amiga mía, eres tú y cuán graciosa! »

—Bueno, calla, era para saber si sabías leer —me interrumpió con chunga Santiago el Verde—. Si ya sé que eres profesor de los torpes.

Yo respiré y él, con gesto autoritario, arrancó los grabados obscenos diciendo al soldado tonto:

—El día que aprendas a leer te los dejaré mirar. Mejor dicho el día que sepamos los dos.

¡Dios mío, yo sé que has recibido junto a ti, según tu misericordia, el alma astuta y pura de Santiago el Verde, muerto en olor de héroe días más tarde, en aquel frente del río Jarama que iba a ser testigo de mi inmenso dolor!

Todo seguía aparentemente igual.

Todo. Los muchachos iban creciendo en su afición a la letra escrita aunque se cierren con dificultad los dedos, acostumbrados al trabajo manual. Me preguntaban muchas cosas a las que yo respondía sin convicción ni gracia, porque la lectura de los periódicos no me bastaba para desenmarañar mis escasos conocimientos de lo que sucedía. Poco a poco, los días pasados en común, fueron uniéndome a aquellos seres hasta convertirlos en elemento indispensable de mi respiración. Sus días peligrosos, el agua, el frío, la manta compartida, mi gamella que me lavaba cualquiera de ellos, para que yo no me molestase, la infinita precaución con que me advertían: «Cuidado que han localizado ese ángulo», todo, todo era igual para mis chicos y para mí. ¡Ah, si hubiesen sabido quién era! Jamás recé tanto. A veces morían. Tuve que acostumbrarme a la muerte como me había acostumbrado a la promiscuidad, y todo aquello era fuerte como los vinos que no había probado y capaz de subírseme a la cabeza como el comienzo del amor. Mis oraciones me proporcionaban un goce secreto al ser dichas recatadamente, y fui poco a poco creyéndome un iniciado, capaz, con mi sabiduría, de encontrar el equilibrio entre su fe y mi fe, pero la variación de los frentes me inquietaba con su bamboleo y todo concluía al obligarnos a retroceder. Sí, éramos aquella primavera los malparados ejércitos que retrocedían. Me santiguaba, plegaba los papeles, amontonaba los cuadernos y a otra parte. A veces perdíamos algunos enseres o materiales, pero jamás dejamos al enemigo el orgullo de reírse de nuestro letrero: «RINCÓN DE CULTURA». Xavier Mora venía a inquietarme.

—¡Eh, Camilo, estáte atento! Esta noche nos pasamos.

—¿Nos pasamos? ¿Adónde?

—Hazte el lila. Enfrente.

—¿Y qué haremos enfrente?

—Yo no sé aún, tú volverte al convento, que buenas vacaciones has pasado.

—Xavier ¿y qué harán sin mí?

—¡Al *pastor bonus* le interesan las ovejitas descarriadas! ¡Ja, ja, ja! Me reiría hasta desternillarme si no temiera agrandarme la boca del esfuerzo.

—Tus burlas no me hieren, ni mi conciencia se aclara por oírte disparatar. ¿Qué puedo hacer enfrente? Respóndeme.

—Ya te lo he dicho: irte al convento. Tus amigos estábamos todos orgullosos de ti. Eras piadoso e inteligente. Decían que hablabas árabe. Ninguno de nosotros podía decir otro tanto, apenas si llegaríamos a ganar algún pleito o a seguir detrás del mostrador, con cierta habilidad fenicia, las lecciones paternas. ¿Me explico?

—Demasiado bien. Pero ¿tú no crees que sobre las ideas une la sangre? Yo bendigo la sangre española sobre la tierra española, aunque en este bando no se acostumbre a hacerlo, porque llegará un día en que haya paz y se siembre pan sobre todos los campos.

—Por eso te quiero llevar al de enfrente, tonto, al tuyo, frailuco, déjate de poesías. A éstos los vamos a hacer papilla en cuanto llegue el armamento nuevo que manda Alemania.

—Y prefieres dar, y no que te den, y olvidas que hablamos todos la misma lengua, y que ninguno entendemos los nombres escritos en ese armamento que dices que vendrá, que llegará oliendo a protestantismo luterano, como huelen que apestan a Mahoma los moritos que nos van acosando.

—Me parece que en vez de enseñar estás aprendiendo. Si yo repitiese tus palabras iban a cambiarte de celda, te lo aseguro.

—Yo no repetiré aquí las tuyas porque soy un pobre fraile.

Se alejó y nunca he tenido tan vacía el alma. Notaba que los viejos amigos no sentían pesar dentro de su pecho la amistad cuando el sostenerla contradecía sus pensamientos. Xavier Mora debía saber demasiado bien que aquella tarde iban a atacarnos sin piedad. Entré en clase y mis alumnos se levantaron disciplinadamente para recibirme.

Durante todo el día sufrí. Xavier insistió, mandándome dentro de un libro las indicaciones que yo leí como si estuviera enfrascado en algún problema difícil. Y así era en verdad. «*Estamos muy cerca. Es cuestión de saber arrastrarse bien por la tierra de nadie. Esta noche al ir a la aguada puedes acompañarme. Nos protegerán los de enfrente. Cuanto más tiros, mejor. No te asustes, monjita.*» Rompí en pedacitos minúsculos aquella tentación y dentro de mí siguió cantándome: ¡Anda, vete! Te espera el convento, la vida de estudio y contemplación por ti elegida, el canto de los oficios, que a días te parece sublime, y la liturgia y las campanas serenas que regulan tus horas, mejor que los relojes y el huerto profundo, donde puedes pasearte y la biblioteca... ¡Ah, la biblioteca donde los manuscritos han vuelto a quedarse mudos! Me sentí vencido. Verdaderamente ¿no sería todo aquello una tentación del enemigo de la serenidad espiritual, metiendo su asquerosa zarpa en mi conciencia? Tentado estuve de acercarme a Xavier Mora para pedirle detalles complementarios de la huida, pero resistí porque los muchachos cantaban para colmar el río del tiempo y era como si echasen barquitos de papel con cartas escritas: «El nombre de mi moza dice María...» Todo estaba tan quieto que la voz solitaria y el coro que siguió después se mantuvieron en el aire hasta desatar los aplausos. Pero en nuestra chabola nadie había aplaudido. Eran los de enfrente. La ovación parecía venir del cielo terso y quieto. Se recobró el cantor y lanzó el reto: «Puente de los franceses nadie te pasa...» e inmediatamente comenzó el combate.

Parecía una señal.

—Se han adelantado —me sopló Xavier Mora, mientras mis alumnos se dispersaban, pues era peligroso pasar del Rincón de Cultura a la trinchera. El último en salir fue aquel muchacho comprador del libro obsceno a quien había sido prometida la *visión deleitable* si aprendía a leer—. ¡Vamos por este cauce seco! ¡Corre!

Pero no corrí y dejé a Xavier Mora titubear un momento, alzar los hombros y desaparecer.

Ahora resulta que soy yo el culpable. Sí, yo el culpable de que no quisiera pasarse el mandria de Camilo. Yo no tengo mérito. Claro, como es tan fácil arrastrarse con la tripa sobre el barro como un sapo tragando tierra y desperdicios. ¡Buen muladar me tocó! La tierra de nadie era pura m... ¡Cuánto pringue! Hasta orinales encontré. ¡El miedo me hacía olvidarme de los olores y atravesé sin apretarme las narices. ¡Eso sí que es valor! Cuando me di cuenta al llegar a la otra banda casi me da un vahído. No pude oler a otra cosa en una semana. ¿Y cuando alargué la mano y tropecé con una bomba de aviación sin estallar? ¡Vaya tubo de la risa! Me costó reponerme y seguir reptando. Hasta pensé: ¡con lo bien que se estaba con los rojillos!, pero la pelleja es la pelleja y el vestido del hombre es uno solo y agujereado no lo quiere nadie. ¡Si me hubieran visto cocear en el barro! Hasta el cuerpo miserable se me descompuso. Zumbaban la pandereta los de la aviación y las balas indudablemente llevan dedicatoria porque ninguna me acertó. Cuando se está en la trinchera los ruidos son distintos: oyes las detonaciones de las armas propias, pero no la bala que te va a matar, porque ésta chasquea apenas. Yo sentía cómo venían encima de todos lados. Querían despenarme los angelitos, seguro estoy de que Camilo les contó que yo me las «piraba». Claro que para pasarse se necesitan algo más que breviarios. Beato, rojillo ¡ya verás si te encuentro! Pero la tontería la hice yo afiliándome clandestinamente en Falange. ¿De dónde me soplarían esa idiotez? El portero del palacio donde están los intelectuales me hizo entrar por su nueva portería, porque ya no pertenece el palacio de los marqueses a sus legítimos dueños, sino que se lo han entregado a una banda de intelectuales antifascistas que discuten como verracos. Yo pude oírlos por el tragaluz. Al portero por primera providencia lo echaron, y colocaron a un palurdo gordo que descarga su nariz contra las losas del patio de la entrada. El portero legítimo se quedó en la casa de al lado y es un camisa vieja. Él me introdujo. Dando la vuelta por el sótano, donde está la calefacción, llegamos a un lugar parecido a una cornisa y, a pesar de la oscuridad, me vendó los ojos. Pocos metros anduvimos cuando oí una voz autoritaria: «¿Ya estás jugando a justicias y ladrones? Vamos, quítale la venda.» Al recobrar la vista me encontré con un falangista consumido de uniforme completo. Al ver mis ojos, sonrió: «Si me encuentran así sabrán quién soy. ¿No sabes que un rey de Sevilla hizo lo mismo mientras el populacho saqueaba sus alcázares?» Me habló de muchas cosas difíciles y al final, dando vueltas a un papelito, que sus dedos iban reduciendo a polvo, me indicó la conveniencia de hacer pasar a un importante personaje, necesario en la otra zona y de este modo ingresaba yo en los ejércitos liberadores y demostraba mi adhesión a la causa del Caudillo. Pero noté que al decir Caudillo le temblaron en los ojos las pajaritas de la risa, como solía decir mi abuela. Me dio instrucciones, sin dejar en ningún momento meter baza al portero tan camisa vieja como él falangista flaco, pero sólo portero y cuando salimos se le había encapotado el tejado, porque ni me vendó los ojos ni me cantó las excelencias del peligro. Soltó un terno al tropezar en la oscuridad, justo en el momento que me decía: «Estése usted dos años en Ifni cazando mosquitos para que estos señoritos ca...» La alarma aérea no le dejó concluir el juicio que le merecían.

Bueno, todo esto lo entiendo, lo que me sobrepasa son las razones que tenían los jerarcas azules para necesitar a Camilo. Me sacaron del muladar dos buenos muchachos gallegos y después de mucho «Homs, apestas» y mucho regocijo al explicarles yo las asfixias que había pasado se decidieron a llevarme al comandante. Comenzaron las requisitorias. El comandante era un militar de ancho y viejo bigote capaz de blasfemar hasta delante del cura castrense. Le importaba un rábano Falange y a los que había en su unidad los llamaba los chiquillos. Como el asunto que yo le explicaba era complicado llamó al páter. El páter entró medio sonriente: «¿Qué, me vas a echar otra bronca?» Porque lo tuteaba seguramente por alguna camaradería lejana. Yo sufrí mucho. No lograba hacerme entender. Les parecí un cuentero y cuando me preguntaron a qué organización estudiantil pertenecía y yo contesté que a la FUE me tomaron por loco. Claro que tuve cuidado de aclararles que era agente de enlace de las JONS aunque nunca quisieron darme el carnet para no comprometer mi trabajo. ¡La de palizas que han recibido los discípulos de Marañón y los de Jiménez Asúa por mis indicaciones! Pero el buen trabajo de espionaje o como lo quieran llamar tiene la enorme desventaja del anonimato. A mí me gusta que me conozcan. Por fin conseguí mi traslado a Burgos. Entré por el puente que da a la puerta torreada, ya los huesos molidos. Me habían mandado en un camión de la intendencia. Los dos soldados que iban conmigo en el baquet silbaban, sin hablarme. Mi vieja manía de averiguar me hizo sonsacarles quiénes eran: uno, un físico muy conocido a quien castigaban sacándolo de sus investigaciones por su liberalismo; el otro, nos hizo reír: «Mi padre era tuerto, pero se calaba unas gafas ahumadas y ya era ciego. Me agarraba de la mano y hala, íbamos por las ferias donde se perecen por los romances. Yo daba unos volatines y gritaba: "¡Compren, que se va la risa!" Cuando quise meterles los dedos y que vomitasen un poco de política encontré que iba a ser difícil conocer los pensamientos de la gente. El escarmiento los había borrado.»

Burgos es una ciudad fría y banal. Han sido tan generosos haciendo monumentos los burgaleses del pasado que en el presente aquellas blusitas y aquellas sonrisas de las muchachas y aquellos uniformes parecían un disfraz y, en cambio, muy puesto en razón, hubieran estado unas cuantas cotas de mallas paseándose Espolón arriba.

Entiendo poco de estilos arquitectónicos y otras pamemas pero la catedral dejando salir chicas preciosas por debajo del arco de sus puertas llenas de santitos labrados era imponente. ¡Bueno, me hago el burro: bien sé que la catedral es de estilo gótico! La pena es que tuve que presentarme, me habían advertido que en la zona del Caudillo había palo y tentetieso para los descuidos de la disciplina. Entré en Falange. Antes de hablar me interrogó un pipiolo de menos edad que yo y con la débil diferencia de un bigotito tan rubio que parecía que el pobre no tenía pañuelo.

—¿Xavier Mora?

—Presente.

—¿Cómo no cumplió usted su misión?

—Mi teniente, se negó a seguirme.

—No soy teniente, soy jefe.

¡Vaya chaparrón sin paraguas que aguanté! ¡Cuánta tecla para un curita roñoso! Cuando yo ingresé en la FUE lo que menos nos preocupaba era su impiedad. José Antonio había prometido separar las funciones específicas de la Iglesia y del Estado, por eso no pude comprender los gritos del falangista de bigotito moqueante: «¡Qué va a decir la Iglesia!» Está visto que no saldremos de sotanas.

El acontecimiento de mi vuelta a la vida vuelve a preocuparme siempre. Pienso que cada célula del cuerpo canta. Pero canta, no tanto por lo que vuelve a ver, sino como agradecimiento a lo que dejó de mirar, a lo que casi no recuerda la olvidadiza memoria de los desmayados. Tardé mucho en reconstruirme por dentro. El cráneo me dolía, me zumbaba, me cantaba, me llevaba girando él solo sin cerebro, todos los cabellos colgando, todas las ideas fuera para que yo mirase sus colores, todo mi poder de risa siguiéndolas, toda mi necesidad de nacer en vuelo, en torbellino, en espiral... Las voces dijeron: «Aún no está lúcido.» Gracias a Dios, estoy horriblemente nublado, pero naceré. Y seguía girador y luminoso, paso a paso entre cosas turbias, pegajosas, densas, sin nombre, envolventes. Yo las atravesaba despacio, como hacen los niños, y me iba desgajando de una matriz monstruosa que me retenía sin hacer caso de las voces: «Él abrirá los ojos.» ¡Qué hermosura abrir los ojos bien cerrados y comenzar a ver los caminos llenos de escarcha tenue, los pinos entre verdaderos y falsos, los pastores sin poderse arrancar sus monterillas para saludarme, y las zagalas que amontonan la yerba y regalan corderos a la Virgen, y perros de escayola guardando la riqueza de ángeles de azúcar, y la luz quedito pasito apareciendo en la estrella de rabo con su chorro de ilusiones de plata. Estoy seguro de que ningún nacimiento me produjo mayor alegría que aquel doble nacimiento de mi vuelta a la vida. Nada tenía colores y el gris reinaba como en la tierra del norte donde nací yo. Allí se tienden a todas horas las vedijas de lana de las nubes y los corderos deben sentirse desnudos pensando que sus vellocinos vuelan. Al fondo de mi ser sentía correr un río que siempre es mi río. Las cuestas llegan hasta él, mansas y verdes, para que los chicos las bajemos rodando. La yerba forma cuna para recogerme, como entonces, y podemos rodar desnudos, porque allí la tierra no tiene huesos. Resoplan las vacas y la madre huele como ella a leche y blandura hermosa y así nacemos contentos sobre aquella graciosa concesión de la tierra, en otros lugares tan arisca. Porque allí, todo cuanto hay de áspero se oculta temeroso para que se deslicen los trineos que bajan la yerba de los prados y no hay minerales costosos ni casas demasiado grandes pues todo el valle vive en bienhechora pobreza. No sabemos lo que es competir y si a algún pasiego le entra la locura de marcharse a comerciar con los feriantes, en toda España se ven luego los letreros de las tiendecitas donde escribe: «El Pasiego», lleno de nostalgia, porque ya no verá más los cuévanos llenos de yerba que parecen madroños verdes en las praderas estiradas como manteles sin arruga, ni agarrará la mano de una moza por la gatera, ni oirá los murmullos, las historias de duendes y menos esperará la princesa hundida en el remanso, o temblará ante los cuentos de los valientes que desafiaron el misterio del monte y fueron arrastrados al reino del que jamás se vuelven. Sí, allí somos ricos. Ricos en vida elemental y pura, mientras los duendes nos cargan los carros de heno y todas las florecillas se ponen a oler exhalando su alma mientras las esquilas las despiden tintineando. «Ya empieza de despertarse», volvieron a repetir las voces. Pero yo quiero pedirte humildemente perdón, Señor Jesús, porque la verdad es que yo no quería despertarme, pues al igual que los niños de aquel país del norte, esperaba el rapto milagroso que me llevase hacia los prados sumergidos y justo en aquel instante acababan de tomarme de la mano.

Me tomaban de la mano, pero los ojos se reían de mí. Porque lo primero que se me presentó al volver a la vida fueron unos ojos, seguidos de una nariz como una mariposa y los dientes de una muchacha descubiertos por la risa. «Despierta, hombre», creo hoy que me dijo. Resoplé una disculpa: «No puedo, no sé.» Me cayeron sus carcajadas por las orejas. «Déjalo tranquilo.» «No quiero», contestó sacudiendo una pluma que vi desmayarse sobre su hombro. Articulé lo más claramente: «¿Dónde estoy?», y el pequeño fantasma se inclinó hasta soplarme en la nariz: «En Chamartín de la Rosa, tonto.» Así, de golpe, comenzaron a interesarme las cosas del mundo.

El mejor de los hombres hubiera deseado para su despertar aquella risueña visión. Estoy seguro de que agarré la mano del fantasma, estrafalariamente vestido de plumas y sedas para contrariar a mi lógica, que de pronto se empeñaba en ver a mujeres de delantal blanco y oler a éter. «Estás en un hospital, en una cama, ¿no lo ves?», pero yo miraba al pequeño fantasma rutilante y argüía a mi razón: «Estoy en el prado sumergido, ¿no lo ves tú?» Una voz autoritaria comenzó a desvanecer el prodigio: «Angelines, déjale en paz. Los médicos no quieren que hable.» El pequeño fantasma se alejó rápidamente de mí y yo me incorporé para verlos alejarse agarrados de la mano. Sí, estaba en un hospital. Mi sueño desaparecía, y una enfermera malhumorada se empeñaba en hacerme comer un termómetro.

Pero cuando la vida recomienza, insiste en seguir.

Viví muchos días más sin que se repitieran los prodigios. Nadie me habló de ellos y yo conservé un nombre: Angelines. Reconstruí el pasado y casi olvidé que el presente era de guerra, y las camillas que entraban en la sala con heridos no lograban emocionarme. Ya sabía que yo era uno de ellos. Comí y bebí, olvidado de todo y de todos porque ni Panchita, ni mi hermano débil, ni mi sobrino tonto se molestaron en preguntar por mí. Una noche pensé, ya clara mi mente, que aquellos estúpidos debían creer en mi fuga. Eso me daba cierto derecho de ausencia y me prometí no encontrármelos. Volvió la vida insistente, según su costumbre, reclamé mis piernas y pude levantarme. Me paseé por unos corredores desnudos a donde llegaban a veces grupos de muchachas con regalos. No había monjas y mandaba sobre las enfermeras una señora rubia de mal genio, intransigente con la suciedad como si aquello hubiera sido siempre su casa. A mí me saludó con deferencia, impresionada por mi delgadez. La oí que murmuraba a otra enfermera de la Cruz Roja: «Se ve que tiene clase», y yo reí para dentro de su confusión de mi estado eclesiástico con sus prejuicios. Sí, aquellas señoras estaban en el campo republicano llenas de nostalgia de las condesas y marquesas, refugiadas heroicamente en las embajadas de los países amigos. Para no desilusionarlas sonreí.

—¿Estudiante? —me preguntó como todo el mundo.

—Sí, señora.

—¡Señora! ¡Hace meses que no me oigo llamar señora! —exclamó complacida—. ¡Ay, amigo mío, eso de camarada y compañero ya me tiene harta! ¡Figúrese lo que se ríen mis parientes cuando sale mi nombre en los periódicos! La camarada presidenta de la Cruz Roja. ¿Pero en qué pesebre habremos comido juntos? —terminó castiza, porque es muy de su casta el avillanar la conversación. Y hubiera continuado si no aparece un joven responsable político del hospital para preguntarme:

—Oye, ¿tú estás dado de alta? Me gustaría que te llegases al pabellón de los ciegos para que les leyeses un rato. Se aburren.

—No sé si estoy dado de alta, pero puedo ir.

La vieja señora intervino.

—Yo puedo hablar al médico.

—Tú, camarada, harás mejor en escribir pronto a Ginebra para que se investiguen las atrocidades que están haciendo en la otra zona. La asistencia que dan a nuestros heridos termina con demasiada rapidez.

—¡Qué manía tenéis de verlo todo negro, compañero! A nosotras el Buró Internacional nos ha asegurado...

—Unos escriben y otros sufren, los que sufren te dicen que los casos de muerte son muy sospechosos, ¿entendido?

La señora rubia se quedó con sus razones internacionales y el responsable, tomándome del brazo se alejó sin despedirse. Por todo comentario añadió, a mi oído:

—¡Son unas cotorronas! Si me dejase llevar por mi genio de Lavapiés, ya las hubiera dado el paseo.

Aquella palabra me despertó completamente.

Había olvidado el peligro, las madrugadas de angustia cuando se sigue el vuelo de una mosca confundiéndola con el abejorreo de un motor; cuando se hace fuerza para abrir los ojos, pues se cree que el sueño traiciona más que la vigilia; cuando todos los ruidos de la casa son advertencias y el cerebro trabaja o se paraliza alternativamente. De mi carbonera de origen no había vuelto a acordarme. La purificación de mi herida no bastaba. Tuve miedo. Yo era un pobre frailuco, al que se decía amablemente:

—Elige una buena lectura, pero que sea alegre. Les gusta mucho reírse.

¡Una lectura alegre! ¡Sí, por Dios, una lectura donde se hable del sol, del agua, de las estrellas, de la vida! ¡Un libro alegre! Llegamos a la biblioteca del hospital y agarré al azar uno. Era de Gorki.

Estaban agrupados en un jardín y eran todos ciegos de guerra con la cabeza en alto. Ya no existía fealdad física, todos eran iguales y su cabeza serena venteaba la luz o el recuerdo escapado hacia el cielo de la luz. ¡Señor, Señor! ¿Dónde llevaste su última mirada? En los siglos pasados los hombres creían que los ciegos, los leprosos, los tullidos, los epilépticos eran los señalados por tus dedos mágicos. Hasta que vi a aquellos seres no comprendí que hay desgracias sagradas y que aquellas luces perdidas habrían ido a alimentar el fulgor de tu corona de oro. Estaban inundados de sol. Se vestían de prisa, impacientes por sentarse fuera o como si tuviesen que marchar a sus trabajos, pero luego iban perdiendo ímpetu y se quedaban con las manos sobre las rodillas, aguardando saber la verdad: ¿se quedarían ciegos? Yo los vi en el momento en que muchos no habían perdido la esperanza. «Somos una clasificación teórica de hospital, porque yo sé que voy a recobrar la vista», me dijo un joven aviador con los ojos vaciados por un proyectil. Tenía diecisiete años y aún no se había dado cuenta. Aprendí a su lado muchas cosas. Por primera vez supe lo que era la paciencia.

Las lecturas iban bien. Las ideas extrañas del libro me divertían. ¿Qué tendré yo que ver con ese país amortajado en nieve? Pero a mis muchachos les entusiasmaba. Un día fingí leer otro distinto, y de todas partes salieron voces: «¡No, Gorki, Gorki!» Yo me cambié de sitio y ellos, riéndose y tropezando, se levantaron para buscarme: «¡Camilo, Camilo!» Yo callaba y me escondía detrás de los troncos, y de cuando en cuando les gritaba «Orí, orí» para continuar el juego. Así gritábamos en mi aldea para encontrarnos, pero allí era difícil. El campo abierto sacudía las ramas, las zarzamoras. Yo me metía entre los montones de yerba, bajaba al río, caía la tarde, se espesaba el bosque y la banda de chiquillos parecía haberse volatilizado y el tonto que iba para cura y a quien los otros más listos dejaban siempre la tarea de quedarse sentía miedo y volvía sin haber atrapado a ninguno. Yo era quien fingía esconderse ahora ante los ciegos, y aquella busca inocente me llenaba los ojos de llanto. Todos, atraídos por su instinto fueron acercándose hasta cercarme, y yo me callaba y ellos gritaban: «Camilo, perverso, pero si estás ahí.» El joven aviador me atrapó de la manga. «Voy a enseñarte disciplina», y todos gritaban, todos se reían, todos estaban en el juego como niños, todos me pasaron la mano por la cara. «Ahora te conocemos y eres joven.» Nadie hubiera dicho que aquel jardín perteneciera al Madrid herido y roto, ni que aquellos muchachos comenzaran a ser un detritus de guerra, seres perdidos, una carga de la que nadie se haría responsable.

Muchas tardes leí para ellos historias tristes, largas como cuentos orientales donde hay abuelos bondadosos, ricos perversos y hombres bruscos que manejan descaradamente el palo para zanjar las discusiones domésticas. Pero también nieve y muchachas en flor y un leve rasgo de esperanza sobre los seres humanos pervertidos por el dinero y el mando, por las divisiones de castas y de clases, por la ilustración y la cuna. Me hizo caer en ello el responsable del hospital: «¡Y pensar que toda esa miseria está barrida y nace en esa Rusia que parecía de estiércol un mundo distinto!» Me le quedé mirando. Yo sabía demasiado bien la lucha de los ateos contra Dios. Nos habían explicado claramente el horror de la revolución rusa, nivelando las clases que Dios había permitido en las sociedades humanas; la historia del asesinato del último zar y el saqueo de la riqueza; las cárceles, pero nadie nos había dicho la responsabilidad de los poderosos, de los ricos, del clero, de la alta banca, de la industria, de las inversiones extranjeras ni la corrupción, el vicio, la venalidad, la hipocresía, la falsedad del régimen que mi amigo ya juzgaba muerto. Me lo dijo todo de un tirón, como una lección aprendida, como si la lengua le escociese para que yo me enterase a mi vez, y de la discusión de aquellos cuentos donde la servidumbre y el látigo parecían quitarse la palabra el uno al otro salió mi afición a la literatura eslava. Tal vez exagerase el responsable del hospital, como todos los neófitos de una idea, pero lo que pude comprobar en los días sucesivos fue que los desdichados quieren oír palabras de esperanza y de consuelo en todos los países teniendo entre ellos un idioma común, un lazo de unión. Máximo Gorki estaba más cerca de mis muchachos hablándoles de sus mujiks apaleados, que cualquier escritor de buena lengua castellana. Por aquellos días de mis observaciones llegaron grupos de escritores hasta el jardín de los ciegos. Hicieron donaciones de libros en sistema Braille, pero eran tan recientes las cegueras de mis alumnos que los amontonamos en un rincón. Mi voz les bastaba. En una ocasión llegó una escritora extranjera. Uno de mis chicos preguntó por Máximo Gorki. Asombrada y conmovida con la pregunta, contestó: « ¡Pero si hace una semana que ha muerto! » Un sollozo les llenó el corazón, pero eran hombres y levantaron la cabeza, mudos.

Fueron muchas las lecciones que me dieron.

Los días de noviembre seguían su curso. Avanzaba mi convalecencia y me pareció que ya nada tenía que temer. Vivía en la isla del jardín de los ciegos olvidado de la metralla que caía sobre la ciudad prácticamente indefensa y me alegraba de ser útil, de oír y de tratar de comprender, sin que nadie me reconociese. Siempre creemos que la vida va a pararse, deteniéndose en algún minuto tranquilo y dichoso. Cuando comprobamos la imposibilidad de que esto suceda nos quedamos estafados y perplejos. Así sucede al encontrar un amigo, y casi en el acto ocurre algo que nos lo lleva y pasamos a otro. Y ese otro influye con una palabra. Juan Caballero era mi más amigo, era un piloto joven nacido en Málaga y se reía de mí contándonos, como entre hombres pasa, pequeñas cosas de nuestra existencia. Yo, que tenía que evitar con mucho cuidado lo que pudiera denunciarme, le conté mi vuelta a la vida. «Ah, sí. Son las Guerrillas del Teatro», me dijo. Y se rió de mi fantasma, insistiendo: «¿Cómo se llama tu fantasma? Porque esas visiones se aparecen a muchos.» Yo protesté, asegurándole que aquélla me respondía a mí únicamente, dando a mis palabras una seguridad despreocupada difícil de sostener. «Si la estoy viendo. ¡A que sí! Mira, llegaron a darnos una función al aeródromo y Fuselaje se empeñó en atarla a un árbol porque era la más bonita. ¡Requisada para la Aviación Republicana, compañeros! » Yo protestaba: «Te equivocas. Ésta parece la niña de un castillo encantado.» Y así fue como me enteré de que mi sueño era actriz.

¡Ay, me he atrevido a escribir *mi sueño* sin pensar en mis hábitos monacales! Pero ésa era la verdad. Durante días y días pensé su nombre: Angelines, y la había visto llegarse a mí para calmar mi sed. La había pensado hija de labrador, masticando cerezas, y nieta de molinero, para que fuera conmigo blanda como harina, y su madre lavandera... ¡Qué tonto soy! Dije a mi amigo:

—En mi pueblo cuentan la historia de la niña verde que se aparece a los pescadores. A veces la sacan de sus redes, lo cual es una complicación familiar, porque nuestras mujeres tienen celos. Pero ese prodigio ocurre muy de tarde en tarde. Cuentan que una de ellas vivió largos años entre su suegra y un pescador que se atrevió a unir su cabello negro con las algas verdes, pero ella no moría, mientras todos iban muriendo. Las generaciones que juegan a la pelota contra los muros de la iglesia nacían y morían, y los castaños y los manzanos nacían y morían, y todos cumplían la ley menos ella, que era siempre idéntica. Cuando moría un pescador se casaba con otro, y siempre en su choza había un pescador enamorado. Los pescadores encontraban difícil dormir con ella porque se había traído el frío del agua, hasta que una vez uno confió a sus amigos: «Mi cama es tan caliente como la vuestra, y mi esposa me sirve de abrigo durante las noches heladas mejor que un recental.» No quisieron creerle. Años más tarde murió el pescador tan feliz, y las mujerucas lloronas corrieron a buscar a la viuda para ayudarla, como habían hecho siempre, pues estas niñas maravillosas no se ocupan de entierros. Nadie salió a recibirlas. La casa del pescador feliz estaba vacía, apenas si sobre los ladrillos brillaba un charquito de agua verde. Un charquito insignificante donde los perros metían sus patas sucias.

—Sigue.

—Ya no hay más.

—¿Quieres decirme que buscas una mujer capaz de convertirse por ti en un charquito de agua? Pretencioso.

—Pero si no la busco, la sueño.

—Peor.

—Es que yo no puedo ni buscar ese charquito de agua porque he jurado siempre tener sed.

—No seas misterioso. Mira, cuando la encuentres le das un beso de parte de la Aviación Republicana.

Juan Caballero hablaba despreocupadamente, pero yo sentí celos. Sí, ese torcedor estúpido que me apretó el corazón era sencillamente celos. Para más tortura añadió:

—¡Angelines! Bésale en la boca.

Afortunadamente para mí el responsable del hospital llegaba arrastrando sus pies planos hasta nosotros:

—Oye, Camilo, los chicos se aburren, tú ya estás restablecido y puedes salir. Anda, vete y tráenos las Guerrillas del Teatro para divertirlos. ¿Conoces la ciudad? Bueno, tienes que ir a Marqués del Duero 7. Si no está la secretaria, pregunta por Claudio Ortiz, el oficial responsable de las Guerrillas. —Y aquí no perdió ocasión para su propaganda—. ¡Qué diferencia con la otra zona! Nosotros, los obreros, estamos preocupados por la cultura y la capacitación de los combatientes; ellos piensan: Cuanto más brutos, mejor para explotarlos.

Dejé a mis amigos dándoles la razón, aunque no estuviese del todo de acuerdo. En la otra zona también había algunos seres sencillos que a nadie hacían daño.

Pero hay que discutir para hacerse comprender.

Recuerdo que salí a la calle, tomé un tranvía y creí que me había equivocado. No, aquello no podía ser Madrid. El sufrimiento le había cambiado la cara. Me miró un bobalicón de pelo revuelto porque debía tener los ojos con lágrimas. Para disimular miré las paredes y pasaron los carteles de colores en número infinito. Los había de todas las tendencias y llamaban a la unión, a la resistencia. «Compañero, ¿qué has hecho por la victoria?» o «No pasarán», o «El arte es patrimonio del Pueblo». La gente de las calles apresuraba el paso, porque comencé a distinguir entre los habituales de una ciudad un ruido remoto de oleaje. Me era muy conocido, pero entre las casas el cañoneo tenía eco diferente, daba miedo y me pareció que nadie tendría defensa si arreciaba. Los del tranvía no hicieron comentario. Iban a trabajar o a sus ocupaciones, y nadie se hubiese perdonado ser cobarde. La intranquilidad se demostraba en cierto apresuramiento al descender con el tranvía en marcha y, tal vez, en algún movimiento inquieto parecido al que ponen los hombres cuando alzan la cabeza al sentir la tormenta. Yo me había quedado con las últimas palabras de mi amigo el piloto: «Bésale en la boca», y me empeñaba en que el tranvía cantaba renqueando: «Bésale en la boca.» Se llamaba Angelines y era actriz de las Guerrillas del Teatro, y yo, pobre fraile, iba a su encuentro en medio de una ciudad bombardeada. Una luz violeta como piedra episcopal saturaba las calles. Me bajé antes de tiempo. Vi que en la tienda del vendedor de botijos ya no había botijos pero alguien había dejado pendiente de una cuerda el más carirredondo con una roja crestilla de gallo. Vi que las niñas, sentadas en abanico ante los hoyos donde jugaban lanzando sus bolas azules, repetían los conjuros mágicos de Egipto, Grecia y Roma. Vi que la vecina planchadora se acercaba a su mejilla el vaho caliente para probarle el punto y luego salió alguien a retirar el canario del sol. Vi cómo apuraba a un niño mientras la madre sacudía en el arroyo una prenda cualquiera del ajuar pobre de su casa. Vi una niña preciosa asomada a un balcón al que faltaban las campanillas azules de Bécquer, tan fino y lleno de aire y hojas estaba, tan bella era al inclinarse sobre la barandilla. Cuando vio que yo la miraba me sacó la lengua. Se pasaba el peine con sosiego para continuar la burla y me sacaba la lengua. ¿Cuánto duró aquel juego? ¡Qué bonita era la niña que vivía cerca del último botijo, rodeada de un aura verde, bañada del reflejo de la tarde! Juro que la vi brillar. ¡Dios mío!, brilló un instante de un soplo, y sin pronunciar una palabra ni un grito la niña, el botijo, las plantas, los balcones, el niño chico y la hermana grande, la planchadora con su plancha ardiente, el corro de chiquillas todo, todo había desaparecido y quedaba sólo un montón de escombros en medio de una humareda que me cegó, de un estruendo de juicio final que conmovió los cimientos de Madrid. Después salieron largas ramas de humo y yo me encontré sentado en el suelo, cubierto de polvo y de angustia.

Brotaron de las casas gentes febriles, gritando. Me preguntaron con insistencia: «¿Estás herido?», pero nadie me auxiliaba. Yo hubiera preferido morirme. ¡Dios misericordioso!, ¿por qué había comprobado un nuevo horror? Aquella desdicha fue de pronto mía y aquellos gritos y aquellas blasfemias me parecieron dichas por mí. Me olvidé del cielo para agarrarme a la tierra, sentí pasar gritos vengativos, imprecaciones, llantos y un apresuramiento de catástrofe. Me intenté levantar. Algo como si mis viejos hábitos negros se me agarrasen a las piernas trababa mi paso; se había ido el sol. Sentí que un hombre, corriendo entre los escombros escupía junto a mí, sin verme. Pasaron otros muchos, pasó una caravana de ambulancias y coches, pasaron mujeres gritándose cosas y seguí andando mientras el desorden y la violencia reinaban sobre la pobre ciudad martirizada. Instintivamente me dirigí hacia el balcón desaparecido, pero una mujer que llevaba entre sus manos vacilantes una jarra blanca gimió: «¡Ay si tuviéramos las mulas!», y continuó huyendo como seguramente venía haciéndolo desde que comenzó la guerra, según me había dicho en el dormitorio del cuartel mi amigo el infortunado panadero de Córdoba. ¡Huir! Los bomberos habían instalado sus mangueras y resultaba difícil usarlas, el humo de los incendios ahogaba. Seguí instintivamente hacia adelante y tropecé con un zapato. Lo levanté. Era una pobre y desdichada bestezuela rosa, ¿habría servido para algún baile? Le dije: «Voy a tirarte en algún sitio digno de ti, porque es poco serio que yo te lleve entre mis dedos. Podría decirte que perdonaras a los que así te abandonaron, pero es que yo tampoco los perdono. No me tengas rencor por abandonarte.» Y lo llevé a mis labios y toda mi juventud aventuró una mirada y oprimí la seda y me llené de candor y lo besé y sentí el pie inquieto que lo había calzado y mi juventud monacal se recreó con el tacto de aquel piececito. ¿Era tuyo, niña del balcón apenas entrevista? Aumentaron los resplandores de los incendios y me quedé petrificado: tenía las manos llenas de sangre. Dentro del zapato color de rosa, cercenado por el tobillo había, efectivamente, un pie humano.

Corrí sin dirección.

—¿Qué buscas?

—La calle Marqués del Duero.

—Estás en ella.

—El número 7. Las Guerrillas del Teatro.

—Llegamos a tiempo porque el chaparrón va a continuar. Viene la aviación.

Llamó y abrieron una puerta lateral, alumbrándonos con una linterna:

—A tiempo, hermanos, porque me iba al sótano —dijo el portero.

Dejé de ser un animal acosado que tiembla en la neblina pero —¡perdón, Señor!— he de aclarar abrí la mano y cometí el crimen de abandonar sobre la acera húmeda el zapatito rosa con su pie leve que pertenecía a la resurrección de la carne.

Así entré en el mundo de su risa y de su fortaleza.

Nos guió un viejecito. No estaba construido con inmateriales materiales de sueño sino con concreta hermosura redonda de lámina barnizada de cuento infantil. No había visto nunca tan feliz representante de la felicidad. Le volaban sobre el cráneo pelusas blancas, llevaba una linterna eléctrica, madre por su tamaño de todas las linternas, y su pecho se cubría de llaves. En la mano de aquel cruzado de la precaución tintineaba un llavero. Sostenía con cierto bamboleo gracioso el equilibrio de su masa corpórea y todo él era como una bienvenida sonriente. No sé por dónde entré, pero sí que era un palacio. La batalla quedó atrás.

—¿No has visto nunca el vientre nunca imaginado de un palacio? Pues, adelante.

—Sus dueños huyeron a las primeras descargas y ahora el pueblo lo entregó a los intelectuales —me aclaró el primero que me hablara en la calle, hombre no muy joven, con cierto tic simpático en los labios. Otra vez la propaganda, pensé, pero mi corazón se contuvo inmediatamente.

—¡Lástima que huyeran! —murmuré entre dientes—. Les debían estar cayendo las bombas a ellos.

El palacio misterioso estaba lleno de vueltas y revueltas, de pasillos interminables. Mi acompañante hablaba, silabeaba, soplaba, despedía grupos de sonidos armónicos para amenizarnos el trayecto. Iba cubierto con una capa azul, que a mí se me confundía con un árbol bajo cuyas ramas protectoras es dulce saberse. Enfiló una escalera y un sotanillo, pero se volvió para mirar si en su armadura de llaves faltaba la última, la definitiva. Cuando se aseguró, seguimos para detenernos junto a una carbonera. Allí su corpulencia se puso a escuchar:

—Vienen los arcángeles furiosos. ¿No oís?

Y con su facilidad sonora imitó el motor y luego el ruido de la bomba al desprenderse silbando y el estallido.

—Basta de bromas. Cotapos, vamos al refugio.

Fui de la misma opinión porque el delirio de las bombas arreciaba. Pero ante cada puerta nuestro gracioso amigo sacaba su llave, un papel de fumar, envolvía en él el hierro y abría:

—Cotapos, ¿tocas así a las muchachas? ¡Cuántos papelillos vas a necesitar para los dedos!

—No, ésas no tienen microbios.

La broma no le había gustado y atravesamos corriendo un semisótano de azulejos blancos especie de antecocina con largas mesas para sacrificar reses destinadas al dios redondo de los estómagos demasiado ricos. Sopló una corriente de aire que me recordó mi infancia y el miedo de mi abuelo a los resfríos y las preocupaciones que han conseguido inculcarnos —«Niño, esa corriente»— pero parecíamos educados en las mismas normas de profilaxis casera, pues los tres apretamos el paso. Un momento después el duende amigo se aupó en un banquito para mirar por un pequeño tragaluz:

—No hay bromas, siguen.

—A la Cibeles le rompieron el morro.

—Querrás decir a un león —y rugió y mayó el redondo amigo, bajando los tres a una profundidad nueva.

—No tendría gracia que nos lo rompieran a nosotros.

—Confía en mi ánimo si el tuyo te falla —rió volviéndose a mí y yo traduje: estás confiado a ellos, a su arrojo, a su valentía, a su esfuerzo y eso hace que estés ligado a su destino y te sorprendes pensando en su triunfo. Como por encanto me despreocupé de las corrientes verdinosas, dejé de ser un pobre fraile extraviado en el mundo del pecado mortal y me incorporé, con la frente alta, precipitándome por la escalerilla a la escalerilla que conducía al sótano.

El sótano iba a serme familiar pasando el tiempo, pero lo que recuerdo de aquel día tiene más de gruta maravillosa que de lugar de refugio. El salitre azucaraba la bóveda de cañón y las paredes huían en arco hacia una puerta alejada más de cuarenta metros. La forma de aquel pasadizo era alucinante, huía al avanzar. El duende portero fantaseaba sobre los muros con el resplandor de su linterna y, como respondiendo a su señal mágica, el pasadizo comenzó a cantarnos. Todo se volvió musical y perfecto hasta mi corazón. ¿Quién jugaba al corro en la cueva del duende? Sacó el papel, agarró con precauciones la llave, abrió la puerta y... Me he detenido varias veces al intentar seguir ¿por qué a mí me era concedido en aquel instante el privilegio de ver jugar a los amigos del duende su rueda valerosa? ¿Cómo era posible que en el centro de Madrid despedazado, echando humo aún de sus techos, abierto el vientre de sus calles y sus vecinos sin amparo por las esquinas, todo se hubiese desvanecido para quedar aquel canto y aquellos seres que giraban? El duende gorgoriteó a mi oído algo ininteligible y nos inundamos de luz. Sí, yo los he visto y nadie podrá quitarme la seguridad de que eran esos misteriosos seres elementales con que en mi aldea se fabrican los sueños de los niños. Yo he seguido la pureza de su feliz juego igual al que ven las aldeanas de mi norte suave cuando se extravían en la noche para buscar una gallina o al ir a parir la vaca su mejor ternero o si el plenilunio deja trajes de hada entre los árboles. La magia doméstica los había hecho aparecer y allí estaban de caperuza y trenza de oro, en la constante movilidad de su danza.

¡Perdón, perdón, Señor! Yo debo de saber que si todo cuanto alienta os debe la vida, ellos son producto de la loca imaginación de los hombres.

Los espíritus poderosos podrán resistir la vista de lo inesperado, yo, no.

Intento no contrariar la verdad ya que me propuse ser sincero para mí, pues ningún ojo humano leerá mis vacilaciones. Quiero contarme exactamente lo que pasó, lo que me pasó. ¿Qué ocurrió al finalizar el baile? Simplemente se acercó a mi perplejidad un hombre dotado de un ligero estrabismo y me preguntó:

—¿Quién eres tú?

—Alguien que hace años os está buscando.

—Aquí nos tienes.

—Os necesito para mis ciegos.

—¿Adónde hay que ir?

—¿Te llamas Claudio?

—Sí, y éstas son las Guerrillas. ¿Te sientas mientras ensayamos?

No, no fue prudente ponerme tan bruscamente en contacto con su risa, su papel de plata, carmines y colores. Siguió el baile y yo busqué como un sediento la figura casi borrada de Angelines. Callé. Bailaron. El duende clavero lanzó.

—No hagáis caso, es un irresoluto —y como le complaciera la palabra la repitió de cien formas, hasta que le hicieron callar.

—Atención. Ensayen el coro.

Y una voz agradable comenzó una tonada, que yo tomé por una bienvenida.

—Señor San Juan
¡Viva la fiesta
y los que en ella están!
La flor del aire

no la puedo hallar.
Señor San Juan.

Con dos cacareos ingeniosos el duende dispersó a las muchachas, palmeándolas sin mucha discreción y sin ningún papel de fumar protegiéndole las manos. El recordarlo me da risa. Jamás encontré más graciosa teoría microbiana aplicada a fines personales. ¡Ah, buen duende portero de las innumerables llaves!, ¿dónde está tu corpulencia graciosísima, tu capa azul, tu inagotable ingenio? Aventadas en mi interior han quedado muchas imágenes, pero la tuya persiste, te tengo agradecimiento, amistad profunda y hasta lágrimas. ¡Eras tan puro en tu mundo de sonidos, tan amigo en el ámbito de tus simpatías, tan descabellado para sacar provecho, vivir o darte importancia, tan duende! ¿Dónde habrás plantado tu capirucha de encantador de corazones? Allá donde estés, siente un instante el calor de mis manos ¡oh, tú, que me ayudaste a extraviarme!

—Siéntate y mira el ensayo. Luego me hablarás de tus ciegos —me dijo Claudio.

Y con dos palmadas se organizó la escena.

—Ahora, hija mía, voy a darte una noticia, que tal vez tú no esperas. Te han pedido en matrimonio. ¿Qué te sucede? ¿Ríes? Puede que sea gracioso dar una palabra de matrimonio. Nada hay más divertido para las muchachas. ¡Oh, naturaleza, naturaleza! Por lo que veo, hija mía, sólo he de preguntarte si te quieres casar.

—Mi deber, padre mío, es hacer cuanto ordenéis.

—Me satisface una hija obediente. El asunto está concluido y ya estás prometida.

—Sólo vuestra voluntad he de seguir, padre, ciegamente.

Callaron padre e hija porque ésta se volvió a preguntar con cierta coquetería:

—¿Es así?

—La voz más irónicamente aguda el padre, más sumisa la hija, ¿entendido? —respondió Claudio levantándose para corregir el movimiento—. Seguimos.

Recomenzaron con paciencia, se enfureció el padre, cantó la hija y todo se interrumpió de pronto.

—¿Juana? ¿Dónde está Juana? Me parece una falta de seriedad no asistir puntualmente a los ensayos. Yo jamás me retrasé un minuto. Eso es de aficionados irresponsables.

A mi espalda murmuró una mujer con el pecho clavado de alfileres:

—¿Eres tú el médico que tiene que llevar esta hopalanda? —Pero antes de mi respuesta entró una mujer ya no joven, revuelto el pelo rubio reteñido, cierta respingona inconsciencia en la nariz que le aleteaba, temblorosa. ¡Pobre Juana! Te estoy viendo otra vez en este blanco muro de mi celda luciendo tus bondades contradictorias.

—Aquí está la aficionada irresponsable. ¿Qué manda Isidoro Máiquez? —y lo dijo con tanta soltura de buena cómica que todos rieron.

—Nada, nada. A ensayar.

—Ahora vuelvo, se me ha olvidado el papel. —Y desapareciste por una de las puertas autoritaria e irresponsable mientras Claudio, en el colmo de la furia, cedía su lugar a un hombre chiquito de gafas que se sentó ante el piano, frotándose los dedos.

—Que ensayen las bailarinas, pues ya habrá tiempo de llevarme a la tumba.

Aparecieron las bailarinas. Llevaban una especie de uniforme azul y en la cabeza penachos de plumas de colores, para adiestrar los movimientos, seguramente.

—Más ceremonia en la reverencia. —Y los caballitos se inclinaban y cuando levantaban la cabeza se convertían en ocho chicas y volvían a bajar la cabeza transformándose en caballos y la levantaban y eran de nuevo niñas. El juego encantador se prolongaba, mientras mi celestial duende gordo y redondo se empeñaba en asesorarme: «Minuet.» Era inútil, yo sólo conocía de oídas los bailes profanos.

—¿Bailas? —me preguntó el duende. Casi me muero de risa.

—Apenas como lo hacía David —contesté para escudarme, hábil ya en el disimulo. Entonces sonaron los aplausos finales, cercándome el olor de las bailarinas. Pero ¡ay!, no era su olor sino las bailarinas quienes me rodeaban los brazos, los muslos, la graciosa arquitectura de su juventud. Creo que buscaban mi sonrisa de hombre, porque es lo que siempre hacen las muchachas, pero yo buscaba a Angelines. Tuvieron mi aprobación total, parecían ángeles. Hasta se permitieron meterme las plumas que adornaban su frente en mis ojos, lo que me obligó a retroceder mientras intervenía mi duende providencia.

—Dejadle tranquilo. ¿No os he dicho que es un irresoluto?

Yo sigo aún pensando qué querría decir con aquel despropósito, pero el pobre irresoluto se refugió de nuevo en la soledad y el silencio que abrió la voz de Claudio:

—Basta de juerga. El arte es una vocación, una religión, un sacrificio. Sigamos con Molière. ¿Pronto, Argan? Mira, has de saber que Molière representó esta obra ya moribundo, horas antes de su muerte. Sabéis que era autor y actor. Su mujer, muy joven, no perdía el tiempo en una corte tan corrompida como la de Versalles. ¿Lo supo Molière? Es de presumir. Se dio cuenta de su desdicha matrimonial y de su enfermedad. Amargado satirizó en esta obra los médicos y la medicina de su tiempo. Hay que tener todo esto en cuenta para representar dignamente el papel de Argan. Sigamos.

Continuó el ensayo. Mis caballitos me miraban desde la línea ideal divisoria de aquella escena improvisada y yo, a hurtadillas, quería adivinar sus nombres. ¿Rosa, Aurora, Beatriz, Eloísa, Inés, Angelines? Luego supe que se llamaban de otra manera, pero yo me quedé llamándolas siempre a mi modo. El pobre Argan se lamentaba de su pobre barriga y para remediarlo aparecieron los doctores.

—Graciosa solemnidad, más graciosa importancia. Así, así.

Avanzaron, enlutados, llevando hacia lo alto lavativas descomunales y otros signos de sus purgas y sangrías. El que los encabezaba me pareció una mujer. Cantaron, desafinando bastante, pues no creo entre la música en su educación médica.

—Clysterium donare,
postea seignare
ensuita purgare.

Bene, bene, bene, respondere.
Dignus, dignus est entrare
in nostro docto corpore.

Y agitaban las clisteras mientras entraban los cirujanos y los farmacéuticos: aquéllos con cuchillos de palo, éstos con morterillos. Argan, mareado, se iba convenciendo de su importancia y el antiguo enfermo reaccionaba para convertirse entre palos, amonestaciones, cantos y griterío en doctor, pues, ¿qué necesita un doctor para serlo sino la hopalanda negra, el semblante severo, la jerga latina y todos esos accesorios de lavativa y cuchillos fáciles de comprar una vez que la fórmula latina de la consagración hipocrática ha sido dicha? ¿La ciencia? Palabras. ¿La conciencia? Palabras. Una buena purga lava a la vez el vientre del enfermo y la conciencia del doctor, sacude su casaca y sale diciendo a la familia: Hice lo que aconsejaba nuestra ciencia. La docta corporación bailaba en torno al sillón donde Argan —¡oh agonía de Molière muerto en su ley de bambalinas!— descuidaba la vigilancia de su ahijada que se dejaba besar frenéticamente a sus espaldas por un soldado. A sus espaldas, Molière, entregado a cuidados más graves, no oía ya los últimos besos de la que sería su viuda.

—Vivat, vivat, vivat, vivat
cien veces vivat
novus doctore qui tan bene parlat,
mil y mil annis, et manget et bebat
et matet et sanguet.

Subieron de pronto las voces en el sótano, atronándolo, mi duende amigo trompeteó a su gusto, aunque nadie le hubiese dado intervención, pero estaba alegre y en medio de la rueda final, en medio del juego en que todos evolucionaban o pretendían hacerlo, tropezando con mis caballitos que también intervenían en la apoteosis, él daba trompicones y fingía caer, para tocar a las muchachas. La risa, lo desbordó. Alguna, más avisada, le puso la zancadilla y rodó el duende como un saco inflado y chisporroteante. ¡Buen momento para darle su merecido!

—Toma, toma la llave de Roma —comenzaron a martillearle en las orejas, en el cráneo, soplándole la débil pelusilla blanca y en otros lugares más carnosos, pero el duende les alcanzaba las piernas y ellas debían retroceder en el pequeñísimo espacio y también se tambaleaban en brazos de los doctores, muy gustosos de cantar abrazándolas:

—«*Vivat, vivat, vivat, cien veces vivat...*»

Claudio se había desentendido del ensayo, encendiendo un cigarrillo.

—¿Fumas? —me dijo alargándome un paquetillo de Lucky—. Son Lucky-Triqui, como dicen los milicianos.

—No, no fumo... la garganta...

—Me asombras, porque ahora que no hay tabaco se han dedicado a quitarles los cigarrillos a los fumadores los que jamás encendieron uno y las mujeres.

—Pajarillas, pajarillas, ¿dónde echasteis mi gorrilla? —gritaba mi amigo a quien por milagro asombroso no se le había perdido ni una sola llave—. Traédmela, que se me enfría el amor que os tengo.

Lo levantaron entre todos, recuperó su caperuza, que era un desteñido gorro cuartelero con una borlita reluciente, se acomodó la barriga, bajándose el cinturón de llaves y resopló cansado:

—¡Cuándo se librará el hombre de la pesada carga de soportaros y de adoraros! ¡Buena azotaina merecéis!

—¡Vive, viva, mil años viva Cotapos!

Sí, mil años viva donde esté el duende que me abrió la puerta de lo imprevisto. Viva porque ya jamás estaré solo. Viva porque me bastará recordarlo para bendecir la hora que me extravié sobre las tablas inseguras, tablas de barco navegante de la escena.

—Silencio. Terminó el ensayo.

Volvieron las voces a tener su sonido normal.

—Hasta mañana, Claudio —iban diciendo al salir las muchachas.

Atendí a sus nombres. Ninguna se llamaba Angelines.

—Estoy contigo. ¿Vienes a buscar a estos locos?

Habíamos salido al segundo sótano cuando una bomba demasiado cercana conmovió los cimientos.

—No me parece este refugio tan seguro como creí —comenté algo desconcertado.

—Tienes razón. Por el pasadizo está verdaderamente protegido, pero estos muros ya quedan al ras de la acera.

Sacudióse la casa con otra bomba. Todos se detuvieron. Hasta los caballitos, ya sin penachos, encontraron más prudente volver. Nadie reía ya. Podía de pronto derrumbarse aquel hermoso sueño en un hoyo sangriento, caer confuso y mezclado, como yo acababa de ver muros y seres en un amasijo informe, quedando apenas de aquella confianza juvenil una cinta flotando en el borbotón de una cañería reventada..., pero ni una queja, ni un parpadeo descubrí en aquellos seres capaces de encontrar en plena guerra la alegría. Creo que únicamente yo me desazoné. Y es que no quería perderlos. Recobró mi corazón su ritmo y me uní, tarareador inexperimentado, al desentono de una canción, pues con canciones se ha sostenido desde hace siglos y siglos la moral del hombre valeroso:

«Adelante, Guerrillas del Teatro...»

Hemos incorporado un ser extraño a nuestras guerrillas —¿por qué siempre estoy tentado de escribir mis guerrillas? Lo tomo todo demasiado a pecho—. Me dijo que se llamaba Camilo, es muy joven y habla ligeramente titubeando. Parece un bailarín o un cura. Es estudiante de derecho, pero por lo que habló puede ser licenciado en letras. Será útil. Aún no he pensado dónde ponerlo y me cuesta clasificarlo. Llegó oportunamente para borrar dentro de mí el recuerdo de Pepe Castaños, espía. ¿Cómo es posible? Lo había dejado todo por unirse a nosotros: la mujer, la universidad donde trabajaba en Inglaterra, el porvenir. Era un caso parecido al del poeta León Felipe escribiendo *Good by Panamá* y tomando un barco para venir a defender la República. Recuerdo que tenía miedo, eso es todo. Parecía, las últimas veces que me encontré con Pepe Castaños en un café, una casa a la que se le cae el revoque. Estaba lacio. Lo atribuyó a que trabajaba mucho traduciendo a diversos técnicos que habían venido a ayudarnos. Ni siquiera se rió cuando contaron por millonésima vez el cuento de la foca: «En los circos suelen a veces entrar baturros que jamás lo han visto. Apareció el amansador de las focas justo el día que un mañico se había instalado en primera fila. Dejó, en un aparente descuido para que la chiquillería gritase, que una de ellas fingiese escapar. El aragonés se levantó furioso: O lo sacas de aquí o doy con la tranca a ti y al *pájaro.*» ¿Verdad que es bueno?, concluía Pablo Esteve, que era nuestro almacén de cuentos. Siempre se había reído mucho Pepe Castaños, pero aquel último día lo encontró estúpido, sí, estúpido todo, volvía la cabeza sin cesar y al fin se colocó estratégicamente en un sitio donde por un espejo podía tener los ojos fijos en la puerta. Los que lo vigilaban, pienso hoy, no debían tener orden de molestarlo hasta unos días después. Lo tomaron desprevenido en su casa, durmiendo. Él mismo nos había contado con frecuencia que Morral el anarquista había sido cazado, precisamente como un pájaro, cerca de Madrid, rendido de sueño, huido en la copa de un árbol. Así quedó concluso el episdio de la bomba lanzada contra la carroza donde volvía de su boda el rey de España. Pues durmiendo, seguramente cansado de intranquilidad, habían detenido a Pepe. En aquellos tiempos el control había crecido y no era fácil sacar arbitrariamente a un hombre de la cama, pero aún quedaban grupos sueltos. Nos dirigimos a las autoridades. «Os rogamos no insistir.» Siempre la misma negativa hasta que hoy me dicen que ha sido fusilado por traidor. ¡Imposible! Pero, ¿y los planos y los mapas y su amistad con el agente enemigo? Me enteré llorando de todo esto, pero me esperaban las Guerrillas para ensayar. ¡Nos habíamos propuesto ser alegres! Regresé justo cuando comenzaban a bombardear este pobre Madrid, que desde la altura de la telefónica parece un colador. Teníamos que ensayar en el refugio y yo me ahogaba. A días pienso que soy hijo de cómicos y algún antepasado mío, cómico también, me ha llevado en su carro. Me gusta cambiar. ¡Si siquiera saliésemos mañana para alguna representación en el frente! El griterío de las chicas bailarinas, las risotadas de todos al ver a Cotapos haciendo el ganso, todo me era indiferente. Pepe Castaños debía haber pensado en nosotros que éramos sus amigos en el momento de caer atravesado. Recitaban *El enfermo de aprensión* y yo oía que me susurraban al oído: «Todo ha terminado, no seas tonto. Inglaterra nos abandona por hacer caricias al Eje. Alemania es fuerte y toda la burguesía española es germanófila.» Nuestras conversaciones parecieron romperse contra el suelo la tarde que lo dijo. Para él Alemania no era ya Hitler ni los nazis y la burguesía española había dejado de ser la favorita de Franco, general traidor, para ser recordada por él como amiga tradicional de Alemania. No se remontó a Carlos V, pero sí a las anécdotas del año 14, cuando Alfonso XIII decía: «Sólo yo y la canalla somos aliadófilos.» Apenas atendía a mi deber pasando el ensayo sin pena ni gloria, contentándome con rutinear frases y enfadándome indebidamente con Juana. Yo había conocido a Juana en su belleza de primera figura de un elenco de provincias. Tenía unos senos espléndidos, pródigamente mostrados; la tengo confianza aunque exagera su adhesión a la República y yo le digo: «Cuánto me recuerdas a unas tías ricas por parte de mi madre que iban a las procesiones a gritar: ¡Viva el Papado!» Contestaba Juana con dificultad a los razonamientos y si había que decidir respondía, como otro tío que recordábamos siempre en casa: «Votaré por quien el prelado me diga.» Así era imposible tener reuniones. En cuanto yo contaba con Juana para alguna mejora en las Guerrillas o quería disciplinarlas un poco, sacándolas de cierto juego demasiado colegial o asegurarme su republicanismo, la buena y tonta de Juana colocaba en plena reunión: «Consultaré al partido.» En la única vida que no tuvo intervención fue en la de su cama. «Oye, ¿por qué no consultas a tu partido para cambiar de amante?», le dije harto de su fervor. Aquella noche recibí una esquelita: «*Ven.*» Creo que conseguimos aquella noche quedar de acuerdo en algunas cosas de las Guerrillas que andaban mal. La llegada de un muchacho nuevo fue un descanso para mis pensamientos. Se llamaba Camilo. Salimos del ensayo y yo le pregunté: «¿Vienes a buscar a estos locos?»

La verdad es que la casa donde han dado asilo a las Guerrillas del Teatro, la Alianza de Intelectuales, es un lugar extraño. En los sótanos laberínticos duermen las chicas para que no nos despierten con sus miedos nocturnos. Todo se vuelve corredores interminables, cuartos revocados de cal dando a patios techados por anchas losas de vidrio. El vidrio deja pasar una luz de estanque. Como hay muchos cuartos, hay muchas puertas de madera oscura, lo que da aire de prisión. Luego viene una línea de cocinas, antecocinas, recámaras y despensas. Sorprende siempre encontrar al paso paredes cubiertas de peroles, ollas, cazuelas, asaderas, coladores, besugueras, escudillas, cazos, palas, pinchos, espumaderas, ralladores, sartenes. Todo es desmedido y todo es rojo dorado, como si hubiesen recibido sin devolverlo el fuego chispeante de las cocinas elefantiásicas. Hay cuartos especiales para el aceite y los vinagres, una bodega en estantes de alambre y la despensa de los jamones y los embutidos colgados del techo en un artilugio especial de madera para orearlos como los ponen los choriceros. ¡Cuánta gente debían alimentar aquellos hornos y cuánta hambre! El portero de la casa de al lado nos ha dicho alguna vez que había más de veinte criadas y diez o doce sirvientes. Él mismo era sirviente del palacio, pero lo dice sin nostalgia y nos muestra, orgulloso, un carnet de la CNT. Cuando pasamos sin desvestirnos con nuestras ropas teatrales resultan estos lugares unos escenarios curiosísimos. Se sale de las cocinas blancas y todo vuelve a ser sombrío, como si las criadas que allí vivieron, hijas la mayor parte del campo y del sol, no hubieran necesitado ya para el resto de sus días más que aquellos cuartejos tristes como ataúdes, dando a patios sumergidos bajo las monteras de cristales. Aprovechando el espacio, y debajo de esa tenue luz cenital, está parte del tesoro de las Guerrillas del Teatro. Sí, son varios los tesoros y están diseminados por la casa. En este cuadrilátero, los arcones llenos de ropas increíbles: uniformes, capas, armiños envueltos primorosamente en papel negro, abrigos imponentes forrados de piel de zorro, uniformes de todas las armas y todas las épocas, chinchillas de precios inalcanzables con su aire apolillado y su vejez, simpática a las infantas españolas. Sí, de todo lo que puede un cómico necesitar en su fantasía: botas y correas, espuelas y sombreros de toda índole. Varias generaciones podrían levantarse de este sotanillo y volver a comenzar la representación de su vida: caballeros calatravos, condesas impecables, ministros de la Regencia, damas de honor de doña Mercedes, lechuguinos abonados al Real, señoritas vestidas para su primer baile por Worth, venerables abuelas de manteletas recamadas de abalorios negros para los lutos de corte —¡oh, el malogrado Alfonso!— y toreros. El capote de un torero célebre permanece en su ataúd de cinc y sobre él el estoque manchado de sangre y las banderillas que un chiquillo recogió del ruedo la tarde mortal de Talavera de la Reina. Decir que lo hemos revuelto todo sería mentira; lo hemos utilizado. La historia de la casa es ya familiar porque nos la han contado el administrador y el portero y las criadas. Los descubrimientos fueron muchos y variados. El más importante lo hice al abrir un cajón, donde nadie había fisgado aún y eso que ya ha pasado bastante tiempo desde el principio de la guerra. Fueron unas fotos metidas en un sobre. Una de ellas era de un banquete. Asombraba ver en el fondo un retrato de Mussolini; ante él, varios hombres jóvenes brindaban, chocando su vaso con un aviador. Detrás estaba escrito: «*Comida al enviado de Mussolini. 1934.*» Verdaderamente que la República había sido blanda y confiada. Ese banquete era consecuencia del remordimiento monárquico de Sanjurjo, sublevado en Sevilla. ¿Y qué hacían aquellos señoritos monárquicos deportados, en vez de estar abriendo carreteras? Pues dando banquetes y, tal vez, contratando ya los aviones que nos estaban bombardeando. ¡Si es como para morderse de rabia! Han tenido todo: la inmunidad y el dinero. Ahora resulta que los capitales se evadían de esta triste España republicana, metidos en los cajones de los toros que facturaban para las corridas del sur de Francia. Ahora resulta que los aeródromos particulares eran utilizados por los señoritos aviadores para conspirar, mientras jugaban al progreso. Ahora resulta que cada cuartel y cada convento estaba enterado de lo que se tramaba, y nosotros en la luna. Confiados y ciegos, buenos y tontos. La responsabilidad llega desde Marañón y Ortega hasta Casares Quiroga y Alcalá Zamora y todos sus republicanos históricos. «General, déme su palabra de no conspirar y serle fiel a la República.» «¡Cómo no, presidente!» Y Franco se marchó a las islas Canarias, lugar admirable para recibir la visita de los aviones amigos. Dicen que una avioneta inglesa lo llevó a sublevar Marruecos el mes de julio del 36. No puede quejarse de lo cerquita que lo mandó castigado la República. Nos empezamos a enterar de lo que ha sucedido, y es como para morirse. Me agarro la cabeza cada vez que lo pienso, pero acabo de levantarla y de verme. Me he quedado intrigado: ¿será posible que sea yo aquel cómico hijo de cómicos, criado por mi abuela en una masía de Levante? ¡Cómo he envejecido! Desde anoche todo se ha puesto lento como si mi sangre se hubiese espesado o me hubiesen embadurnado los ojos de azul, como han hecho con los vidrios de las ventanas. Caminábamos hablando, cuando se apagó la luz del sector, y tengo que confesar mi estremecimiento por aquella coincidencia: iba pensando en Pepe Castaños, fusilado. Encendí la lámpara y tomé la mano de Camilo para guiarle. Se dejó confiado llevar por mí, apreté sus dedos para que estuviera tranquilo; me devolvió la presión instintivamente. Yo buscaba tranquilizarlo, porque esta mansión llena de armaduras, muebles negros, pinturas, cordobanes y damascos no es demasiado amable. Pasaba la luna a través de algunos balcones abiertos y el joven visitante gritó al verla. No pude menos de encontrarlo intempestivo. Los guerrilleros que me seguían no comprendieron bien; apresuré el paso y les hice entrar en el gran salón lleno de roperos donde las Guerrillas se desvisten.

—Ya hemos llegado. La ascensión a esta cota es dificilísima, pero con un buen plano y varias noches de estudio esta casa es tan confortable como otra cualquiera —explicó con su humor Paquito Bustos, tan gordo y tan simpático y tan buen actor. Al único que no le tiene simpatía es a Carlos Durán, pero Carlos Durán me ha sido muy recomendado por Rivelles, secretario del ministro de Estado. Sirve para llenar un hueco. Monsell, verdaderamente, es el más útil, con Juanita. Puede representar padres terribles y traidores, aunque los traidores suelo reservármelos yo para evitar que la antipatía del público desmoralice a mis muchachos, y por algo más, sí, claro, por algo más que se me dibuja confusamente y no quiero confesarme: porque creo que únicamente yo los *sé* hacer odiosos.

Esta sensación me viene de un día horrible, que no me atrevo ni a recordar, y algún día podré escribir, hoy no. Quiero no odiar a mis *enemigos* por un resto de mi infancia católica, y los odio. ¿De dónde me llega este sentimiento capaz, a veces, de avergonzarme? ¿De mi tía María, una estantigua ribeteada de aristócrata que llamaba Isabelita a la infanta Isabel? Me obligaba a comer con ella los jueves, después de la muerte de mi abuela, cuando me hicieron dejar Levante por el Colegio del Pilar de Madrid y mis pantalones cortos por otros largos, a los que aborrecía. Me crispaba los pelos de las piernas oírla hablar de estrambóticos parientes distinguidos y jamás de mis padres. Mis padres y mis abuelos pertenecían al vacío de su memoria. Hablaba de María Guerrero y nunca de mis padres, actores en aquella ilustre compañía, y si se le deslizaba involuntariamente algún nombre de la lengua, añadía presurosa: «¡Pobrecito!» Ese «pobrecito» hacía que se erizasen los pelos famosos de mis piernas y mis rótulas temblaban como las de don Pedro el Cruel. Ya no existe la idiota señora. ¡Dios la haya recogido entre sus trastos inservibles! Pero yo sigo identificando su tontería con la de toda una clase —rezan los folletos que leo—, llamada a desaparecer. Y me parece lo más justo que se ha escrito. Sí, yo identifico a la tía María con todos los refugiados en las embajadas. ¡Oh, maravilla de nuestra guerra! Bajo los pabellones extrañísimos que ha hecho brotar se halla refugiada la tontería madrileña. Parecen grullas en islotes aguantando el diluvio. Es de esperar que siga lloviendo. Mi amigo Gortazar, ministro de un país americano, no está tan feliz con ellos como otros diplomáticos que se perecen por los rozamientos aristocráticos. ¡Oh, estos representantes de las repúblicas y sus libertades democráticas, qué nostalgia tienen de los privilegios de nobleza! Vamos, quiero decir que se relamen dando títulos más o menos lejanos a viejas cotorronas y reumáticos caballeros. Mi amigo, la primera vez que llevó a su novia a la sede de la embajada, oyó que le decían: «Me parece, querido Gortazar —hablaba un duque recién llegado—, que el puesto a su derecha corresponde a mi mujer», pero se adelantó otro con mejor derecho: «Duque, creo que ser dos veces grande de España...», y entre chillidos de marquesas e interjecciones de condes y desmayos de una señora banda de María Luisa y quejas de un maestrante y el exabrupto de «usted el último, que no es más que infanzón de Illescas», aquellos caníbales de la etiqueta hicieron que mi amigo agarrase de la mano a su novia, titulada apenas chica guapa de Madrid, y se la llevase a comer tranquila y amorosamente a la cocina. Sí, los odio, los odio por mediocres.

Siempre vuelvo a pensar en esas gentes cuando subo las escaleras y cruzo los salones de esta nuestra guarida circunstancial. Pero hoy no he podido desprenderme de la imagen de Pepe Castaños. Recuerdo que al volver de Toledo me enseñó la copia apresurada de los párrafos de una carta de monseñor Gomá, primado de España, encontrada por las milicias socialistas en su palacio. Tampoco a monseñor le gustaban los ricos y aristócratas españoles, porque aproximadamente decía de ellos: «*Son avaros y malos patriotas, y la pérdida de las elecciones se debe en gran parte a que no se han preocupado en mitigar el hambre del pueblo, dando por caridad lo que van a quitarles a la fuerza.*» El purpurado era un clarividente. Y es que a España le vienen rodando estas cosas en la sangre desde muy antiguo. Pepe Castaños me preguntó una tarde, recién llegado, cuando aún se podía comer en la Rumbambaya por dos pesetas:

—Pero ¿qué es ese famoso estraperlo al que se atribuyen todas las desgracias?

—Se las atribuyen las derechas o, mejor dicho, los timoratos y ricachos de pueblo que creían en Lerroux, unos, y en Gil Robles, otros. Yo creo que el estraperlo fue una bendición. Se trataba de una ruleta inteligente en manos de un banquero más inteligente; de una bola que no caía ciega sino con los ojos abiertos. «*Un coup de dés n'abolira le hasard.*» Pues el estraperlo abolía el azar y la vergüenza, convirtiéndose en un símbolo electoral: había que suprimir todo azar en el gobierno del pueblo español. La República, tú lo sabes bien, había sido una aspiración de los inteligentes, las almas buenas y los borrachos. Los guardias de la monarquía trataban paternalmente a ese borracho de la madrugada que lanzaba su vinoso: ¡Viva la República! Se fue el rey, dejando a España en su laberinto. La gente se quedó asombrada al enterarse que el pueblo español estaba compuesto por algo más que curas, monjas, militares, empleados y ricos. ¿Cómo, pero también va a gobernar toda esa gente sucia y piojosa? ¿De qué alcantarilla habrán salido tantos obreros? ¿Pero era verdad eso de los socialistas? ¡A mí no me diga usted que esa gente que vive en pocilgas como lechones va a votar! ¡Estaría bueno que los destripaterrones de mis tierras fueran igual que yo! Todas estas bonitas frases se oyeron por nuestra pobre España, y algunas más fuertes, pues entre los que las proferían había muchos patanes con dinero. La verdad es que se quedaron con la boca abierta al ver que Marañón, Pérez de Ayala, Ortega y Gasset estaban «al servicio de la República». Claro, vociferaron al enterarse, eso es la masonería internacional. Azaña fue el diablo. En uno de sus discursos, el diablo dijo una frase que los dejó pasmados: «*La presencia del proletariado en la administración y el gobierno del Estado es el primer paso que ha permitido en España hablar con justicia de un gobierno de carácter nacional.*» Los «serviles» gritaron: «Ese hombre es un comunista, y a mi casa no viene ningún obrero ordinario y sin educación a mandarme.»

—Oye, ¿por qué los llamas «serviles»? —me preguntó Castaños.

—Porque me gusta resucitar la vieja división de liberales y serviles. Nuestro lado es liberales más proletariado. Fíjate que hasta puede haber en nuestras filas algunos que no sean republicanos, pero no pueden dejar de ser liberales, como Ossorio y Gallardo, por ejemplo.

—¿Por qué a los dos años prácticamente se había terminado la República?

—Creo que por aplicar métodos viejos a circunstancias nuevas, por no atreverse a sancionar duramente a los que minaban la seguridad económica del país, por no hacer con rapidez la reforma agraria, por temer el gobierno también a esa fuerza popular que aparecería en la vida nacional. Ya sé que vas a hablarme de Casas Viejas y de Zorita. Pero te he de decir que desde el día siguiente de la marcha de Alfonso XIII vino el arrepentimiento a los corazones de los monárquicos tan cobardes, tan lejos de representar las virtudes que dicen les legaron sus antepasados, etc., etc., y comenzó a ascender la conspiración desde los confesionarios y los cuartos de banderas, dos instituciones que por estar ausentes de ellas la mujer son estériles, o cuando paren dan un golpe de Estado o una guerra civil.

—Pero no fueron monárquicos sino republicanos los que tumbaron a Azaña.

—Fue Lerroux, el antiguo tragafrailes, con sus ávidos correligionarios, y Gil Robles. Gil Robles tenía en su mano derecha la espada de Franco. Pero de estos generales africanos, de estos colonialistas españoles habría mucho que hablar. Marruecos fue para el pueblo español una escuela de ternura, y para los militares el endurecimiento de su corazón. Todos los impulsos generosos los vemos en el pueblo, que no quiere dar sus hijos para una aventura fuera de ritmo histórico, mientras los militares van a África a mejorar sus sueldos, a reponerse de sus calaveradas, a ejercer el mando despótico, a prepararse para la insensibilidad. Primo de Rivera viene directamente del desembarco afortunado de Alhucemas a la dictadura, y Franco, hombre impasible y duro, educado en los campamentos de fuerzas de Regulares marroquíes, es el que tenemos enfrente, con las mismas pretensiones. ¿Y el pueblo? El pueblo sigue su trayectoria, y a la traición y la guerra impuesta contesta como si el fuego del 2 de Mayo, Zaragoza o Bailén no se hubieran extinguido.

—Es justa tu observación.

—La insurrección de Asturias fue una forma precipitada de salir al encuentro de los manejos de estas gentes fuera del poder. Yo estaba en León con una compañía de comedia bastante floja y vi muchas cosas que algún día te contaré. Y volvamos al estraperlo. El ministro de la Gobernación de Lerroux era un gordito, Salazar Alonso, a quien el *vivo* internacional llevó hasta el desatino de regalar relojes sensacionales a los ministros. Entonces yo estaba en gira por Mallorca con los Cibrián. El director vociferó: «¡Esto sí que es dar la hora, la hora de los sinvergüenzas!»

—Yo estaba explicando literatura en Cambridge.

—Te aseguro que a veces pienso que no están de más estos pequeños paseos por la vida de uno, mezclándola a los acontecimientos simultáneos —dije separando la taza de café que los españoles necesitamos para inspirarnos—. Ya te conté que Franco estaba junto a Gil Robles, ministro de la Guerra, pues estas gentes preparaban con mucho cuidado el *movimiento* que ahora por las radios el general Queipo de Llano, republicano arrepentido, llama *glorioso*. En ese Ministerio el general Franco soñaba con la felicidad castrense que podían dar los sables y las botas militares al pueblo español, pero es un gallego astuto y callaba con paciencia y mala intención. Hasta Falange Española, el grupito del niño de Primo de Rivera, como decían mis tías, se plegó, desfilando ante los graves republicanos históricos.

—Fueron dos años tristes.

—Sí, pagamos en ellos la desbordada confianza de la proclamación de la República, la verbena preciosa del año 31. Y es que en España todo toma aire de bulla y fiesta cuando no de ruedo de plaza de toros. Nada parece realmente trascendental, porque inmediatamente hacemos un quiebro y se oyen palmas. Un tiro puede parecer un cohete. ¿Recuerdas a los chíviris? Volvían de la Moncloa cantando y Juanita Rico, la joven socialista, murió riendo. Dicen que los balearon desde un coche donde gritaba una voz de mujer: «¡A ésa, a ésa!» ¿Y los de la FUE? Ésos eran unos estudiantes especializados en hacer correr los caballos de la Benemérita. Y todo con despreocupación, con alegría, casi deportivamente. Yo conocí a un chico, Xavier Mora, que iba de los grupos católicos a la FUE sin saber donde posarse, y dentro de las familias se volcaban los platos de sopa ante ambas sorpresas: Fulanito dice que es comunista o Zutanito ha ingresado en Falange. La vida española era tensa y vibrante, nos vitalizaba la inquietud callejera, la sorpresa de la huelga general dejando vacías las calles para responder a una concentración falangista en el Escorial o las estudiantas con brío de manolas insultando a la guardia pública. Había quema de quioscos y represalias. Despertábamos. Pero el señorito español despertaba a su modo. Hubo un modo Primo de Rivera y un modo clerical monárquico calvosotelista.

—¿Los llegaste a conocer?

—Al primero. Los dos hijos de Primo de Rivera, capitán general de Cataluña, fueron soldados míos cuando yo era suboficial en Barcelona. Lanceros de Santiago.

—¿Algún recuerdo especial?

—Ninguno, salvo que no hicieron la cursilería de comprarse ropa de *cuotas* y usaban la que se entrega al soldado raso. Nadie podía prever lo que pasó luego. Uno era pretencioso, el otro sereno y algo triste. Pues al modo Primo de Rivera el falangismo poseía atractivos poderosos, mezclas explosivas, palabras tradicionales con traje nuevo, un *cocktail* de doctrinas ajenas y estandartes propios, una amalgama de grandeza y rebelión. Era la rebelión de los niños de casas bien, que decían a sus papás: «¡Qué anticuados estáis, siendo legitimistas o alfonsinos, o cedistas o católicos sin partido!» Pero ellos quedaban atados al cordón umbilical de la reacción mientras se teñían las alas de acentos alemanes e italianos. Un escritor: Ledesma Ramos, les dio el signo: flechas y yugos de Isabel y Fernando el Católico.

—¿Y Calvo Sotelo?

—Calvo Sotelo era un listísimo abogado. Se reía de los falangistas y de los apoyos que le ofrecían. Negoció por cuenta propia con los jerarcas nazis y fascistas. Primo de Rivera lo odiaba.

—Pero ¿por qué no se entendieron con Lerroux y Gil Robles?

—¡Eres de una inocencia! El escándalo del estraperlo resulta providencial para la vida española. ¿No recuerdas que hay un presidente de la República? No, pues lo hay y se llama Alcalá Zamora, alias *el Botas*. Resulta difícil saber por qué asalto de su conciencia, el orador de Priego usa su prerrogativa de disolver gobierno y parlamento convocando a elecciones. Yo estaba entonces en el teatro Fontalba de Madrid, cuando entró alguien diciéndonos que habían ido a buscar a Portela Valladares para encargarlo de la Presidencia. Para mí esta última salida de los republicanos tiene cierta melancolía de juguetes rotos. Muy siglo XIX, estos personajes se han de enfrentar con el plantel de víboras de la reacción y el clero españoles que viven en el siglo XV. ¡Hasta las monjitas intervienen dando santos y retrasadísimos consejos! Lo único que en esta lucha desesperada de los siglos vive en el presente es el obrero español, y comienza en las calles a golpes de carteles, de engrudo y de tiros la lucha electoral. Al mofletudo Gil Robles, que aparece en la fachada de una casa de la Puerta del Sol, contestan los partidos republicanos y el proletariado de España con el Frente Popular.

—Siempre he oído decir que todo fue obra del comunismo. Pero en España creo que el partido era brillante de iniciativas, pero pequeño.

—Su genio fue ofrecer la fórmula de Frente Popular inventada o propiciada por Dimitrof, un dirigente búlgaro, a quien salvó del proceso satánico inventado por Hitler, después del incendio del Reichstag, la fuerza de opinión internacional. Yo me uní a un grupo de muchachos poetas, artistas, escritores, pintores que sacaban una revistita: *Octubre*. Y allá fuimos con la muchedumbre, a cuestas una escalera y algunos tarros con engrudo, a pegar dibujos satíricos, hechos por *nuestros artistas*, excelentes, por otra parte, y muy modernos, conocedores de Grosz y que se quitaban la boina ante Picasso. ¡Qué pobrecitos éramos y qué débiles para nadar en el mar enloquecido de vanidad que a oleadas depositaba la CEDA por todas partes!

—La pulga contra el elefante.

—No, David contra Goliat. El día del triunfo estábamos reunidos en casa de Alberti. Tenía una terraza esplendorosa abierta sobre el valle del Manzanares. Desde distintas redacciones nos iban dando cifras, y cuando ya se perfilaba la victoria completa llamamos a *El Debate*. Una voz inquieta contestó a la fingida alteración de la voz que preguntaba: «Tranquilícese, señora, hemos ido al copo en Cuenca.»

—Y vosotros os reísteis como locos.

—Claro, entre carcajadas felices bajamos la escalera. Vivía en unos pisos más abajo el presidente de las JONS y nos lanzamos a la alegría ciudadana. Nos pareció aquella noche de febrero, tenazmente fría, un anticipo de la primavera. En el Ministerio de la Gobernación, donde Alberti tenía uno de sus familiares, podían darnos detalles de las elecciones. Allá fuimos. Al entrar, salía José Antonio Primo de Rivera. Nos miró con cierto desconcierto mientras una ramera borracha nos escupía, al ver claveles rojos a todos los del grupo: «Piojosos, ¿y de qué vamos a vivir ahora, piojosos?» Pasó sin saludarnos y eso que nos reconoció demasiado bien. La borracha seguía escupiendo a los pobretones, confundiendo señorito y vicio. Luego de identificarnos, nos dejaron pasar. Arriba nos enteramos que José Antonio había ido a ofrecer a Portela Valladares sus falanges para hacer frente a los obreros «que se volcarían haciendo desmanes». ¡Qué mal rato pasé! Todo lo que yo podía haber conservado de sentimental hacia mi soldado de Barcelona se borró en aquel instante, y se me quedó el muchacho, al que yo en el fondo guardaba simpatía y hasta cierta admiración por su talento oratorio, reducido a la pobre talla de un señorito rencoroso, mal perdedor y matón. Seguimos paseando nuestros claveles por las calles y recalamos en el Lyon d'Or. Bajo nuestros pies, *La Ballena Alegre* gemía.

—¡No sé cómo te atreviste, siendo cómico!

—Tienes razón, el cómico es un ser sin personalidad social que debe únicamente recibir la que le dan los papeles de sus comedias, pero, chico, yo opino por mi cuenta, soy español hasta la médula de los huesos, me gusta enterarme, ir a las tertulias, maldecir, si hace falta, y hasta dejarme engañar fácilmente, eso sí, pero que no se me soborne.

Pepe Castaños apuró su café, ya casi frío. Negresco estaba lleno de milicianos. Venteó el aire.

—¿Aviones?

—No, la cafetera *express*. ¿Salimos?

Afuera siguió el aire zumbando.

—Saldrá el *caza* —le dije, riendo de nuestra escasez defensiva de entonces ¡ay! y de ahora.

—Un caza, dos Potez que ha traído Malraux y cuatro ametralladoras en el tejado del ministerio de la Guerra...

—Los madrileños llevamos otra contabilidad. Somos cerca de un millón de corazones, y si quieres de otra cosa, doblas la cifra.

—¿Y las mujeres?

—Ah, para el caso de las mujeres multiplicadas por tres.

Nos despedimos. Tuve ocasión de verle muchas veces; hice cuanto pude, luego lo olvidé y hoy acabo de enterarme que a Pepe Castaños lo han fusilado por traidor.

No puedo quitarme del recuerdo su cara de intelectual. Otros días me río viendo desnudarse a Paquito Bustos, a Carlos Durán, a Monsell, inocentes y jóvenes, tan dados a la risa y la burla. Hace pocos momentos Carlitos decía, mirándose las piernas de jugador de *foot-ball*:

—¡Y pensar que mi madre quería que yo hubiese sido chica!

Camilo andaba algo desconcertado.

—¿Qué haces?

—Leo a los ciegos, pero ¡me gustaría tanto quedarme con vosotros!

—Pues quédate, tonto —le dije, mandándolos a todos a comer para quedarme con mis pensamientos. No hubiera podido atravesar bocado y, además, los bocados que nos dan ¡son tan chicos!

He vuelto a sorprenderme de los ruidos y golpes inesperados que suenan fuera de nuestro alcance y cuya causa no conocemos; durante la guerra mis oídos reaccionaban de diferente modo. Ahora, la menor persiana golpeándose, la caída de un objeto cualquiera me intriga y hasta me descompone; si sucede en momentos de recogimiento y oración, vuelvo la cabeza. Ya he sido advertido varias veces. Durante aquellos años pasados llegué a acostumbrarme a las explosiones y a las carcajadas, olvidé lo que nos repetían en el seminario para prevenir nuestras disipaciones bullangueras: La alegría la hizo Dios, la risa estruendosa la puso el diablo. Estuve fácilmente de acuerdo porque soy tímido. No uní la alegría a la carcajada hasta aquella noche que atravesé un palacio deshabitado y me encontré en medio de los cómicos. ¡Con qué facilidad se reían y quedaban desnudos! Mis ojos oscilaban entre la cerradura de la puerta y los enormes armarios en un vaivén de terror. Reclamaban mi ayuda a gritos, y yo sin acertar a moverme. Aquella promiscuidad, aquel contacto rosa de las mallas colgadas, aquel rumor de los trajes de seda, aquella sonrisa cómplice, tan antigua como el embadurnarse las mejillas de mosto y cubrirse de pieles de carnero, me enmudecía. Me dije: es la candidez de los tiempos áureos y los cómicos son los últimos seres que viven en la selvática espesura de sus disfraces, colgando y descolgando la piel de sus metamorfosis, como aquellos de la cálida Grecia. Son amigos. Se han jurado amistad sobre el panal de miel y ya ves, ninguno vuelve la cabeza como tú, avergonzado por la vista de lo que dicen es la semejanza de Dios. ¡Reían!

—Tu cuarto va a ser, por esta noche, el de la señora marquesa. ¿Señor marqués, está usted preparado para tanto honor?

—Perfectamente de acuerdo con mis deseos. Una marquesa es lo que estoy necesitando —y levanté la cabeza en desafío, y debieron ver en mis ojos algo de cándido o de necesitado de protección, porque Claudio me preguntó:

—¿Qué haces?

—Leo a los ciegos —contesté—, pero me gustaría más quedarme con vosotros.

—Pues quédate, tonto.

Habían concluido de vestirse y ordenaban en los imponentes armarios los trajes de escena. Mis amigos habían perdido su esplendor trajeados de uniformes idénticos y eran los soldados juveniles de cualquier unidad. Salimos hacia el comedor y me mostraron una puerta:

—Ése será tu cuarto. Descansarás tranquilo hasta que a la madrugada llegue la aviación. Si quieres bajar al refugio, desandas el recorrido que acabamos de hacer.

—Pero si te resulta demasiado complicado, sigue durmiendo.

—Sí, hombre, duerme. No tenemos todavía noticias de que ninguna bomba haya matado a un cómico.

—Es que yo aún no lo soy —debí decir con cierta melancolía.

Riéndose, me empujaron hacia un corredor, del que desembocamos, después de otras complicadas bajadas y revueltas, en una habitación donde una gran mesa tendida nos estaba esperando. Claudio, con su suave benevolencia, me presentó:

—Camilo, guerrillero novel que viene a disputarnos con su apetito nuestras alubias. ¡Ojo!

Así fue, y no puedo desdecirme ni avergonzarme.

Me dio alegría y algo, tal vez una sensación colegiala, me bañó de paz. ¿Comí? Seguramente. ¿Quiénes estaban? Más tarde ordenaré mis pensamientos. Sé que unos eran poetas, me dijeron, y otros sabios o pintores. ¿De qué hablaban? No recuerdo bien. Luego, más tarde, trataré de reconstruir todo aquello. Sé que se terminó porque llegó un jefe militar con un comisario político y se llevaron a Claudio. Yo estaba rendido y me depositaron en la habitación de la marquesa.

¡Dios mío, dulzura de mi vida! ¡No me castiguéis en la otra por cuanto me ocurrió! Jamás te he abandonado. Cómico era que yo fuese cómico, pero no más que el ser soldado de una causa que habían mis superiores decidido que no era la suya. Me santigüé y comenzó mi noche de tiniebla.

¡Qué cuarto aquél, Señor! Tendido en un gran lecho de raso amarillo y diminutas flores estaba el soldado de la República, el cómico presunto, el frailecito. Para subir a él trepé tres graditas insolentes que lo aislaban del suelo y los cortinajes blancos me informaron que había tres balcones. El techo corría pintado de cielo azul y nubes. ¿Éste es el patrimonio de los ricos? Todo parecía hecho para la ocultación y la trampa, para refugio de la sorpresa aliada del miedo.. Me iba a ser difícil no sobrecogerme con el desperezo nocturno de los muebles desconocidos, por las pisadas de otras gentes que por allí entraron, de otros nombres que se dijeron en voz demasiado baja. Muchas veces me entretuve en descifrar los ruidos de mi casa: pasitos de gallina de mi abuela, el gotear de algún cántaro volcado y hasta el ratón amigo, pero en aquella alcoba profunda todo era hostil, como lo puede ser la riqueza para los pobres que la desean y la temen, porque son incapaces de vivirla sencillamente y lloran. Yo pedía al sueño clemente que viniera para olvidarme de aquello y de mis palabras pidiéndoles ser cómico y de la insolencia de los afortunados. Poco a poco traspuse el límite del mar y me volví un dios de piedra abandonado como esas estatuas que son olvidadas durante años cerca de la fuente a medio construir y sirven de juguete a los chiquillos. Quise reponerme, salir de mi sopor, pero me lo evitaban mis manos cortadas como guantes caídos. Grité, pero aquella estatua no tenía pareja. ¿Si viniera algún fantasma de los que andan por los palacios olvidados? Aunque entrase la misma señora marquesa, ya sería bastante para aliviar mi soledad. Sí, la señora marquesa con su Historia de España, aunque yo estuviese desnudo, los muñones de mis muslos al aire, el hombro roto correspondiente a la mano que señalaba una ninfa inexistente, levantada. Pero no estaría solo, y los niños podrían traer sus barcos de papel a botar en agua, que sería mi agua, el agua de mi fuente. La señora marquesa podría servirles de niñera. Una dulzura de hospital me recorría y la vi inclinarse sobre la piedra de mis ojos, mientras me echaba un vaho de suave ternera triscadora por la cara. ¿Tu nombre, tu nombre, tu nombre?, le repetí innumerables veces, pero el aliento se desvaneció y yo me tiré del insolente lecho y prendí la luz. Me froté los ojos. Algo me seguía zumbando: «Tonto, si la tienes delante. Da tres vueltecitas y la encontrarás. Eres un necio de los que no ven tres sobre un burro.» Apagué la luz y me quedé firme, fijo en mis pies, decidido a recobrar mis nervios. Pero miré a lo alto y se me detuvo el corazón. La muchacha que yo buscaba estaba allí, era una lucecita sonriente, estrellada, cómica, eso es, cómica y prometedora. En la cima de un cortinaje estaba fadada en su montiña de seda y yo le grité: «Baja, baja aunque yo sea nada más que un pobre fraile.» Pero no me oyó. Durante todas aquellas horas estuve pendiente de preguntar un nombre y no lo dije, no lo pregunté a nadie, no me descubrí, pero ¿qué cosa hubiera yo dicho? ¿Me gustaría quedarme con vosotros? Soy fraile, ¿entiendes? No debo preguntar por ti, has de ser únicamente una lucecita, ves, esa lucecita que mi arrepentimiento borra encendiendo la luz.

Así lo hice, y alrededor mío se volvieron a instalar las cosas en su verdadero ser, y Angelines desapareció del jirón del cortinaje y yo me quedé temblando ante la riqueza de los ricos que escuece en los ojos. Nada tenía que ver aquello con mi convento —octava maravilla del mundo al servicio de Dios—, aquélla era fría, ésta cálida; aquélla, agresiva de mármoles, ésta blanda, de sedas; aquélla olía a humedad e incienso, ésta a perfume olvidado, a lugar recóndito. Todo recordaba la piedad de los ricos hacia su cuerpo, el regalo, el entusiasmo con que lo tratan, y el mío pareció adquirir memoria, como si despertasen millones de células y ojos minúsculos y olfatos... Recordé objetos que nunca había visto y vi a los espejos multiplicar mis manos y, al descorrerlos, salieron gasas imprevistas, sedas, terciopelos, restos de bailes, miradas huidas, soplos sobre cabellos en desorden, nucas y olores de jazmín, de heliotropo, de rosas marchitas junto a un guante... Todos mis deseos de hombre llegaron juntos, en tumulto, tropezándose con mi remordimiento, riéndose de mi ridícula tentación. Quise sobreponerme, pero la riqueza zumba como las chicharras y grita. Como el persistente vaho de alcanfor que me envolvía se instaló en mí una idea: Gran tonto, eso eres tú, esto lo que te gusta a ti, ésta es la vida que te espera. Camilo, actor. Te unirán a ella las palabras gloriosas y seréis dos actores. ¡Qué alegría! «Buenas noches, Camilo.» «Has estado maravillosa, Angelines.» ¡Qué esbelto soy! Tengo veinte años. Nada vulgar para nuestras vidas de comediantes. ¡Qué estatura tengo de rey! «Y tú, Angelines, me llegas justo al corazón.» Tan embebido estaba en mis gestos, tan prendido en mi propia comedia que no atendí un ruidecillo que ascendía por las rendijas e iba desgranándose por los zócalos. Y debí tardar bastante en darme cuenta, eso que cuando la cosecha de mi casa se recogía en las arquillas, acudían los habitantes de los escondrijos. Subían las ratas con su paso marcial de conquista hacia las reservas del invierno y mi padre, ayudado por sus hijos, preparaba las trampas. Yo era pequeño, sensible y protegí entre los hierros de mi cama y el ángulo de la pared la ventanita circular que abrió un ratón. Asomaba mi minúsculo vecino como una gota redonda de pelo gris. ¡Oh, vecino queridísimo que vivió resguardado por mi silencio el tiempo necesario para invadirnos con su descendencia! Una noche me presentó a sus hijitos. Saltó uno, saltó otro y así fueron apareciendo hasta seis minúsculos ratones que jugaron hasta el amanecer con mis medias. Al día siguiente mis medias eran un rebujo de lana. Quise remendarlas; el estambre era de otro color; mi madre se dio cuenta, y aquella mamá, inexorablemente campesina, mató a escobazos mi cuento.

Los roedores del palacio iniciaron su ascensión, acompañados por una armónica. Me cubrí con lo primero que hallé a mano, apagué la luz y salté a mi cama imperial. Subieron los tonos musicales y comenzaron a filtrarse por las puertas aristas finísimas de luces; me escurrí entre las sábanas, pero pronto la bárbara invasión fue total y me vi rodeado de inarmónicas armónicas, de alaridos y gritos, de manos que me arrastraban. La verdad es que, como en una aventura de Polichinela, me molían a palos. Rugían de satisfacción cada vez que me acertaban en las nalgas. Por fin, me liberé de ellos:

—¡Señora marquesa, por Dios, más compostura, por favor!

Los diez disfrazados se revolcaban de gusto por el suelo. Creo que al principio no comprendí bien por qué se reían tan escandalosamente, hasta que me vi de pie sobre mi lecho de combate envuelto en una copiosa bata de mujer que me caía en cascadas de encaje desde los hombros a los talones. ¡Yo, yo definitivamente incorporado al absurdo! ¡Yo reflejado en el inmenso espejo de la chimenea, que no me perdonaba!

¡Ay, cada vez que lo pienso! ¡Dulces vacaciones concluidas!

Pocos días después fui a ver a mi hermano, y mi cuñada consultó al padre Blas Torrero, escondido en su casa, si yo obraba bien incorporándome a las Guerrillas del Teatro. El santo varón dijo que sí, recordando a varios santos histriones a quienes el paraíso se les había abierto y sabe Dios el buen resultado que darán en las fiestas infantiles organizadas por los ángeles. Mi cuñada Panchita quedó a medias convencida, pero también para ella, como para todos, lo primero era protegerme. Yo me arrodillé bajo las manos sarmentosas y puras justo cuando comenzaron las descargas. Cada uno se ocupó de dar su opinión y me olvidaron:

—Son los cañones del cerro de los Ángeles. Parecen más que del quince y medio.

—En ese cerro no debieron nunca instalarse cañones —decía el padre Blas, blandamente.

—Son para defensa de la fe.

—No me gusta esa fe defendida por monstruos.

—Vamos, padre, usted es un santo que pasa mucha hambre en mi casa.

—Hija, no tanto, y, además, el hambre es buena para ver visiones, y sólo en las visiones se ve a Dios.

—Lo que sucede, padre Blas, es que ustedes nunca pudieron ver ni en pintura a los jesuitas, y la devoción al Sagrado Corazón no les interesa.

—No hagas juicios temerarios, hija.

—No, si una es tonta, pero una sabe cada cosa.

—Calla, madrileña. Lo que me disgusta es que el cañoneo venga desde el lugar de la unión y de la paz.

—¿Y si no pueden tirar de otra parte?

—Si Dios es un corazón, bien pueden caberle todos los españoles.

—Eso, hasta los que le muerden.

—Ésos los primeros, hija, que por hombres más infames subió a un madero.

—Con usted no puede hablarse, cura de misa y olla.

—Eso soy, Panchita, de misa y olla y de pueblo. Y, asómbrate de mi confesión, soy hijo de cura de pueblo, porque hijos de cura llamaban en mi pueblo a los que nacieron sin conocer padre ni madre, y me llamo Torrero porque mi aldea tenía mar y me cuidó el hombre de la torre marina, el farero que guiaba a los navegantes. Ves, no comprendo nada de lo que está sucediendo.

—Ya lo estoy notando, habla usted como si no escuchase las emisiones de Salamanca, como si no apreciase los sacrificios del Caudillo.

—Los respeto, pero no los celebro y me da pena que a esta tierra áspera y reñidora de España me la claven, hundiéndola el estoque, cuando tal vez podía amansársela pasándole la mano por el testuz, como dicen en las leyendas que hacían los santos. Claro que un general no es un santo, precisamente.

—¡Para santos está el horno! ¿Oyes, Camilo? ¡Ay, señor, creo que debería usted salir para detener la muerte en el aire y reconciliar a los dos bandos! Ve, eso sería más fructífero que comer la sopa escondida, durmiendo entre terrores pánicos, macerando entre las últimas muelas el pan de munición que le trae Julián.

—Panchita, calla.

—Déjala, Camilo, las mujeres revientan como las cañerías a borbotones y todo se detiene con dar vuelta a la llave.

—¿Y de qué van a servir mis desvelos por la causa? Bueno, que Camilo se vaya a rozarse con pindongas, mientras yo le arreglo el que vuelva a su sitio de fraile decente.

—¿Qué dices, Panchita?

—Nada, que yo me pinto y ando sola. Ya verá si las mujeres reventamos a borbotones o gotita a gotita —dijo, y salió dando ese portazo tremendo y definitivo con que las mujeres zanjan las cuestiones.

Aquel santo y yo nos quedamos un momento suspensos. ¡Ay, si el pobre viejo hubiera podido venirse conmigo a las Guerrillas del Teatro, lo hubiera hecho! Pero la ira continuaba suelta por las calles de Madrid, y el padre Blas Torrero tendría durante toda la guerra que soportar los entusiasmos encendidos de Panchita por el Caudillo. Decreció el ruido y con sosiego me alcanzó una silla, sentándose en la otra:

—Vas a ser actor, Camilo, hijo.

—Sí, padre mío.

—Es una profesión curiosa.

—La elegí sin pensarlo mucho.

—Hay en ella un desdoblamiento involuntario de nuestros gestos, casi pudiéramos decir que nos tenemos que *ver* para saber el efecto que vamos a producir en los que nos miran. Recuerdo esto pensando en la primera vez que prediqué. Me precuparon tanto las manos, que estuve ensayando en el cristal de un armarito que había en mi celda. También la voz. Un predicador será más útil si sabe medir su voz, componerla. Y no quiero decir que sean necesarias esas entonaciones jesuíticas demasiado insinuantes, pero sí una voz varonil, popular, mira, una voz de hondero, aunque te parezca un disparate, porque una iglesia es un campo abierto, un recinto amplio donde las voces campesinas suenan mejor que las ciudadanas y aflautadas, una voz fuerte con rumor salino como la de Pedro el pescador. Pedro, pienso siempre, debía tener una voz estentórea para poder seguir a su maestro que hablaba desde una barca. El teatro tiene mucho de predicación. Yergue la cabeza, que no se diga que un cura tuvo miedo. Y antes de empezar, santíguate, y, aunque sea para esos descreídos, despreciados por Panchita, cumple honestamente tu deber de comediante, porque si los hombres aquí abajo les cerraron las puertas de los cementerios, no tenemos ninguna prueba de que Dios Nuestro Señor les haya dado con las puertas del cielo en las narices.

El padre Blas Torrero era y sigue siendo un santo. Me incliné para que me bendijera. Sentí su diestra sobre mi hombro. ¡Tiempos duros, difíciles! Salí, diciéndole:

—¿No quiere venirse a las Guerrillas del Teatro, padre? Así el fervor de Panchita no lo perseguirá tan ahincadamente.

Yo miraba muchas veces el mapa de España con un escalofrío de miedo. En esas divisiones territoriales, orográficas, ríos y accidentes, había dejado de vivir un pueblo más o menos feliz. Aquellos números que llamábamos cotas y los rayados de las ofensivas y contraofensivas, manchando de una lepra de rayitas los territorios se me volvían, lo que eran en realidad: campos de batalla, lugares de exterminio, siega de árboles y dolor de campos, bestias, hombres. Llegaba al E.M. y me decían: «Claudio, tal unidad está en reposo. ¿Por qué no te vas con las Guerrillas?» Me ponía alegre. Hace varios meses que el trabajo me alegra. Por eso, cuando he vuelto esta mañana, he gritado a mis chicos: «¡A ensayar, a ensayar!» Los dejé reunirse en el jardín de invierno, patio encristalado al que afea bastante una verja pesada y falsa, que da a los salones, y mientras tanto fui a buscar a Camilo. No lo encontré. Grité desde una ventana de la galería a Perico Ligero, sentado eternamente al sol sin hacer nada, buscando con su sillín de anea los rayos más beneficiosos, como un gato. ¡Nunca sabe nada! Al salir de la escalera oí voces y vi en la sombra que un guerrillero se inclinaba para mirar al *hall*, tan sorprendido como yo mismo del escándalo. Era Camilo. Los que gritaban entre las dos armaduras custodias de la entrada eran un hombre y una mujer. La mujer chiquita y agresiva protegía al hombre grande y macizo de un iracundo Perico Ligero que los increpaba sin dejarlos pasar. ¿Cómo se había producido aquel prodigio? La mujer lanzaba chillidos en un idioma que aún no sé si era francés o húngaro; contestaba Perico a los denuestos con su español de plazuela y la agresiva pelirrubia le empujaba el tórax con un maletín. Aquello tenía que terminarse y ya íbamos a precipitarnos para concluir la escena, cuando me rozó una sombra enfundada en un estupendo abrigo de piel de esos que los grandes duques destinaban para asustar con su lujo a los osos polares. Pasó imponente, cubierto desde la barba que le nacía en la intimidad del cuello peludo hasta los pies, por cierto anacronismo maravilloso. Hasta creí por un momento que una zarpa se agarraba al pasamanos de terciopelo encarnado, una zarpa como la que vi de niño clavada en aldabón en una puerta, testimonio de la imprudencia de un oso que quiso visitar a unos parientes míos. Tardé en darme cuenta de quién era el personaje que descendía y no bajaba la escalera, acallando las voces con tan estupendo atavío. Sin ver más que su coronilla, yo adivinaba su mirada azul detrás de los espejuelos. Asistí con delectación de espectador a la fascinación de aquellos extranjeros, al ver acercarse al personaje alisándose, con su gesto favorito, la barba blanquecina, murmurando inesperadamente esta pregunta:

—¿Sois felices, hijos míos?

Perico Ligero, difícil de encantar, aprovechó para dar un codazo a la mujer.

—Esta intrusa que se me cuela en la portería, mientras estaba yo descansando.

La mujer también reaccionó, sacudió la cabeza, cayó la boina y se quitó con el brazo, alzando el maletín hasta la mejilla, el pelo que le caía en desorden.

—¡Salud!

—Paciencia, Perico Ligero, la muerte nos descansará a todos —y haciendo a la mujer una caricia en la mejilla salió dejando estupefactos a los extranjeros—. Bienvenidos a la ciudad del Hombre. *Welcome, welcome!*

León Felipe, pues era él, desapareció entre dos puertas arrastrando su pellejo de oso, su altivez de archiduque, su extraordinaria presencia de aquellos días extraordinarios.

—*Quelle merveille!* —exclamaron radiantes de gozo los extranjeros, jóvenes, simpáticos, decididos—. *Mais c'est genial! La maison des fous! Nous restons!*

Yo, que me había precipitado escaleras abajo, les tendí la mano en mi francés de encrucijada y calmé como pude a Perico Ligero, furioso al ver pisoteadas las consignas:

—Pues si María Teresa me ha dicho que no pase nadie, pues yo no dejo entrar ni a mi abuelo.

—Vamos, hombre, éstos no son tu abuelo, sino fotógrafos y la secretaria estará encantada de verlos —le dije señalando aparatos y trípodes—. ¿No comprendes que tenemos que informar al exterior de lo que está pasando?

—Pues si todas las órdenes se cumplen como ésa en esta casa... —me contestó sin dar su brazo a torcer—. Por mí que pasen todos, pero lo que es yo cuidar la puerta para que me atropellen...

Por fin fue a llamar a la secretaria; Camilo sirvió de intérprete y dejó en las buenas manos de María Teresa a los dos fotógrafos de varias grandes revistas internacionales. Al separarnos para ir al ensayo volvimos a oír la risa de León Felipe que subía como un gorro de cascabeles hasta la cárdena burla del farol central que remataba el techo de la escalera.

—*Welcome, welcome!* —tintineaba.

Camilo se agarró fuertemente de mi brazo.

—¡Qué casa! ¡Si entras por los sótanos te encuentras con los cómicos y si por la puerta te salen al encuentro los poetas!

Pero Camilo no será nunca cómico. Ya lo he visto; le falta corazón. Quise que ensayase un papel insignificante en *El bulo*, obrilla de teatro de urgencia de Santiago Ontañón, nuestro decorador, y es incapaz de hablar seguido, no ya sin trastabillarse, sino que deja un hueco, una vacilación al responder que abre ese vacío antipático, esa laguna que suspende la representación. Quien tiene *pasta* es Juanito Monje. Llegó tarde, pero se incorporó sin dificultad. Las chicas lo quieren porque deben presentir que las desprecia. Y digo las desprecia porque con todas hace lo mismo. Yo creo que es estupendo para ciertos papeles. Se lo presenté a Camilo y no se dieron las manos. Debe pensar Juanito Monje que le he buscado un sustituto. ¡De ningún modo! Llegó acompañado por el portero de la casa de al lado, me llamó aparte y yo tuve miedo de que la presencia de Camilo lo hubiese irritado. Sé que estuvo enfermo; también Angelines ha estado enferma y todavía no ha vuelto. Pregunté nervioso:

—¿Qué te ocurre?

—Nada, éste que quiere hablar contigo.

El buen hombre de la casa de al lado me pidió permiso para usar el sótano en caso de bombardeo; las lluvias de metralla arrecian y hay muchos refugiados. De pronto me preguntó sin venir a cuento:

—¿No han vuelto ustedes a oír el timbre?

—No, la verdad es que lo hemos olvidado.

—Como vinieron ustedes a registrar la casa de arriba abajo...

—Si le molestamos, olvídelo.

—¡Pero, si yo no lo oí nunca! Ustedes vinieron con el cuento de que si un timbre, de que si lo hacían sonar los fascistas, de que si iban a demoler el palacio.

—Tonterías, no nos hemos vuelto a ocupar de él.

—Es lo que yo dije, los fascistas no se van a anunciar a timbrazo limpio; vendrán a la chita callando.

Me irritó su aspecto de guardia civil vestido de paisano y su sorna ligera.

—Los fascistas no desaprovechan momento; buenos son los niños.

—Pero si es lo que yo digo.

—No, usted no dijo eso, pero no importa.

—Señor, digo, perdón, camarada...

—Señor, eso es, señor. Yo no soy camarada suyo y no tiene por qué decírmelo.

—¡Es que hace tanto tiempo que no veo señores! —suspiró el entrometido.

Le volví la espalda preguntando:

—¿Llegó Manuel con el camión?

El hombre a mi espalda seguía dirigiéndose a Camilo:

—Conozco la casa porque fui portero, sabe usted. Una casa es como un traje viejo: se le rompen los bolsillos y por allí se cuela todo.

Como se había decidido dejar pasar lo menos posible a gentes ajenas a la Alianza, desde que agujerearon los de la quinta columna con tres tiros las vidrieras, llamé a nuestro portero.

—Acompaña a tu colega, Perico.

El entrometido retrocedió con su sonrisa estúpida:

—Y si bombardean, ¿traigo o no traigo al sótano a esos piojosos que me están quemando el *parquet* de los salones para hacer la comida?

—Eso lo decidirá la secretaria. Yo no soy más que un oficial de las Guerrillas del Teatro.

—¿De modo que usted tampoco manda? Si lo que yo digo siempre; habrá uno que pegue y otro que reciba.

Y salieron, comentando el hablador:

—¿Pero quién recontrademonios es aquí el camarada responsable?

Después del incidente nos pusimos a trabajar. Mis muchachos son realmente buenos. Trabajan olvidados de todo, debajo de la montera de cristales de este patio, temblón y peligroso. Ya se ha pasado el momento del *caza* que en el hervor de noviembre del 36 se lanzaba como un insecto sobre el enemigo. ¡Qué ligera va la guerra! ¿En cuántos sitios he estado ya? Del batallón José Díaz me sacó un responsable cubano que, al recitar yo después de una comida con los mandos, me dijo:

—¿Y por qué no diviertes a todo el batallón, o es que crees que los soldados no necesitan reírse?

—Se ríen demasiado —le contesté.

—Los que van a morir tienen sus derechos.

—¿Has vivido mucho con ellos? Yo sí. Soy actor, pero hice la campaña de África. Vengo, como otros hombres de mi edad, de aquel absurdo que se llamaba guerra de Melilla. Conozco la disciplina de la milicia y la del teatro. La segunda es más rigurosa. Figúrate lo que he sufrido con los que se ponían furiosos contra el mando y abandonaban el parapeto para ir a denunciar a sus superiores. Algunos no volvían. Tú eres cubano y sabes lo que es el relajo, ¿no? Pues puro relajo, chico. ¡Y quieres darles comedias! Ni te figuras lo que pasó aquí. Se disfrazaron de piratas, para cumplir sus deseos reprimidos en la infancia; sólo les faltaba el ojo tapado y la pata de palo. ¡Muy pintoresco! ¡Mucho! Pero detrás del pintoresquismo español sube siempre el cieno, lo antiauténtico. Al comenzar la guerra se rompieron a la vez los vasos de mirra y la cloaca. Fueron momentos enternecedores y horribles.

—Algo me tocó ver de aquello.

—Si he agarrado un fusil ha sido para no ver la subida de la mugre. Los cómicos reaccionamos mal ante las situaciones políticas porque no reconoce nuestra ingenuidad mental más que un partido: el público. Necesitamos los aplausos y luego el sueldo. Los empresarios dejaron paso libre a los sindicatos y el asalto de los mediocres fue un espectáculo repugnante.

—Veo que te dolió todo aquello.

—Sí, me dolió verles deshacer una tradición en nombre de una fábula mal contada. Los audaces con carnet sindical se parapetaron en los pupitres y dieron ejecutoria de limpieza política con el mismo desparpajo con que los millonarios medían las pantorrillas de las bailarinas.

—Será algo menos.

—Fue algo más —seguí informándole con rabia—. Yo asistí a una reunión sindical donde a la camarada ingenua, enviada por el gobierno y que llena de candor contaba las experiencias maravillosas de Rusia en su arte teatral, le contestaron: «Esas monsergas ya las conocemos, pero lo que necesitamos son obras de taquilla. ¿O te crees que nuestros afiliados no comen?»

—Hombre, chico, que coman no me parece mal.

—Que no sean cómicos —repliqué bruscamente—. El hacer un tornillo puede ser una necesidad, pero el ser cómico es una vocación. Estaban emboscados en los sindicatos como en un bosque de bambalinas donde podía uno encontrarse a todos los inservibles de la profesión, más a las señoritas cursis de las veladas, más a todos los que necesitaban protegerse con un cartoncito y tres letras. ¿Comprendes? Era la hez del escenario cuando lo estrujan, ese verdín de las tablas expulsado de todas partes por inútil.

—¿En aquellos momentos podían haberlo hecho mejor?

—Tú vienes, camarada, de Cuba; yo llegué de Sevilla. Estaba contratado en Córdoba cuando se sublevó el generalito. Mira, prefiero olvidarlo. Lo de Sevilla duró seis días. Los obreros del puerto eran comunistas, pero otros, socialistas, anarquistas o nada. Sintieron la traición como si acabasen de derrotarles en el Guadalete y se repitiera la historia llegando Aben Tarik conducido por otro conde don Julián. Queipo de Llano, escarolado y tonto, decía por la radio: «Ya los tenemos...», pero no los tenía. Poco a poco empezó a tener razón. ¡Los tenía, los machacaba, los cazaba entre guardias civiles y moros, los escupía religiosamente en la frente con una parodia de confesión antes de fusilarlos! Allí la villanía señorita llegó a picar obreros con la garrocha de las reses bravas. Nada se evitó. Yo los he visto llenos de manzanilla hasta las orejas, mientras el jefe de policía jaleaba a las *bailaoras* para hacer tiempo y que llegase la madrugada, mientras un cura infame preguntaba al malvado: «¿Hoy hay *ganao*?»

—España, España.

—¿Quieres más? —continué frenético—. Pues verás. Un día fui a Jerez. Me llevaron, debí decir, porque nuestro empresario, muerto de miedo, nos arreaba en reata. Jerez, lástima que no puedas verlo, es blanco, puro; se podría decir una ciudad de casas virginales y fachadas que parecen camisas de fiesta. Día de procesión. Salía la Virgen llevada a hombros por ocho condenados a muerte.

—Sigue.

—Calle Larga arriba iban la Virgen y ocho hombres, ocho blandones de carne muerta, ocho desdichas. Les habían prometido el milagro. De cuando en cuando la procesión se detenía y el pregón daba los nombres gritando como en la Edad Media, y los cofrades de la Hermandad, golpeando con sus pértigas de plata, retomaban la marcha. Los cirios temblaban y el altar cabeceaba, mientras la Virgen parecía moverse diciendo: «Sí, sí, sí.» He visto llorar a las mujeres y atreverse a secarles el sudor de las caras. Una se arrodilló, de pronto, a cantar una saeta:

Virgen del mayor dolor,
consuelo del afligío,
por el dolor que sentiste
da el perdón a mi marío.

Al concluir la mujer se desmayó ante los sayones, que pasaron pisoteándola, sin mirarla, sin enterarse de aquel dolor horrible. ¿Mujer de cuál de aquellos ocho hombres era? Aún hoy se me anuda la garganta al contarlo. Durante meses me persiguieron los tambores, el olor, la pobre muchedumbre acobardada pidiendo el milagro de la vida. No pude soportarlo más y me fui a mi hotel. Todo, todo era siniestro en aquel auto de fe que desfilaba hacia no sé qué sin fondo criminal que tiene España.

—Pero se hizo el milagro. Ellos juegan bien esa carta.

—Quia, hombre; la Virgen de Jerez de la Frontera tiene mucho menos poder que el jefe de policía fascista. ¡Los mataron! ¡Los mataron a la madrugada cuando regresaron a la cárcel!

Era negro aquel hombre y se quedó lívido. ¡La de cosas que yo le hubiera podido contar! Claro, llegué a Madrid y me encontré con tanta basura teatral que agarré un fusil, y porque José Díaz era de Sevilla y habían matado a su madre y hasta a sus sobrinos, me fui voluntario a su batallón. Al negro, que creo que se llamaba Tomás, no lo he vuelto a ver. Sabe Dios si vive. Iba con un niño. Tan furioso se quedó que no oyó la voz infantil que lo estaba llamando. Se presentó el chico gracioso y despejado, vestido con traje de milicia. No le dejó hablar.

—Comprendo, camarada, que tus críticas pueden ser severas. Tú has visto a la fiera en su cubil. Pero los soldados necesitan alegría. Únicamente un combatiente alegre es un soldado perfecto. Hay que organizar equipos de teatro volante y venir al frente. —Luego tomó la mano del muchacho—. Anda, saluda a Claudio Ortiz —y la apretó sobre la mía como entregándome lo mejor de sí mismo para alivio de mis pensamientos. No me atreví a preguntarle: «¿Es su hijo?», porque el niño era blanco. Se levantó, agarrándole por el cuello como un perrillo.

—¡Hala, al frente!

Ellos se marcharon al frente y a mí me reclamó el comisariado para encargarme de las Guerrillas del Teatro.

¿Dónde andará aquel hombre? ¿Y si no anduviese por ninguna parte? ¿Como tantos otros muertos vigila a nuestros actos? ¡Ah, si yo supiese escribir, contaría el sufrimiento de una ciudad tratada a culatazos, matándole la risa a bofetadas, salivazos e insultos! ¡Si yo supiese escribir cómo suenan las guitarras cuando tienen miedo y los ay ay de las soleares, tan tremendos en la noche! ¡Qué tristeza! El día que llegué a Madrid estaba yo tan contento. Fui a ver a mis compañeros de sindicato. ¡Qué desilusión! Entre otras cosas, les pregunté: «Hombre, ¿por qué habéis quitado su nombre a este paseo si era tan bonito? Miguel Ángel.» Me miraron de reojo. «Porque no queremos nada con los santos», fue la respuesta.

Ahora estoy contento. Mis muchachos son de oro y junto a ellos he recuperado el sueño y la paz. Ya no me despierta el ruido de las descargas y consigo dormir sin que me asalte la aventura vergonzosa que vivió mi pobre compañía teatral. «María Jesús, toma otras mil pesetas. Rojillo, que caen mil pesetas para ti.» María Jesús, dama joven de la compañía que *tenía el honor* de haber gustado al monstruo, estaba vigilada por dos sabuesos responsables de los celos del jefe. La pobre fue consiguiéndonos, poco a poco, pasaporte para Lisboa a todos los republicanos más o menos vergonzantes. Uno de ellos fui yo. ¡Las ojeras de María Jesús! Me hubiera gustado besarlas. Otra sombra más, otro silencio.

Juanito Monje. ¡Qué sorpresa fue aquello para mí! Tendré ocasión de ir escribiendo sobre todos ellos. ¡El tiempo en este caserón histórico es tan largo! Sí, he de traerlos a todos hasta mi memoria si Dios lo permite y esta vida mía no se destruye demasiado pronto. Yo entré en su juego y al ir a aprender su lenguaje junto al silabear de las granadas que había sustituido al de los mirlos del jardín de enfrente, vi pronto que la paz no puede perseguirse y allí me había seguido la inquietud. Las pequeñas muchachas de uniforme negro, las bailarinas de espesos muslos y la hermosísima profesora que las dirigía eran el coro, pero actrices había sólo cuatro: Juana, a quien habían gritado durante la primera comida común sin pizca de respeto para el pelo blanco bajo sus rizos rubios: ¡Juana, cómica, cómete a este niño! —el niño era yo, y ella, ¡pobre!, no se portó sino como una santa—; Dorita, bueno, Dorita era la novia, mejor dicho, los novios, pues lo tenía y aprovechaban el sofá de media luna de un gabinetito redondo y celeste para contarse pequeñeces idénticas a otras, variadas por la entonación. Era una muchacha de venas lentas, con los poros muy juntos como las porcelanas famosas, buena actriz. Sabía aguantar un público —«Al público hay que aguantarlo, templando como a los miuras», nos decía Claudio—, y parecía un arbolito sonoro cuando recitaba versos. Estaba llena de penas que le piaban en los brazos al recitar. Apenas accionaba, y cuando lo hacía era para llevarse las manos a la garganta, donde se le había quedado la pena de cuatro hermanos fusilados en Madrid durante los primeros días de extravío. Se moría de hambre y Monsell, siempre tan recto, la confió a Claudio. Estaba sola con su madre. Era novia de un muchacho comunista que venía a verla y se esforzaba en consolarla. Pero ¡qué soledad cuando decía su papel con tanta exactitud y tanto corazón para sobrevivir! Al terminar las representaciones nos parecía siempre que íbamos a recoger un montoncito de pavesas. En casa la llamaban Dorita, nombre de niña pequeñoburguesa. Los muchachos decidieron rebautizarla con uno popular y sonoro, proponiéndose Dorita, Dorada, Adorada, Adorable y... Pepa. Pepa quedó, porque es un nombre lleno de semillas. Bonito nombre para una actriz que ha de ser popular entre los soldados, y así se decidió, pero a los pocos días llegó la auténtica Pepa —no Pepita, nombrecillo capaz de extraviarse al primer tiroteo—, y se cambió la decisión, quedando en que Pepa era la Pepa y Dorita la Dorotea.

He interrumpido mis sueños para asomarme al estanque. La alberca inmensa parece hecha en este monasterio para que yo la contemple. ¡Oh, Angelines, niña en el agua de mi memoria sumergida, cómo me cuesta escribir tu nombre! La cuarta actriz era Angelines. Yo, entonces, viniendo desde tan lejos a buscarla, aún no sabía cómo era.

Tardé algunos días más, cuando ya había descubierto que yo era un buen bailarín. Claro que les bailé a la moda de mi pueblo, pero aquel desgarbo cayó en gracia y Claudio se rió gritándome: «¡Eso, eso! Hay que entrar por la puerta más chica y conocida en el ánimo del espectador que vamos a tener. Nuestro soldado no es más que un campesino ingenuo o un muchacho pobre de ciudad que fue poco al teatro; las Guerrillas son un arma de guerra. El combatiente en los frentes estabilizados es un obrero sin trabajo; necesita moral. La moral tiene un ala para levantar el espíritu del hombre: se llama alegría. Nosotros somos el olvido y la alegría. Y ya sabéis: los guerrilleros no preguntan jamás, no piden nada jamás, no se cansan jamás, no comentan lo que han visto jamás. ¿Entendido?» Juanito Monje me quiso mirar, estoy seguro, pero yo le esquivé. Claudio Ortiz pasó su brazo por el mío para decirme: «Ven, tengo que hablarte.» ¡Cómo me dolió el corazón! Por un momento vi todos mis sueños en tierra, descubierto, perdido, tontamente acusado de engaño, pero me llevó directamente a la secretaría.

—Oye —preguntó a la secretaria—. ¿Ha venido el permiso para que Camilo se incorpore a nosotros? Necesito llevármelo mañana.

Tuvieron que telefonear para conseguirlo. Lo hicieron. Las Guerrillas iban a lugares comprometedores y yo no tenía aval sindical de ninguna clase. ¿Algo en mi favor? Sí, milicias, incorporación voluntaria y herida de guerra.

Estuve inquieto todo el día. ¿Saldría o no con ellos? Y si tantos requisitos eran necesarios, ¿por qué iba Juanito Monje? Subí a mi cuarto después de sentir que se me escapaba a borbotones la verdad y me arrodillé —después de levantar el transparente de nipis azul que la cubría— ante una imagen de la Inmaculada de escuela sevillana, hermosa en el eterno mediodía azul de su pintura. ¡Oh, pobre frailuco, cómo te gustaría denunciar!, me dije. ¿Será exacto que éste no es mi redil y lo que creo entender no lo entiendo y lo que me atrae es una fascinación del enemigo? ¿Por qué los encuentro buenos, cariñosos y sus palabras tan verdaderas? Viven tan abiertamente esta vida pueril de entregarse apasionadamente a ser útiles que me avergüenza el recuerdo a tantas órdenes religiosas como tienen por regla la sordidez y el egoísmo de la salvación individual. Aplican sus oraciones y penitencias, me dirán, pero ¿son suficiente rescate y salvación si anteponemos a ellas la salvación de nuestra propia alma? ¿Es que me estoy condenando por salvarles? ¡Cómo me arde la cabeza! La Virgen, al llegar a aquel punto, me miró y vi que las manos menudas le temblaban, aburridas de juntarse siempre, y movía los piececitos, deseosos de irse a caminar sobre violetas. Me pareció que alguien me tocaba en el hombro, pero no era nadie. Volví a mirarla. ¿Por qué la habrían pintado tan joven? Le dije: Niña..., y pensé que estaba en la edad en que aún escuchaba las alondras y los jilgueros que la madre Ana colgaba de la puerta. Era muy astuta, porque era vieja y sabía que todo pájaro atrae los otros prodigios voladores que son los ángeles. La madre Ana y el padre Joaquín estaban por entonces preocupados con el color quebrado de la hija. Le pidieron que se dejase tocar por el sol y fueron a buscar berros buenos de cortar cuando las Cabrillas están altas. No la dejan ni hilar para que el huso no fatigue los brazos adorables de la pequeña. Padre Joaquín hasta le ha comprado un burro para que se pasee como una reinecita, pero madre Ana protesta porque ha de dormir con ellos, revueltos en la paz de su pobreza y toda la noche les echa vaho a los pies. Cuando la niña sale a lavarse a la fuente, el burro se va detrás a beber la purísima luz del día y siempre se come la mejor mata de menta. La niña María se ríe mucho viendo comer al asnillo, pero está muy pálida. ¡Qué preocupación una niña tan pálida! Las otras muchachas de la aldea —madre Ana se informó cumplidamente— ya están maduras para casar, la niña no. Pronto llegará para las amigas de la aldea el goce misterioso de las bodas y a buscarlas vendrán patriarcas, profetas, pastores... A María, no. ¡Y a ella qué le importa! Sale con su asnillo y deja atrás las casitas del pueblo donde gritan los pavos y por una vereda se va a las tierras que son sólo de Dios. La madre Ana corre cuanto dan sus pobres piernas viejas. Canta la cigarra y el polvo de los caminos se separa a derecha e izquierda para no rozar a la niña los pies. Los lagartos se esconden entre las chumberas, pues la pequeña al verlos tan feos podría asustarse y toda la Creación está pendiente de su paso. La madre Ana se esquiva para que no la vea, ¡ay!, si huyese, si no la volviera a ver tragada por el recodo. Pero he aquí que la niña se ha detenido y se han presentado a saludarla los ángeles. ¡Qué chicos son! Llevan dos alas donde los colegiales más traviesos cuelgan sus carteras escolares, gritan y bullen. ¿Qué otra cosa pueden hacer con una niña que no sea jugar? Las liebres de risa partida avisan a los conejos de rabillo alzado y se aproximan a olisquear los perros vagabundos, ya que no tienen dueños; hasta algún ternerín se huyó de su pastor dando la mano a una ristra de corderos blancos. Y es que todos quieren verla. Hace tanto calor que la niña deja caer su túnica —¡oh, se va a enfriar!— y se sienta con un puñado de piedrecitas en la mano para iniciar el juego. Pero es que mientras esto sucedía, sin cantar, como estaba previsto, se le ha acercado la culebra verde. Los ángeles juntan las alas. «¡No, tú no!», pero la ofidia, muerta de femenil curiosidad, sigue hasta los mismos pies de la criatura, quien coloca su sagrado piececito desnudo sobre la cabeza centelleante. «Vete para que se cumplan las Escrituras», conminan las criaturas celestes, pero todos han de salir volando. Un grito heroico de la madre Ana los dispersa, la madre Ana muerta de terror que con un palo acaba de destrozar un mito.

Sentí que una mano se apoyaba en mi hombro, pero no era nadie.

Volví a mirar el cuadro y lo vi cruzado de ciervos voladores, como los que zumbaban entre el fulgor rojo de mi cielo natal, y las manos se me llenaron del agua blanda de la charca y de los renacuajos que metíamos en el bote mohoso y de la Crespa con su manteo sucísimo. ¡La Crespa!, la inefable niña boba del valle a quien yo vi, un día todo de oro y brillos metálicos, desnudarse de la ropa que le daba la caridad y aplastar con sus pies cabrunos —¡pobres pies a los que no traspasaría una espina!— a una culebra sigilosa. ¡La Crespa! No recuerdo haber visto jamás cielo como aquel cruzado de espigas de plata. Dicen de viento. Llegó luego el viento del mar que hace excursiones sobre nuestros árboles antes de meterse por la árida Castilla, y aprendí que en mi cielo inventaron los cúmulos gigantes y los estratos finísimos pusieron su academia de perfección. Sí, yo he visto a la Crespa levantando la serpiente después de estrangularla con su mano, vencedora del demonio, muchacha vegetal, simplísima heroína entre las piedras cantábricas. ¡Señor! Parecía mirarme desde aquella gran pintura que cubría el muro y ante la cual mi soledad se había arrodillado. Sí, ahí la tuve ante mí, dulce y misericordiosa, alto tallo de la Cristiandad, rodándole bajo los pies de niña pobre el infierno girador del mundo.

Me pareció que una mano se apoyaba sobre mi hombro, pero no era nadie.

Aquel día me zumbó la cabeza, tanto que recuerdo lo difícil que me fue ensayar. Sentía remordimiento. Aquellos seres infelices se entregaban a mí y me iban a llevar a sitios que estaban vedados para todo el mundo, secretos militares, posición de reservas, caminos nuevos recién abiertos en la piel de España. En el camión que nos conduciría estaríamos Juanito Monje y yo. «Las Guerrillas del Teatro son un arma de guerra...» Xavier Mora, Juanito Monje... aún no había tenido tiempo de hablar con él. ¿Tiempo?, bueno, tiempo me había sobrado, pero no quise y él, tampoco me buscó. Sólo sus ojos querían transmitirme un mensaje. Yo interpretaba: silencio. Y callaba, cobardemente, callaba. Casi noche oscura, bajé al patio. Allí estaba Manuel, el maquinista moviéndose entre baúles y maderas. Era todo el tipo de menestral madrileño, enjuto, morenito, con palabras exactas y mucho creo yo y sabe usted. A él estaba confiado el paisaje de nuestras comedias. Nos movíamos ante las cortinas o telones simplísimos que sus manos levantaban. Vagué aquella madrugada por las grandes habitaciones que daban al patio. No había entrado nunca. Lo que había atraído mi atención era el guadarnés fabuloso tejido de atalajes, arreos, frenos, estribos, bocados, serretas, frontaleras y toda clase de riendas y cueros colocados sobre las paredes o en vitrinas. Parecía un brocatel metálico no interrumpido más que por la cabeza disecada de algunos caballos, mientras detrás de los cristales se alineaban las sillas vaqueras, las monturas inglesas, las jamugas de terciopelo y viejos guadamecíes árabes. Maniquíes con las viejas libreas y pompones para los caballos y todo el vestido de oro de las carrozas y toda la riqueza y el fausto que produce vértigo. La misteriosa casa encantada me daba angustia. Miraba aquello y no podía dejar de recordar los retratos de los dueños, huidos antes que la ira popular los consiguiese ver. ¡Cuánto trabajo del hombre empleado en servirles! ¿Me estaré volviendo socialista?, me pregunté, pero al punto se rehízo mi conciencia: No, estás y sigues siendo un cristiano. ¿Cómo un cristiano es capaz sin náusea de amontonar todo esto? Soy un pobre fraile y era entonces un pobre fraile, nada más. La acumulación de riqueza me llena la boca de rencor y como no tuve nunca hábito propio me acostumbré a mortificarme, y cuando me sobraba una estampa o un pañuelo, pues daba la estampa o el pañuelo, como un globo que arroja lastre. Ahora soy tan pobre como cuando viví aquella aventura y recuerdo alegremente que aquellos lujos caballunos me llevaron a Gorgorito, un caballo falto de pies como un soneto malo. Cuando a su grupa íbamos mi hermano y yo, el pobre Gorgorito, que parecía un sapo inflado por una caña, se le caía el vientre y nuestras piernas tocaban el suelo, porque era losino, raza muy pequeña. Pero no creíamos ni siquiera que fuese caballo y lo tratábamos como perro tan chiquito de alzada, tan ridículo de orejas, tan desgarbado como nosotros mismos, niños saliendo de la niñez. ¡Qué malas mañas tenía y qué nobles corazonadas eran sus impulsos! ¡Ay, Gorgorito, hermanuco de entonces, qué poco hubieras tenido que hacer aquí entre tantos hierros!, dije a su recuerdo, y salí tropezando con las cosas que se amontonaban sin orden. Algo me tocó las manos. Las retiré, pero el aliento y la humedad se empeñaban en toparme dulcemente, hasta que me di cuenta que era la Lola, perra trujillana que trajeron del frente de Oropesa, echada entre pompones y gualdrapas bordadas de canutillo de oro. Me movía la cola, sin rencor por haberla sacado de su sueño. Acarició su cabeza, grande como una almohada y todo lo que sucedió después vino sin aviso con la celeridad de lo inesperado.

Quiero escribirlo para volver a leer cien veces lo que me ocurrió.

Había andado unos pasos cuando reparé en ella. Ella era una manita muy abandonada al filo de un cesto teatral, esos cestos grandes donde cabe un mundo, como dice el maquinista Manuel. ¿Estaba cortada? ¿Era de cera? ¿Alguna mano de una imagen olvidada mientras el arreglo de un altar o simplemente esa mano donde se prueban los guantes antes de someterlos a la prueba definitiva de los dedos? Vacilé, porque la mañana estaba turbia y la luz filtraba débilmente, pero me entró una necesidad incontenible de tocarla, de saber si era una tentación. Perdí el miedo y casi de puntillas... ¡Oh ridículo!, ¿para cuándo guardas el avergonzarme? Tomé la mano que pendía al filo del cesto y encontré que formaba parte de una muchacha dormida.

¿Quién era y por qué estaba allí? Me pareció que poco a poco la respiración cedía, llegando el silencio. ¿Muerta? No, la mano que yo guardaba entre mis manos estaba viva, redonda, caliente y ya iba a dejarla cuando un suspiro hizo volver en sí a la muchacha, que se me quedó mirando:

—¿Qué hace usted aquí?

—¿Y usted?

—Yo, arreglando el mundo.

—Yo, desarreglando su sueño. La he despertado.

—Casi estaba concluida mi tarea. ¡Si usted supiese lo en orden que he dejado todo!

—¿Los sueños?

—No, tonto, el mundo.

—No me gusta ese mundo, porque no estaba yo.

—¡Pero si no le conocía! Ahora le voy a dar un sitio...

—Camilo, sí, me llamo Camilo.

—Yo, Angelines. ¿Le habían hablado de mí mis compañeros?

Asentí con la cabeza, porque me había quedado mudo. La miré y me devolvió una mirada de azul esplendoroso. Y desde entonces, delgada y frágil cruza todos mis sueños.

¿Cómo era Angelines? Cierro los ojos y me muerdo las

manos y toda mi sangre me parece que la va reflejando en aquel lecho de los vestidos de fiesta, hundida en el oleaje tranquilo del baúl de los cómicos. Tenía que acontecer así. Durante unos instantes me habló y nunca pude reconstruir lo que me dijo. La alcancé cuando decía:

—Pienso que esta casa es horrorosa y estaría muy bien bombardearla, porque es muy fea. Yo andaba en sueños comprándome una por los altos del Hipódromo.

—¿Grande?

—¡Uy, no! Pequeña, pero por las puertas se puede entrar del brazo, no vaya usted a creer. Y estaré allí días y días sola y leyendo. Bueno, haré que venga alguien los días de tormenta.

—¿Y los de lluvia?

—Los de lluvia son especiales para concluirse varias novelas.

—Entonces ¿usted no habla nunca?

—¡Pero si no hago otra cosa! —dijo sentándose—. Alárgueme aquellos zapatos.

—¿Zapatos? En mi tierra cuando llueve las mujeres usan madreñas contra la humedad. ¿No las ha visto nunca?

—¡Hay tantas cosas que no he visto nunca! ¿Y usted?

—Yo, Angelines, hice profesión de creer apasionadamente en lo que no veo y casi no entiendo.

—Pues cierre la tapa del baúl para creer en mí —dijo tumbándose con coquetería.

—Es que cuando veo las cosas en que creo las llamo milagro —dije tomándola de la muñeca para levantarla—. ¿No sabe usted que salen las Guerrillas al frente?

—¡Tonto! —se incorporó de un salto—. ¿Y por qué cree que he venido? No va a ser por su linda cara que no conocía. Estuve enferma, no me dejaban salir y me he escapado, tuve miedo de que vinieran a buscarme y me escondí en este baúl, me quedé dormida y aquí estoy.

—¡Anda, qué coincidencia! ¡Yo también me he escapado de mi casa!

—Pero no sería tan grande como ésta. Nosotros no tenemos tan mal gusto ¿verdad?

—No, yo vivo en una celda.

—Así me gusta, Camilo.

Toda ella crujió al pisar los vestidos y se apoyó en mi hombro para salir. La fimbria de la falda subió descubriendo el muslo. Un baño de entusiasmo me recorrió, sudándome la espalda. La niña dio un paso en el aire y yo tuve que sostener su peso. ¿Eran aquéllos los rozamientos inmorales por los que debemos pedir perdón? No sé, la sostuve pegada a mí, todos mis poros la llamaban y ella decía separándose:

—Me gusta tumbarme sobre la ropa. Debe ser porque mi padre tiene compraventa en la plaza de Cascorro. ¿La conoce? Mi madre lava y plancha para particulares pero con esto de la guerra, aunque yo iba para lo mismo, pues me vine de actriz. Sabe usted lo que pasó: es que *desaparecieron* la tienda a cañonazos. ¿Sabe usted dónde está Chamartín? Pues allí vivimos.

¡Chamartín! Luego habíamos estado muy cerca, ¡quién sabe lo cerca!, mientras todo aquel sufrimiento mío en el hospital. Me pareció que podía por amistad de vecino tomarla del brazo.

—Yo también viví unos meses en Chamartín.

—¿Dónde? —preguntó sorprendida.

—En el hospital al que traían los heridos del Guadarrama. ¿No te acuerdas de mí?

—No, la verdad, chico, erais tantos y a mí esa obra de misericordia de cuidar a los enfermos no me gusta.

Siguió con naturalidad el tuteo que yo había iniciado, ahora pienso, que en aquel Madrid donde el «usted» había desaparecido, Angelines lo empleaba en su despertar para impresionarme. Claro que no necesitaba mucho, mis dedos tamborileaban nerviosos sobre su brazo y allí hubiéramos seguido si no empiezan a bajar los guerrilleros, llenando de barullo el patio. El duende amigo, que para mí había desaparecido durante bastante tiempo —luego supe el porqué— retomaba su puesto de animador, envuelto en su capa azul, orquestando la tarea de cargar los baúles y de las Guerrillas. Iba y volvía en la claridad poco espontánea de un Madrid frío cantando:

Estaba Margarita, sentada junto al mar,
cuando una tintorera la quiso devorar.

Pronto el coro pudo más que la discreción y agitados por la tarea no se dieron cuenta de mi aparición sensacional:

—¿La cachiporra? ¿Está la cachiporra? —gritaron desde una ventana.

—Sííí.

—¿Y el velón grande para *El Dragoncillo*? ¿Y el tapiz frambuesa? ¿Y la espada de José? ¿Y el solideo?

—Sííí.

De pronto, el de la ventana, asombrado, dijo:

—¡Demonio! —y cerró de un golpe la ventana.

El duende nos divisó en ese instante.

—¡Recarambita! ¿Con qué esos corolarios y esos circunloquios tenemos?

Y a Monsell por poco no se le cae un rimero de tablas y a Paco Bustos, la cesta con las máscaras, el único impasible fue Juanito Monje. Todo el patio, capaz de resistir una salida para las cruzadas, tembló al verme del brazo de Angelines. El duende le agarró las manos dándole varias vueltas:

—*Medía el tal pescado tres mil trescientos pies.*

—*¿Eh?*
—*¡Tres mil trescientos pies!*

Nos rodearon, riéndose tan fuerte que debimos despertar a toda la calle de Marqués del Duero y al mismo general Concha en su tumba, pero durante aquellos días aciagos para la población, por muy pocas causas se abrían las ventanas. Angelines bailaba de la mano del duende. Luego llegaron las muchachas a festejar el acontecimiento y pronto aquello fue un barullo inesperado para mí.

—Mosquita muertecita, ahora me tienes que dar un besito —reclamaba el duende, pero Angelines se esquivaba detrás de mis hombros y corría todo el patio, haciendo revolotear la capa azul hasta caer de nuevo en mis brazos.

—¡Defiéndeme, Camilo!

Y yo, el afortunado Camilo, el primer favorecido por una familiaridad de Angelines sentía arderme la cara, con un malestar indefinible, cada vez que la muchacha llegaba hasta mí y me rozaba con su cuerpo.

—*Estaba Margarita, sentada junto al mar...*

Arriba voceaba nuestro teniente:

—¿Están las pelucas, el jamón, la bandeja, los anillos?

—Descuide, mi teniente, nada fallará —respondió Manuel.

—¿Y por qué arman tanto escándalo?

—*...cuando una tintorera la quiso devorar.*

—Porque Camilo apareció del brazo de Angelines.

—Bienvenida, Angelines. ¡Al coche, vamos, que es tarde! Cotapos, déjala ya —gritó saltando dentro del ómnibus—. ¿No faltará nada, Manuel?

—Nada, mi teniente. ¡Por María Santísima, qué hombre pelma!

Subimos rápidos, no sin alcanzar el duende una pantorrilla tras otra de las muchachas que iban subiendo. Perico Ligero abrió el portón.

—*Medía el tal pescado tres mil trescientos pies.*

Gritamos a coro perfectamente enardecidos:

—*¿Eh?*

Y en la última embestida del auto aún pudimos oír a nuestro animoso y excepcional duende que concluía:

—*¡Tres mil trescientos pies!*

Dejo caer hoy la cabeza en mis manos para conseguir aquietarme.

¡Qué sencilla y trivial era nuestra alegría! No era la primera vez que un ómnibus teatral se encaminaba hacia los pueblos españoles. Lo mismo habían hecho las Misiones Pedagógicas, con Casona y el Teatro Universitario «La Barraca», con Federico García Lorca. Recuerdo que a Panchita le dolía el hígado cada vez que comentaba uno de estos aciertos. «Teatro, teatro y cuatro gandules sin estudiar. Más religión necesitan en los pueblos para llevar con paciencia la vida y menos teatros, que no hacen más que levantar de cascos al servicio doméstico», porque así de arbitraria era la pobre Panchita, que de las aldeas españolas no conocía más que la servidumbre femenina que prestan a la ciudad. Sí, nos íbamos carretera adelante, despertando la mañana. Yo me procuré un sitio junto a Angelines y Angelines se empeñó en hablar todo el tiempo a gritos con Claudio, colocado detrás, para convencerle de su buena salud. Pero se fue callando y el silencio extendiendo sobre los madrugadores. ¡Oh calles madrileñas nunca os he vuelto a ver! Subía de vosotras un olor triste, sustituyendo al viejo recuerdo del pan. Ya no había chicos ajetreados en el reparto ni coches con su ringlera de botellas de leche, ni cestas orgullosas al brazo de las cocineras de casa rica, ni cocheros frotándose las manos, ni carreros, ni corros de palurdos sin rumbo, ni chiquitos barriendo las tiendas, ni porteras cuidando el dorado del llamador. Parecía haberse perdido la costumbre de matar el gusanillo del amanecer con aguardiente, porque ninguna taberna ni café estaban abiertos y sólo alguna intrépida mujer se aventuraba, por amor a los suyos, a pretender llegar la primera a la cola del hambre. Estaba vacío aquel Madrid de las noches terribles, de las barricadas cerrando las aceras, de los muros tapizados de consignas, de las hojas caídas y las paredes rotas y los muñones entrapajados de hospital. Allí no había más oficio que defenderse, sí, y cuando lo olvidamos aquel corazón dejó de latir...

En las últimas casas de los Cuatro Caminos, donde algunos merenderos procuraban disimular la pérdida de impulso de la ciudad, los cañones del frente resoplaron saludándonos. Nadie se despertó. Juana dormía con los rizos apoyados en el vidrio; la Pepa, en el hombro de Monsell; Paco Bustos, solo, para no incomodar con su espaciosa base a ningún vecino; Carlos Durán, cabeceaba muy dignamente al igual que Dorotea con los ojos inmóviles, perdidos. ¿Juanito Monje? Estaba en el fondo del ómnibus y se había tumbado a la larga. Claudio, no. Claudio iba serio, velaba sobre todos nosotros por hábito de disciplina. Aquella mañana adiviné su edad y su cansancio de ser cómico en algo blando que le corría por las mejillas, algo como noches de insomnio contando anécdotas en un café después de la función, esas anécdotas que le gustaba tanto exhibirlas ante nosotros como si mostrase trofeos, y lo eran. Más adelante observé, cuando me puse en contacto con gentes militares, que ellos usan mucho las anécdotas de su vida como explicación ingenua de la existencia. ¡Militares y cómicos! ¿Los he unido dentro de mí por lo que el arte teatral tiene de batalla? También por cuanto tiene de disciplina y sacrificio. ¡Cuánta incomodidad: los viajes a deshora, los hoteluchos, la prisa de aprender y hasta la dificultad de olvidar los parlamentos inútiles y que deben empeñarse en imponer su presencia, en imprimir su marca!

Claudio Ortiz volvía aquella mañana de muchas inquietudes, porque estaba dolorosamente fruncido viendo pasar Madrid, Madrid que empobrece en sus extremos hasta unos límites miserables para cobrar gracia inmediatamente al salir a unas lomillas. El Guadarrama sirve de fondo, soplando a días nieve sobre la ciudad. Pero allí es campo, Parece como si los ojos, ante esta revelación, se abrieran. Claudio Ortiz señaló un punto.

—El cementerio de Fuencarral.

—¿Aquello?

—Aquella raya blanca. ¿No lo has visto nunca?

—Supongo que será uno de esos camposantos medio derruidos donde pueden encontrarse décimas de amor póstumo escritas en azulejos.

—Es algo muy distinto. También en Levante donde me educó mi abuela, había uno de esos, lleno de muchachas enterradas por no sé qué tifus maligno. Digo lo de tifus porque cada una tenía bajo vidrio cóncavo sus trenzas tejidas con flores. No, los aquí enterrados lo son rápidamente y no sirve sólo a un pueblo, sino a los pueblos.

—No te comprendo.

—Es triste pensarlo, pero debiera decirte que es alegre, fraternal, entrañable. Mira, se entra por ese portón de hierro negro al cementerio civil. A los que allí entran no se les pregunta quiénes son, ni de dónde vienen ni a dónde pensaban retornar. Traen en el cuerpo algún balazo o metralla o rota el alma de algún modo violento y apenas si les sigue nadie, porque los vivos saben que les aguarda mucho quehacer por otra parte. Sorprende ver un patio soleado y palmas de oro sobre un muro, mientras hay en la tierra como lechos de hierba y flores cortadas para su reposo. Allí los tienden y los cubren con tierra de España de color profundo, donde van las larvas, las hormigas y las semillas a acompañarles; bordean aquello que es una tumba, de ladrillos puntiagudos y si conocen el nombre lo colocan sobre la tierra que cubre su frente: Carlos, o Charles, o Karl o André o Michel... Llega luego el lugar de la acción: Jarama, Puente de los Franceses, Usera, Brihuega, Casa de Campo... y la fecha. «MUERTOS POR EL HONOR Y LA LIBERTAD DEL MUNDO.» ¿Dónde nacieron? Puede ser que lo importante sea sólo dónde morimos. Somos el preludio de algo espantoso, porque la guerra ya no tiene nada de caballeresco ni es cortesía, ni siquiera juego limpio y bárbaro, la guerra es únicamente la pelea de dos perros rabiosos.

—¿Y qué podemos remediar? ¿Llevamos entonces al frente una mentira con nuestro teatro y nuestra buena fe?

—Camilo, no, lo que hacemos está bien hecho, son los de enfrente los que juegan con cartas marcadas por los nazis y los fascistas. ¿No sabes que los aviadores alemanes no dejan a los aviadores españoles de la otra zona acercarse a los cobertizos donde guardan los aviones y menos tripularlos? ¡El orgullo español! Si algo de eso tuviesen no se dejarían bombardear *sus* ciudades a mansalva. Digo *sus* ciudades ¿me entiendes?, porque España es de los españoles y cuando toque el fin los destrozos y los escombros nos tocarán a vencedores y a vencidos.

—¿Y si los *de enfrente* estuviesen obrando de buena fe? —me aventuré a preguntar a Claudio Ortiz.

—Descartado, descartado. Yo estuve allí y los he visto. Son energúmenos. Yo he estado en Sevilla y vi cómo nos fusilaban arrastrándonos hasta un muladar. No, no. Un sacerdote los confesaba y así iban del *brazo eclesiástico al civil.* Yo era, en cierto modo, un creyente de pocas prácticas, pero creyente. Se acabó, se acabó. Puedo comprender todas las parodias, para eso soy cómico, pero no ésa, Camilo, los curas se aliaron demasiado precipitadamente con Franco, bueno, con la reacción española olvidando al rebaño grande de sus ovejas, al pueblo. Yo he visto cómo lo ametrallaban y no perdono, vaya que no perdono. Nos han dejado mordernos como esos perros que hemos visto. Las naciones alquilan balcones para ver la corrida y la Iglesia bendice las garras del más fuerte.

¿Por qué me dijiste todo eso a mí, pobre Claudio? ¿Por qué fui el elegido para escucharte? Ni el olor de Angelines podía distraerme de cuanto ibas diciendo tajante y brusco, volvía a sentirme vergonzosamente entre enemigos y mi juventud, despierta por el peso dulce de la muchacha se retiró para hacer paso al remordimiento. Me parecía que Angelines podía oír lo que se agolpaba en mi sangre, pues juro que más que nunca me sentí obligado con mi Dios, con aquellos santos gritadores capaces de insultar a los descarriados: «¡Eh, mirad cómo el lobo se lleva la criatura!» ¡Ah!, salvar a la Iglesia de la gran conspiración de los cautos y los prudentes y sacarla de la alianza con los que facilitaban la vida terrena para llevarla por los del martirio. Buscar la vida eterna y centrar la verdad de la fe en la confesión de la humildad y darlo todo para que la matanza concluyese. Deseé decirle mi secreto: soy nada más que un pobre fraile, para que la expiación de tanta agobiante verdad empezase por mí, pero... Angelines abrió los ojos y me entregó su confianza, sonriéndome. Nadie me había sonreído nunca como hombre, vuelvo a escribir, como *hombre*, como *hombre*, como *hombre*. Como hombre me parece que sigo marchando —¡ay, y eso es lo cierto!— por una carretera interminable, con una muchacha pesándome sobre el corazón.

Ir por una carretera de España, con las Guerrillas del Teatro, me llena de palabras y de imágenes seguramente como un músico puede llenarse de notas. Pasamos por el cementerio de Fuencarral donde dan tierra a los caídos de las Brigadas Internacionales y como el único despierto de todos mis guerrilleros era Camilo hablé con él que se quedó con los ojos abiertos pasándolos, como yo hacía, sobre tantas cosas de España. Me parece propenso a la crítica, precisamente porque se queda callado, con la cabeza inclinada como si rezase mientras yo hablo y hablo, según mi costumbre. Le voy tomando simpatía, además puede llegar a ser buen bailarín y está enamorado de Angelines. A mí también me gusta Angelines y al chófer y a Manuel y hasta a Juanito Monje. Pero ella ha mirado toda la tarde a Camilo y Camilo ha bailado con los ojos clavados en unas manchitas diminutas como abejas que tiene la chica debajo de los párpados. ¡Cómo me gusta Angelines! También los soldados miraban boquiabiertos su hermosura, pero eso pasa siempre. ¡El jaleo que armaron los aviadores en un aeródromo donde fuimos más allá de Ciudad Real! Querían dejarla atada a un árbol con un letrero: «Requisada para la Aviación Republicana.» Fue un buen escándalo. Protestamos y sacaron una ametralladora y le quitaron a Pepita los zapatos y hasta Juana ¡ligó un comandante! Los varones de las Guerrillas no teníamos nada que hacer ante aquellos salvajes Ícaros, dispuestos a darnos lecciones de vuelo en unos cazas, que se ponían siempre boca abajo haciendo lazos y nudos por el cielo. Yo me resistí, porque no me atrevía a dejar la tierra tan abrasada de entusiasmos. Y es que nuestras chicas están preciosas con los refajos de bayeta rojos y azules. A veces visten así para ganar tiempo y toman cierto tono popular muy gracioso. Luego cantan y bailan. Yo no digo que lo hagan bien, pero todos son juveniles, decididos a borrar de su diccionario la palabra ridículo y felices con el trabajo de alegrar la vida de los que ¡ay! a veces la tienen tan corta. Si son unidades mucho tiempo en reposo alborotan mucho, si es cerca del frente todo se pone más dramático, más tenso. Los chicos de aviación nos despidieron echándonos botes de humo como protesta por llevarnos la belleza, los del batallón alpino...

Los del alpino fueron ellos los que nos recibieron con una orquestilla de armónicas cantando la canción más graciosa que oí nunca:

En un chozo de la Sierra
está el batallón alpino
donde a la hora de comer
todos tocaban el

(y aquí silbaban un silbidito muy bien acompasado y expresivo que arrebolaba un poco a las muchachas). Eran antiguos esquiadores vencedores de Peñalara o la Fuenfría, habituales al barranco Minguete o montañeros de la Pedriza o la Mujer Muerta, muchachos que conocían el cambio de los vientos en las dos Castillas o el Alto del León y que transitaban por los collados o montes de la Sierra, graciosos y fuertes, como otros por la calle de Alcalá. Nada tenía de extraño que todos ellos fueran o chicos de la Resi o ex alumnos del Instituto Escuela, ya que el amor al Guadarrama se debe a la generación que también esperaba a la República: Giner de los Ríos, Azcárate, Cossío, Menéndez Pidal, Enrique de Mesa a quien la dictadura desterró sin más aviso, y otros de aquellos profesores despertados con el fin colonial de España en Cuba y lanzados a empresa más revolucionaria gracias a la fermentación de aquella guerra de África que sufrí y de la dictadura que trajo a Primo de Rivera. Fue increíble el número de amigos que encontramos todos. Hasta estaba entre ellos un poeta de la Alianza de Intelectuales que me pareció que se había precipitado en colocarse la gorrilla orejera y el rompevientos, pues estaba como aterido y hablaba con mucha nostalgia del sur natal en aquel comienzo del otoño serrano. La comida fue seguida de canciones y la Pepa respondió al inevitable: «*Tengo de subir subir...*», con una canción mucho menos conocida:

Tengo de subir al puertó
al Puerto de Guadarramá,
tengo que pisar la nievé
que pisa una serraná.
Después de haberla pasadó
y haber pisadó la nievé,
mi novia ya no me quieré
mi novia no me quieré.

Las armónicas retomaron el tema para acompañarla y Pepa siguió muy arrebatada:

Por esó
llevan a mi amor presó,
a la carcél,
siendo yo el carceleró
no hay que apurarsé.
Mi niñá,
cuando me ve me mirá.
La tomó,
la cojo de la manó,
la metó
debajo del embozó,
le digó:
¡Prenda morena saladá
vente conmigó!

La acentuación final, propia del cancionero popular, fue discutida y alabada por varios licenciados en Filosofía y Letras que por el momento eran defensores de la República.

—¿Quién sería el afortunado que subía al Puerto para meterse luego en la cama con la morena?

—Toma, el Arcipreste de Hita.

—Ése no pasó por aquí, sino por el Alto del León.

—Vete tú a saber. Las serranas debían tener bigotes en las pupilas.

—Quia, hombre, eran monjas exclaustradas que como no sabían donde meterse se tiraban al monte.

—¿Lo dices por la protagonista de *El esclavo del demonio*, de Mira de Amescua, convertida en salteadora al pecar con un fraile?

—Lo digo porque conservan un sentido de la caridad muy monacal.

—Hay dos clases: las que ayudan a los caminantes o la

serrana de la Vera que los mata y a la que hay que vencer tocándole música en un ravelillo.

—Las del Arcipreste eran buenas:

En la madrugada,
cuidé de ser muerto,
de nieve e de frío
o dese rocío
de la madrugada.

—También eran buenas y misericordiosas las que encontraba el marqués de Santillana por sus tierras, que no están lejos de la Pedriza. ¡Que me traigan media docena de esos encuentros estos días próximos!

Pero lo que trajeron, para aclarar otra discusión de montes y barrancos, fue un mapa, donde vi una línea roja.

—¿El itinerario de Napoleón?

—Estás lelo, el del Arcipreste.

—¡Qué Residencia de Estudiantes eres, chico!

—¿Qué te crees, comicucho, que porque se haya sublevado Franco yo no voy a terminar mi tesis?

Como un relámpago me cruzó el pensamiento Pepe Castaños, a quien le habían encontrado mapas con señales e itinerarios imprevistos. Me dio miedo, pero todo era normal y amplio y los ojos podían con nostalgia de cómico envenenado de nicotina ir hacia las cumbres y bajar las pendientes ásperas de árboles. Les dije:

—Sería bueno marcar en ese mapa el lugar donde fueron de excursión aquellos pobres cómicos amigos míos. ¿No conocéis el caso? Pues aprovechando unos días de huelga decidieron los de mi compañía ir a hacer salud al Guadarrama. Llegamos y era tan puro el aire, tanto el sol y la vista llegaba tan lejos que uno medio desmayado nos gritó: «¡Auxilio, aire... pero aire del *nuestro*!» Y tuvimos que taparle el cielo con los abrigos y fumar, fumar en sus narices hasta hacerlo volver en sí.

Fue un día admirable. Todo parecía en orden y equilibrio. Concluida la guerra, el odio, la división de la familia, los disentimientos de los partidos... Triunfaba el monte. Muy en la cima de Peñalara, nieve y en los barrancos, una piel oscura de árboles y alrededor nuestros chicos felices representando viejos entremeses españoles y un público encantado de aquella vacación a sol y cielo abierto. Las cumbres de Guadarrama estaban tan limpias de mal que nadie habló del enemigo. Bueno, a mí me había dicho algo al llegar el Comisario. Apareció la noche y nos apresuramos a volver.

—Lo que más nos ha gustado ha sido *El Dragoncillo* de Calderón.

—A mí, las chicas.

—Hay una farsa de Lope de Vega muy graciosa: *El degollado.*

—¡Volved pronto!

Y cuando quisieron cantar su alegre canción silbada el Comisario les interrumpió:

—Basta. Ya ha sido bastante. Con esta oscuridad ¿podréis bajar la cuesta?

Únicamente en aquel momento comprendí dónde estábamos. Al otro lado del monte alguien clavaba sus ojos en nuestra espalda. Los sentimos de pronto, enredados a nuestros pies, dificultándonos la vida. Todo el pinar se había carbonizado y las canciones, el grito, la sonrisa... Sin ponernos de acuerdo hablábamos bajo y todo lo que se había producido durante el día quedó demasiado lejos y demasiado pronto desvanecido en la oscuridad. El Comisario, camarada del batallón José Díaz donde yo me enrolé, me dijo al darme la mano:

—Si salgo, iré a verte.

Me di cuenta de que al llegar por la mañana me había dicho:

—Me alegra mucho que hayáis venido hoy, porque a la madrugada...

Con el almuerzo y la representación se me había olvidado, pero también lo había oído Juanito Monje, quien me estuvo dando la lata:

—Oye, supongo que nos iremos pronto ¿verdad? Antes de que empiecen.

Luego se fue con un muchacho muy vivo, amigo suyo, que chisporroteaba como un contacto eléctrico al hablar. Me dijo que le gustaría venirse con nosotros, pero el Comisario al enterarse me advirtió:

—Ten cuidado, está en observación. Creemos que ha sido afiliado a Falange.

La verdad es que cuando subimos al ómnibus Juanito estaba impaciente. ¿Se estará volviendo un cobarde?

Comenzamos a bajar la cuesta con mucha precaución. Pronto se empezaron a cruzar en la sombra camiones cubiertos con lonas.

—¿Alguna operación militar? —me preguntó Camilo.

—Seguramente.

—¿Y pueden matarlos?

—Por desgracia.

La Pepa se llevó la mano a la frente. ¿Habrá hecho la señal de la cruz? Nos detuvieron en un recodo. Pasaron más camiones. Éstos llevaban soldados. Paró un automóvil y bajó un oficial.

—Esperen aquí a que pase toda la columna.

Y en medio del silencio asistimos a la subida hacia la muerte de aquellos muchachos que acababan de aplaudirnos como si la vida fuera una larga representación feliz.

—¿Te conmueve esta primera salida acompañándonos? —pregunté a Camilo—. Puede que sea más fácil para ti estar en otro trabajo de retaguardia.

Camilo, que temblaba ligeramente, no me respondió. La Pepa me agarró del brazo:

—¿Va a haber tiros?

—Es la guerra —contestó secamente Juana. El oficial a nuestro lado controló hasta el último camión.

—Los que van a morir os saludan —dijo a las chicas con la cara apenas blanqueada porque era novilunio. Por el tono de la voz supe que sonreía y porque tocó la mano de la Pepa y porque la Pepa retuvo la mano del oficial y se oyó un beso.

La columna siguió lenta y oscura hacia la cumbre, el Comisario me había explicado cuando yo no prestaba atención:

—Tenemos que hacer algo, porque los cabritos de enfrente nos fríen. ¡Como aquella operación de Cabeza Grande hacia la Granja no tuvo resultado...!

¡Adiós morena salada, adiós cama tendida, embozos blancos, prisión de amor, discusiones sobre la acentuación popular o la ruta del Arcipreste, salteadoras o serranas, visión del Guadarrama, belleza profunda de collados y puertos a sesenta kilómetros de Madrid, muchachos de Peñalara y la Fuenfría que distinguen de una ojeada la Peñota o Montón de Trigo, el Alto del León o la Mujer Muerta, campeones de salto, nadadores que atravesaron la laguna inmóvil siempre, no pregunté nunca más por vosotros ni sé si seguís cantando la heroica canción pequeña llena de procacidades y silbidos, no pregunté ni preguntaré nunca más por qué aquel Comisario, mi camarada del batallón José Díaz, no ha vuelto ni puede nunca más venir a buscarme...! Cayeron muchos sobre los tomillos duros como moluscos, pues en este destejer que es la guerra los amigos van desapareciendo y los perdemos y encontramos otros y forma todo como una gran cadena. A los nuevos les traspasamos las virtudes de los caídos y seguimos adelante. Quedamos en el recodo hasta que sonó la primera descarga. Sólo Juanito Monje mostró impaciencia, luego se puso enfermo y estuvo varios días sin aparecer.

Ahora está completa la Guerrilla y Camilo mira demasiado cerca las pintitas doradas de la piel de Angelines. Durante la vuelta iba tan distraído que cuando al entrar en un pueblo me pidieron la consigna contesté vacilando:

—Odesa.

—¿Odesa? Quia.

—¡Cómo que no! Odesa, camarada.

—No, compañero.

—¡Pero si me la dieron por escrito!

—Pues no es eso que dices y no pasáis.

El hombre se apretó bajo el brazo la tercerola y la discusión se tornó pintoresca. Las chicas comenzaron a cantar y todos se despabilaron. Pero el campesino se hacía el sordo a nuestras razones, moviendo la cabeza:

—No, compañeros.

Detrás de su tozudez un arcángel primoroso, sacado de la iglesia del pueblo para servir de «alto el paso», refulgía, azul bailarín celeste, alto y áureo servidor de Dios, auxiliar de los hombres en aquello de interrumpir nuestra marcha. Todas las razones y los carnets fueron inútiles. Los miraba, los daba vueltas entre los dedos y sonreía.

—Lee, lee. Somos las Guerrillas del Teatro, volvemos del frente.

—¿Y estas chavalas? —contestó cada vez más escamado el hombre.

—Actrices, nada más.

—¿Y por qué llevan refajos?

El interrogatorio se iba volviendo absurdo.

—¿No ves que no han tenido tiempo de quitarse la ropa de escena porque tenemos que llegar pronto a Madrid?

—¿Y vosotros?

—Yo soy oficial. ¿No ves las insignias? —dije lleno de esperanza.

—Sí, sí, disfrazado como las otras.

—¡Pero no podemos quedarnos aquí mirándote la cara!

—Pues iros si podéis —y el cazurro volvió un poco la cara, lo suficiente para indicarme una fila de fusileros de boina escondidos detrás de una parva, dispuestos a no dejar pellejo de cómico vivo con sus escopetas. Había que seguir razonando y por una inspiración súbita le dije a boca de jarro:

—¿Sabes leer? —El hombre titubeó y yo aproveché para seguir—: Porque si supieras leer yo te enseñaría mi credencial secreta del Ministerio de la Guerra, pero, como comprenderás, si no sabes leer es inútil que te la enseñe. Llama al alcalde.

Había variado el tono y tal vez su cerebro se esclareciera o no le gustase sentirse al descubierto, el caso es que bajó el arma diciendo:

—Hombre, ésas son razones. Dame el documento y veré si se me da la letra.

Saqué un permiso de tránsito y el hombre lo volvió de todos los ángulos con mucho interés.

—Pero aquí no hay hoces y martillos.

—No, camarada, éste es el escudo de la República.

—¡Anda, te creerás que no lo conozco! Os voy a dejar pasar pero la consigna no es la que tú dices, compañero, sino *oveja*, ¿lo entiendes bien? *Oveja*.

Le alargué la mano y sentí sobre mi hombro la de Camilo. Camilo, que se había puesto colorado como una niña. Subimos al coche, y mientras arrancaba, al alejarnos de ese pobre pueblo abandonado que es nuestra gente, lleno de responsabilidad común, no pude menos de mirarle, diciéndole:

—Odesa ¿ves? Pues oveja.

Me voy a quedar a dormir en la Alianza, con Pepa. La verdad es que después de mi *fuga* no me atrevo a volver a casa porque don Paco me zurraría el entresuelo. La Pepa hace tiempo que duerme en el sótano, con la ventaja de tener una habitación para ella sola. Juana duerme dos más allá. Yo no me he traído nada, y la secretaria me ha subido a revolver unos armarios que están en el tercer piso, donde ha buscado entre mil cosas de mujer que tiene guardadas bajo llave, un pijama de florecitas. Me dijo:

—Todo esto se encontró en la casa. Era de las hijas de los marqueses. Hemos dado a los hospitales y se ha quedado aquí la ropa de seda y todo lo que tiene encajes. También entregamos la bodega. ¡Si vieras lo que protestaron todos!

La Pepa está bien instalada y se ha traído hasta la bicicleta. Yo tengo una libreta de apuntes, este pijama y mi uniforme de guerrillera, disponiendo quedarme en este sector del subsuelo si no viene doña Paula con sus voces y don Paco con la tranca. ¡Qué susto tendrán! Pero ¿una es una o quién es? Para que no empezasen que si pitos, que si flautas, me escurrí sin tomar el desayuno. Estaba abierto el portón y me colé hasta las cocheras. Me pareció oír ruido y fue cuando me metí en el cesto de ropa. ¡Fastídiate, Angelines, ya están ahí los perros! Pero el perro era un chico, a quien jamás había visto. Como me miraba, cerré los ojos y me hice la muerta. Buen susto se va a llevar éste, pensé. Sentí que se acercaba tanto, que abrí los ojos. ¡Qué bien me desperté recordando que soy cómica, lástima que estábamos solos! No sé qué me preguntó, pero yo le contesté:

—Arreglando el mundo —o algo parecido.

Luego me dijo que se llamaba Camilo, y yo, que me llamaba Angelines y quería una casa muy pequeña para vivir leyendo siempre. Lo raro ocurrió al ayudarme a salir del cesto. Temblaba. Cuando me apoyé sobre él yo también estaba temblando. Respiraba vivo, suave, como cuando un perro os pone las patas en los hombros. Yo quise volver a sentirle temblar y, como soy alta, mis ojos llegaron a los suyos. Los tenía llenos de lágrimas. ¿No es fantástico? Luego vino lo mejor, porque fue un acontecimiento nuestra salida al patio. Son tontos, se mueren por una mujer. Cotapos me pellizcó bien fuerte. ¡Qué tío antipático, cree que hace gracia con sus estupideces! A las chicas nos tiene hartas. Camilo es un poco demasiado flaco. Tiene, como yo, el pelo clarito; me gustaría seducirle. «Atención, chicas, que la vida es un parpadeo y la belleza una mirada.» Juana debió aprender eso en alguna de las muchísimas comedias que representó y no se le cae de la memoria. Tonterías, las cosas llegan y ahí están, como dice mi madre. A mí no me gustaba ni Juanito Monje, ni Carlos Durán, ni Monsell, que, por otra parte, es casado; ni Pacos Bustos, ese porque es gordo. Queda Claudio Ortiz —¡A sus órdenes, mi teniente!—, y ése no se ha fijado nunca en mi palmito. Porque a unos le gusta lo blanco, a otros lo moreno, a otros lo fachoso y a otros lo elegante. La Pepa dice: hay gustos para todo, y se queda tan fresca esperando que va a volver a *bicicletear* con el hijo de los marqueses por el Paseo de Rosales. Sí, sí, cuando san Juan baje el dedo. Lo que está ocurriendo me parece a mí que es una barrida de marqueses y condes para un rato. Se tendrá que conformar con algún oficial de milicias. Es tonta, pero la quiero mucho porque todo lo que dice es de ley. Claro que yo no le cuento nada porque es muy habladora, pero a buen corazón... Hoy ya me ha colocado que soy una mema y me gustan los alfeñiques, todo porque hice una entrada triunfal con Camilo y bailé mejor que nunca. ¡Pobre! Y alargué un poquito el pie y, zas, sin darse cuenta que era una seña se cayó como un sapo. Luego nos hemos dado un beso. Al volver me volví a sentar junto a Camilo. Hago que el traqueteo me duerme y me dejo caer sobre su hombro. A veces me roza el pelo con los labios, para que no me despierte, pero quien nos despertó a todos fue un pelmazo de grullo que no quería dejarnos pasar. Menos mal que Claudio es un genio para capear temporales, como dice don Pancho, el pobre hombre vecino nuestro que se le llevó la pierna la bomba, y lo convenció y pasamos a todo meter. Camilo se quedó silencioso oyendo a Claudio, y Claudio, que le gusta darle a la memoria, empezó a contar cosas de la dictadura de Primo de Rivera, y poco a poco, la que se quedó de verdad dormida, fui yo.

—Suba despacio, señorito Juan.

Juanito no respondió al hombre que lo conducía, subió de dos en dos las escaleras y después de tamborilear de cierto modo en una pared, algo se descorrió en el otro extremo, que le permitió entrar en presencia de... bueno, que me hizo entrar, basta de novela. El antipático señor, que estaba durmiendo, se irguió para decirme:

—Muchachito, con el ruido que hacen de madrugada las Guerrillas no puedo conciliar el sueño; ¡yo, que ya estoy desvelado por el porvenir de la patria!

No le contesté, porque no me dejó. El encierro le ha hecho mucho más hablador que antes.

—¿Y el Caudillo? ¿Lo viste? ¿Has tenido la honra de que sus ojos se posasen en ti? Ese san Jorge, ese gigante, ese Alejandro. ¿Cuándo entra en este bendito Madrid, donde en cada casa hay un cruzado que no come ni vive ni descansa esperando esa hora?

Yo quería interrumpirle, pero cada vez que levantaba la mano él la apretaba con la suya.

—Porque todo para él ha sido providencial: Calvo Sotelo, que hoy hubiera traído muchos disgustos; Sanjurjo, monárquico de los que dormían con camiseta bicolor, y Mola, que si hubiera podido le hubiese despojado de las glorias militares. Todo, todo funcionó en manos del ángel de la muerte, que es el gran arréglalo todo con que cuenta nuestro caudillo. ¡Arriba España!

El tío aquel parecía que iba a bailarse unas peteneras. Ya empezaba a cansarme de tanta lealtad, cuando dijo:

—Tú eres joven y no puedes recordar nada, pero ¡si supieras lo que han hecho con nosotros! Siéntate.

Me senté y trajeron ¡una copa de *cognac*! Hacía meses que tal cosa no me sucedía.

—Sí, *cognac*. Y aún quedan algunas botellas. ¿Verdad Pánfilo? ¡Los pobres creen que dieron toda la bodega a los hospitales! ¡Déjalos que tengan ilusiones filantrópicas y bebe! Pues te decía de la iniquidad de esas gentes. Figúrate que yo estaba en las Juntas de Defensa Militar. ¿Habías tú nacido? Sí, pero todo andaba mal desde mucho antes, desde que perdimos las colonias americanas, desde Cuba, donde yo combatí de ayudante de Weyler y no le dejaron aniquilar el brote de la mala yerba cuando todo el Comercio estaba junto al general. El rey era un querubín sin experiencia y la dignísima doña Cristina, *el gendarme*, como decía Alfonso XII, se moría por quitarse de encima la molestia de ver a Sagasta, a Silvela, a Montero Ríos. ¡Cuántas intrigas! Figúrate que hasta los ferroviarios se atrevieron a fundar *La Locomotora Invencible* para reclamar sus derechos. Claro que eran cuatro gatos, pero ¿y la prensa? El pobre Alfonsito hace un viaje por el norte de España a poco de ser proclamado rey —vamos, rey lo era siempre, pero el año 1902 subió al trono—. Hay periódico que dice, comentando el viaje: «*Hermosísimo, hermosísimo hubiera sido un viaje dejando que el rey viera a los pueblos como son, con sus calles enlodadas, con sus estaciones inmundas, con sus miserias horripilantes. La España tal cual es...*» ¿Y quién tenía la culpa de todo? Ellos, ellos, que jamás limpiaban nada; ellos, ellos, que no quieren trabajar y en el campo aguardan que les caigan las brevas en la boca; ellos, ellos, que son incapaces de discurrir por su cuenta y buscan a cuatro abogadillos republicanos para echar pestes de nosotros, que por caridad los tenemos en nuestras tierras, donde no hacen nada, nada. Bueno, hacen algo, infectarnos de hijos, que como gorriones se comen la fruta. Yo tengo tierras por Córdoba y sé bien lo que es eso de los campesinos. El año 1904 arrasaron con todo. ¡Tenían hambre! Tenían hambre y quemaban los olivares, tenían hambre y salían con los niños harapientos a detener los coches y a robar, tenían hambre y quemaban los ayuntamientos. ¡Si me hubieran dejado a mí! Pero que si Salmerón dijo a Sagasta... Menos mal que el rey niño metió en un zapato al Consejo desde el primer día. A mí me lo contó Weyler: «¡Qué astuto es el mequetrefe! ¿Pues no quería reservarse el derecho de conceder títulos, honores y grandezas? A ése le molesta la palabra Constitucional.» Don Valeriano era un hombre y las cosas quedaron como antes, pero... ¿Dónde iba? ¿Qué te estaba contando? ¿Que le ofrecieron a Weyler el poder absoluto y quisieron hacerlo dictador? Ése fue el fallo grande, el que pagamos todos. Figúrate que los obreros se organizan. Se van a Gijón, sin ningún impedimento por parte del gobierno, y dejan que Pablo Iglesias haga de las suyas, y ya tenemos el socialismo en casa. ¿Y sabes lo que se les ocurre? Pues que si un obrero o un campesino se accidenta trabajando, pues le tenemos que pagar bonitamente toda la curación, eso que mientras se cura no produce y los accidentes los provocan ellos para no trabajar. ¡Y ríete un poco! ¡Les prohíben tener lances de honor! ¡Como si esa canalla supiese lo que es honor!

Debí hacer un movimiento violento en mi silla, porque el hombre calló un instante y me sirvió más *cognac.*

—Pero usted va vestido de falangista y Primo de Rivera creía en el pueblo.

Me interrumpió con autoridad.

—Éste es un uniforme y estoy con José Antonio si José Antonio está con don Juan, si no, no. Es muy joven y no recuerda las amarguras de 1917 y menos los horrores de 1909. Hay clases, sí, hay clases. ¿Por qué en 1909 dejan que estallen tantas bombas? ¿Por qué no quieren ir a salvar el honor de España, pisoteado por la morisma? ¿Por qué se pierden las costumbres honestas y quieren llevar el zapato de charol las criadas, unas burras destripaterrones? ¿Por qué cada uno no se queda en su clase y espera la caridad cristiana con resignación? ¡Si supieras lo que trabajó mi difunta mujer en las Conferencias de San Vicente de Paúl? ¿Y sabes cómo las llamaban a esas santas? Las damas estropajosas. Llegaban a una casa, daban su limosna, concertaban matrimonios entre los *arrimados,* como ellos dicen, bautizaban a los niños y les llevaban ¡hasta chocolate!, pues al salir les tiraban pellas de barro y voceaban: «*¡El motín! ¡El cencerro!* Una monja en Almería se ha metido a ama de cría» y «¡Viva Nakens! ¡Viva Morral!», y «¡Lástima de horca!», y «¡Póngale cuernos a su marido, en vez de entretenerse en estas cosas!». Vamos, un bochorno para la pobre Pepita y una ignominia para la Santa Caridad. Tanto pasó que Barcelona fue un escándalo de separatismo, pero ¿y Madrid? Figúrate que hasta la Fornarina sirvió de piedra escandalosa. Esa cupletera fue, según dicen, solicitada por nuestro rey. El honor debiera haberla vuelto turulata, pero su espíritu debía estar socavado por algún masón, porque rehusó la gentileza. Se enteraron los republicanos, y banquete tenemos a la prójima. Podría seguir hablando varios días. Por eso vi el cielo abierto cuando el ejército buscó la salida de defenderse, porque después de lo de Abd-el-Krim ni salir con uniforme podíamos, y había quien cruzaba de acera para no tropezarse. Y mientras, los obreros huelga va y huelga viene para no trabajar, que es de lo que se trata, y los otros pidiendo responsabilidades y Silvestre muerto en Monte Arruit, y Berenguer, bufando porque como era alto comisario en Marruecos le caía la sangre de los veinte mil soldaditos asesinados por las jarcas.

Nuevo trago del ilustre jerarca en su vaso y en el mío. El *cognac* me iba adormeciendo afortunadamente, pues en la deshilvanada memoria los acontecimientos fueron balanceándose y yo había perdido el hilo.

—Pues no, señor, no será como usía quiere, porque la patria encontró un salvador y a mí me importa poco que caiga Canalejas en la Puerta del Sol y Dato en la calle de Alcalá, porque a ministro muerto ministro puesto, lo que hay que salvar es la dinastía. Sí, señor, la dinastía. Alfonso se puso al habla con Primo de Rivera para salvar la dinastía, que era lo que querían enfangar los que apoyaban el expediente Picasso donde se sacaban trapitos al sol de todo el mundo y señalaban hasta en las tertulias más ínfimas como responsable al rey. Y los obreritos de huelga de brazos caídos, y los del campo, sin querernos mandar un saco de patatas de las tierras, y los humos de la servidumbre, toda ella metida en los sindicatos, y las conspiraciones van y vienen. Primo me llamó para que participase en el alzamiento y en mi casa se hizo el engrudo con que pegaron los pasquines por las calles de Barcelona. ¿Qué me dices de eso? Desde entonces, hasta que salió el pobre por la frontera de Francia, me tuvo a su lado, y ojalá no se hubiera muerto, porque gente que sabe obedecer hay mucha, y mandar poca, y porque si hubiera muchos no saldríamos de dictadura diaria, y a mí me gusta que me manden, y si no no sé lo que tengo que hacer la mayoría de las veces. Bebamos otro trago, que esto es lo único imperecedero, y ahora cuéntame algo de lo que te tocó ver en Burgos, junto al Caudillo que, gracias a Dios, zumba fuerte, pero no tan fuerte como deseáramos los que nos quedamos en la ratonera mordiendo los alambres.

El *cognac* nos había hermanado de pronto, lo encontré indefenso así, convertido en ratón mordiendo la trampa. Estábamos solos porque el portero se había escabullido a sus menesteres, y poco me faltó para besarle heroicamente, como a mi padre. Pero al unir bien las palabras y completar su sentido, me dije: ¡Pero si tú nunca has estado en Burgos! Y quise explicarle el despropósito. Imposible.

—Tuvimos un asistente que pasó de su casa a la mía. ¡El Caudillo! Pero ¿por qué no entra en Madrid, digo yo? Si no hay más que cuatro idiotas en las defensas. ¿Será verdad que no es un Bismarck, ni siquiera un Moltke? ¿Qué opinas tú? ¿Perdurará la unión de requetés y falangistas? En mi casa todos son requetés y yo, alfonsino, o juanino, si te parece. Les supo a cuerno quemado que yo me adhiriese a la Falange y lo hice para ayudar. Hay que ayudar y ayudar en los batallones de choque.

Como me viera parpadear, el fantasma rectificó.

—¡Ay, por Dios, se me está pegando la forma de hablar de esta canalla madrileña! Habla, anda, hombre, y toma otra copita.

—Señor —empecé diciendo—, siento no poderle dar muchas informaciones, cumplo mi deber desde un puesto de combate difícil y desde que comenzó la guerra trabajo medio día en salvarme y medio en el glorioso movimiento nacional. Estoy en las Guerrillas del Teatro y...

—Entonces ¿tú no eres Xavier Mora?

—No, señor.

—¡Ya me parecía a mí! ¡Pero es que sois todos iguales con ese maldito uniforme... y la juventud! —añadió con nostalgia—. ¡Y mis ojos que con tanta electricidad se me están pasando!

Se hizo un silencio melancólico. El viejo parlanchín guardó su elocuencia, y yo me apresuré a informarle.

—Me llamo Juan Monje.

—Juanito Monje, Juanito Monje. No se me olvidará.

Me tendió la mano, replegándose en su sillón como una almeja.

—Seguiré trabajando y ya sabes, si me oyes no tengas miedo, soy yo.

Quisiera contarme largamente cuanto aquel palacio que nos albergaba me iba diciendo a mí, pobre enamorado de una dulce niña que yo sabía durmiendo en su vientre, en su sótano laberíntico y asombroso. Llegamos rendidos, sin ganas de comer y sí mucha de tumbarnos para descansar del traqueteo y de las emociones. El alto obligado frente a un control donde un campesino casi deshace nuestras Guerrillas con un trabuco, sirvió para toda una lección política de nuestro teniente Claudio, de la que hoy me queda el perfume. Creo que me hubiera dormido como un santo —aunque ¡ay!, mis pensamientos estuviesen lejos de la perfección—, cuando un proyectil reventó en la cornisa justo sobre el balcón del cuarto de la señora marquesa, que era por casualidad de los tiempos, el mío. No me interesé por mis huesos, levantándome con sobresalto, pero me quedé sorprendido del silencio. Nadie se movió. ¿Cansancio, costumbre, indiferencia? Con precaución me asomé a la calle y la sombra era tanta que me pareció asomarme a una sima. Iban por el cielo ramalazos de luz y estallidos que a veces se desgranaban como si cayesen o desmoronasen muros gritando, y en seguida el silencio. En un instante toda la calle se llenó de luz y de ruido, luego, bruscamente, el silencio y en ese silencio aterrador un rosario de blasfemias levantándose. Un nuevo centellear y pude ver, herido de muerte, un coche de los que los madrileños llaman *simón*. Por la casa de enfrente comenzaba un incendio, el bombardeo pareció alejarse, pero ante mi vista quedó aún el caballo agonizando y oigo al hombre inventar extravagancias que por primera vez en mi vida llegan a mis oídos. Pensé: «¡Ahora Dios hará caer una nueva bomba, vete!» Pero no me fui y veía en la tenue claridad del incendio al blasfemo soltando a su caballo el atalaje. Tengo que ser sincero; yo esperaba la fulminación del energúmeno, pero comprendía perfectamente su rebelión desesperada: «¿Qué vamos a hacer ahora tú y yo?» Y hoy aquí, en esta soledad, le veo abrazando la cabeza del compañero caído, como queriendo ayudarle en aquel desgarrado sufrimiento animal, que casi no veía y al que tenía que palpar con sus manos para ver. Acudieron perros. ¿Todavía hay perros en Madrid? Se habían puesto a beber la sangre del amigo antes de que muriese definitivamente, y esto le pareció al cochero tan cruel que los echó a patadas. Llegaron algunas sombras. Habló el primer transeúnte:

—Doy cuarenta pesetas.

—¡Ladrón!

—Oiga, no insulte. Tome cincuenta y me llevo al animal.

Las otras sombras intervinieron.

—No haga usted caso. Vale cien.

—Yo llegué primero y también las doy, anda éste.

—Ciento cuarenta.

—No —se negaba el cochero—. Con esto come un mes la familia de un rey godo.

—No lo creas, está destrozado, flaco.

—¿Flaco? ¿Y esta grupa?

—Sabe Dios con qué lo habrás alimentado tú.

—Con hígados de fascista que busco en los basureros por la mañana.

—Vamos. ¿Doscientas pesetillas...?

Al decir aquello un hombrecillo gritó a un balcón de la casa donde ardía la techumbre.

—Carlota, Carlota, ¡bájame el chaleco!

Entonces me di cuenta que sobre el tejado y en los balcones había alguna gente, mientras otros balcones, a pesar del incendio, permanecían cerrados.

—Toma.

Me di cuenta, también, de que el barrio comenzaba a enterarse del arrebatador espectáculo de un caballo muerto. Cayó el bulto al arroyo y el cochero se sentó en la acera. El hombre alargó algo:

—Toma. Doscientas cincuenta.

—Ahora, ni quinientas —gritó convulso de palabrotas el cochero—. ¿Es que yo no tengo hambre?

Nadie le prestó atención. Reñían entre ellos los compradores.

—Ese caballo es del público, y si no lo vendes en cuanto amanezca vendrán los del furgón y se lo llevarán, y ni para ti ni para nadie. Vamos, te doy quinientas pesetas —decía el sensato—. Quinientas pesetas hoy no las tiene ni Negrín.

El cochero siguió recomiéndose improperios, pero alargó la mano.

—Anda, cuenta. ¡Eh, alguien que encienda un mechero! Cien, doscientas, trescientas, más estos cuatro pequeños cuatrocientas, más este de cincuenta, más esto...

Creo que el resto fue dado en plata de la que el gobierno había ordenado la recogida meses antes. Rodó un duro. Una mujer gritó, retirándose:

—Pierdes dinero, hombre. Sólo de tripas se sacan cien pesetas.

Pero el arreglo estaba hecho y brilló un cuchillo. Comprendí que el comprador era carnicero y había que retirar aquello antes de que apareciese el sol.

—Tú vete a dormir, que ya cuidaremos del coche.

—Bueno, me voy. ¡Lo que es para ver esto! —le tembló la voz, pero yo vi que se quedaba un poco más lejos y cómo en la sombra aparecían platos y cómo silenciosamente las puertas giraban y las mujeres acudían. El cielo se fue limpiando de explosiones y comenzó a adquirir un ligero brillo.

—Pero ¿tú vas a comer carne de caballo?

—Lo llamaré *equino*.

—¡Qué asco!

—El asco es comer lentejas.

—¿Y a qué sabe?

—A rico, tonta.

El carnicero colgó a la víctima de la metralla fascista de la verja de nuestro jardín, y se fue desarrollando la oscura venta entre gente asombrada de su buena fortuna. Los primeros beneficiados se marcharon con los platos repletos, y los que llegaron con retraso trataban de conmover el ánimo del sacrificador. La impaciencia, las palabras chuscas y las exclamaciones a media voz me llegaban con su presencia humana y muy desvaída en las tinieblas, ligeramente descorridas. Algún ambicioso pretendió llevarse la cola, y desde una ventana la voz de otro interrumpió, optimista:

—Oiga, Paca, que le den un buen riñón.

Rieron de la ilusa y yo vi el cuchillo por primera vez.

Un enorme cuchillo rasgando algo que Perico Ligero, acompañado de la mujer que se ocupaba de nuestra cocina, depositó en una fuente. ¡Tuvimos caballo al horno y ¡ay!, nos lo comimos con aquella rebanadita de pan a la que sobraba la palma de nuestra mano! Después de ver el cuchillo sentí subir de la calle el vaho de la sangre y la lucha de aquellos hombres despedazando el caballo. Aquella escena de campamento casi me desvaneció, pero seguí viendo desaparecer carne, huesos, vísceras en el estómago de Madrid hambriento y desesperado. El cochero, unos metros más allá, se había sentado a recapacitar o a dolerse del siniestro fin de su amigo. Se incorporó lentamente.

—¡Eh! ¿Para mí no hay?

El estómago había vencido a la amistad.

—Hombre, tú...

—Nada de tú, ¿es que mi hambre es menos que la tuya? ¡Bien veo que te has guardado el solomillo! Toma diez duros y dame lo que gustes.

—Toma —concedió el sacrificador.

—¡Pobre! Era una yegua y se llamaba *Esmeralda.*

Los que lo oyeron me pareció que retrocedían. El dios de los caballos llegaba con cierto apresuramiento de la aurora, y al sacrificador, después de un gruñido despidiéndose, dejé de verlo y el grupo se disolvió con la misma premura que se hizo. Recuerdo únicamente la sombra del cochero, calle abajo, estrechando el último trozo de *Esmeralda* y poniéndose a silbar cuando comenzaron los primeros árboles del paseo a cubrirle...

¡Qué bien fijo hoy mi memoria! No quiero olvidarlos.

¡La comida! Comíamos en unos preciosos platos azules y oro y en ellos una coronita marquesal debía burlarse de nuestras angustias. Hoy recuerdo las insistentes lentejas y, en primer plano, unas alubias amargas conseguidas por nuestro secretario, que, por haber estado sumergidas en el mar durante varios días en Valencia, eran intragables. Pero había, también, regalos y sorpresas, y nuestros viajes a los pueblos se esperaban en la Alianza con alboroto. ¡Hasta una ternera trajimos un día! Conversar era hablar de comer. Todos, hasta los más poéticos de nuestros amigos fijaban sus sueños en alguna predilección culinaria especial. Xavier Farías proponía para el día de la victoria grandes mesas que fueran desde la estación del Mediodía hasta el

Hipódromo, se cubriesen de huevos fritos y baldes de patatas, también fritas. Otros reclamaron, en ese extraordinario festín del triunfo, tortillas de patatas a las que unos pretendían añadir chorizo, otros jamón y algunos muy castizos, escabeche. Y todos los ojos se alegraban en aquel sensacional acontecimiento del triunfo de la razón histórica y la cocina, relamiéndose los labios. ¿Dónde andaréis hoy vosotros poetas, pintores, escritores de España? ¿Dónde Alberti y María Teresa y Cernuda y León Felipe y Serrano Plaja y Aparicio y Miguel Hernández? ¿Y Claudio...? ¡De otros sé bien lo que pasó! ¿Y Juana, con su pequeña constante impaciencia, y Pepa, y la novia Dorotea? Venid, sentaos en esta celda mía y recordemos lo que pasó aquella madrugada del caballo descuartizado y vendido al hambre de Madrid.

¿Recordáis? Yo creo que estaba soñando sin saber bien en mi sueño hacia dónde dirigirme. A veces me sucede tropezarme con ciertos troncos de árboles, siempre los mismos, y otras los atravieso con toda facilidad; en unas ocasiones siento alivio de todas las miserias de mi cuerpo y en otras me oprime el terror hasta despertarme sudando; unas veces insisto en no despertarme, tan feliz estoy allá lejos, y otras me angustia la urgencia de salir pronto de un destino de larva húmedo, impreciso. Aquello del caballo había dejado en mí huellas contradictorias. Tenía que elegir entre la redención de Angelines o la del caballo. Pero ¿Angelines no era el caballo? Recuerdo que una punzada de remordimiento me decía en mi duermevela: «¡La has olvidado! Debías ocuparte únicamente de su imagen y la has sustituido, ¿te das cuenta?, ¡por la de un caballo!» Entonces me vi besando un caballo mientras el cochero me zarandeaba, gritándome furioso:

—¡Camilo, el timbre, el timbre!

Nunca he olvidado esta superposición tan disparatada. Atónito me levanté de un salto y la noble fisonomía de Claudio Ortiz siguió diciéndome:

—Esto es ya demasiado juego. Ven, Camilo, vamos a cazarlo.

Poco a poco me di cuenta de que todo era real y oí el timbre.

—Sí, un timbre. ¿De dónde viene?

—No sabemos, tal vez, fascistas escondidos, una gaita.

—¿Y qué buscan?

—Despertarnos, descontrolarnos, fastidiarnos. ¿Te parece poco?

—Creo que suena por aquí —dije levantando la cabeza hacia donde la insistencia del timbre parecía más sonora.

—Y bajas al primer piso y suena de ese lado. Te digo que si uno creyese en duendes... Mira, las gentes de este palacio se sublevaron con Sanjurjo y ya te conté el hallazgo de las fotografías. Todos desaparecieron. Son monárquicos, amigos de don Juan II, pero también falangistas. Decirte don Juan II quiere decir que han olvidado a Alfonso XIII, vivo pero muerto en sus pretensiones, sobrepasado. Ahora, vístete y vamos a recorrer esto hasta la capilla. Otros van desde los sótanos al tejado.

Cumplí la orden y observé que Perico Ligero llevaba un fusil.

—¿Pero es que crees que puede haber una conspiración en el tejado?

—Creo que la defensa de Madrid los ha puesto rabiosos. ¿No ves cómo se entreabren las persianas de la casa de enfrente cuando nos bombardean? Quinta columna. ¿No sabes que en una cola tiraron una bomba y mataron a cuatro mujeres? ¿Quién era? Pues un desesperado de tejado, un falangista escondido. Vamos.

En el momento de salir se apagó el timbre. Nos miramos. ¿Se reían de nosotros? Apareció Juanito Monje.

—¿Qué, falsa alarma?

Juanito quería ser inocente, pero se frotaba las manos.

—Tengo frío, me voy a acostar.

En el momento de salir él recomenzó el timbre. ¿Qué sucedía en el misterioso caserón encantado? ¿Gentes ocultas como cuando yo estuve penando en una carbonería? Aún me lo pregunto, eso que...

—Ya hemos revisado los timbres. Son unas pilas viejas cubiertas de telarañas. El electricista asegura que por ese lado...

Oímos subir en tumulto a los guerrilleros. ¡Tan bien dormidos como estaban los pobres después de su trabajo en el frente! Pero lo que buscaban era desvelarnos y lo consiguieron.

—Hay que concluir con esta burla —decía muy irritado Monsell.

—Por mí que toquen, con no abrirles —insistía bostezando Paco Bustos, gordo y cansado.

—Pues a mí no me da la gana eso de servir de títere de diversión a ningún facha —comentó casi furioso Carlos Durán. Era la primera vez que me parecía sincero y me le quedé mirando. Cuando salimos hacia la escalera me sopló al oído—: ¿Que desconfías de mí?

No tuve tiempo de contestarle, porque echó a correr.

Había en aquella casa algo impalpablemente misterioso, envuelto en la vulgaridad de una riqueza sólida sin elegancia. Este dato se lo debo a Santiago Ontañón, director artístico de nuestras Guerrillas, archisimpático personaje a quien había que martirizar para que tuviera a tiempo los diseños que Claudio Ortiz le estaba siempre reclamando. Los salones eran lo de menos. Había una biblioteca fabulosamente bien guarnecida donde materialmente vivían en éxtasis algunos aliancistas que contaban con la confianza de la secretaria, y corredores y habitaciones y lugares secretos y revueltas que comunicaban con escaleritas y pisos y entrepisos y sótanos y sotanillos. En todos ellos, la vida anterior había ido dejando colgaduras e hilachas, pues nos tropezábamos constantemente con algo indescifrable que aquellas paredes querían decirnos. Santiago se empeñaba en mostrarnos un cuadernito color ciruela donde el primer Zabálburu rico, antes de hacer que su descendencia entroncase con la casa marquesal de Spínola, escribió su diario. Pero la secretaria me dijo un día:

—¿No ves que estos salones son demasiado importantes para nuestros pasos acusadores? Durante siglos se han alimentado de sangre y de sudor. Un pequeño crimen diario colgaba de estas arañas, un sufrimiento compraba estas sedas, unas cuantas lágrimas conseguían estos tapices... Nadie se daba cuenta, porque la sociedad está montada aún sobre el crimen sin castigo, pero las jornadas extenuadoras de trabajo, se cumplían en su beneficio, los niños se depauperaban para sus satisfacciones y sus fiestas, las mujeres se rompían la cintura trabajando para que los bailes fastuosos pudieran traerles suficiente alegría a los señores. Los hombres de trabajo dejaban de servir bajo el agotamiento físico para que los dividendos no mermasen, pues la renta es tan imprescindible como la gota de agua a los que se han sublevado para no dejar de ser privilegiados.

Aquella noche vi que nuestra secretaria iba también cazando el timbre y Claudio y yo nos incorporamos en su seguimiento.

El timbre sonaba intermitente y burlón. Nos huía o nos alcanzaba a voluntad mientras nosotros registrábamos cortinones y ventanas o mirábamos a los techos pintados donde parecía alojarse el duende.

—¿Conocéis la historia de Hortensia? —nos dijo la secretaria deteniéndose y dando un suspiro a la vez que se paraba el timbre—. Pues parece ser que alguien de esta casa se casó con Hortensia. Hortensia no tenía todas las virtudes requeridas por el señor del palacio, puede que fuese pobre, lo más seguro era que el marido aristócrata fuese un enfermo, pues Hortensia buscó liberarse con la huida. Justo en el instante de conseguir escapar apareció el dueño de su vida: «¿Dónde vas, Hortensia? ¿Por qué quieres abandonarme, si te he dado todo este palacio? Nadie vive en Madrid mejor que tú. ¿Insistes en dejarme? Bueno, Hortensia, vete, por aquí es la salida.» Y apoyando la mano en una moldura abrió ante los pasos de su mujer el trasmuro del palacio, el pasadizo secreto. En su nerviosidad la desdichada se precipitó en él. El señor levantó su mano y la pared recobró su fisonomía.

—¡Pero eso es horrible! —interrumpió Claudio, que lo veía verdaderamente como una escena de gran *guignol.*

—Hortensia se dio cuenta de su error demasiado tarde. Suplicó, gritó, maldijo y sus voces se oyeron a través de los muros de la casa y la servidumbre se despidió para no oírlo y gemía y se arrastraba corriendo detrás de todas estas paredes de seda hoy tan silenciosas. El marido aguantó dos días, al tercero quiso rescatar aquel gemido infantil que se filtraba cada vez más débilmente, buscó la moldura, apretó en todos los adornos... Inútil, había olvidado dónde estaba el resorte. Se dejó morir de hambre contra una de estas paredes, todas llenas de oro. ¿En cuál? ¿En qué momento Hortensia dejó de gemir? ¿Gime todavía?

—Maravilloso. ¡Lo que acabas de decir es maravilloso! —gritó Claudio—. Ya sabemos quién es el timbre: Hortensia.

La secretaria hizo un ademán escandalizado:

—¿Estás loco? Bien sabes que son los mismos que tenemos enfrente. Sí, el misterio romántico de esta casa se diluye en un señorito emboscado seguramente en ese pasadizo o trasmuro que no podemos situar. Hortensia lleva hoy pantalones y rifle, estoy segura.

La casa estaba en conmoción. Había tanto ruido que la tremenda historia de Hortensia quedó disuelta en el patalear en todas direcciones de los huéspedes de la Alianza. Toda la inquietud producida por el relato se esfumó ante las divertidas ocurrencias de los que entraban a dar cuenta de sus hallazgos. Dos bandos se habían perseguido por los aleros, encontrándose afortunadamente antes de disparar; a una de las chicas se le había disparado un tiro por empeñarse en llevar ella un revólver y la habían mandado a la cama; las encargadas de la cocina se habían negado a que registrasen sus dormitorios con gran indignación de algún aliancista bastante esperanzado con su suerte entre el servicio doméstico. Juanito Monje apareció también y cuando comenzó a sonar el timbre, ya casi la calle llena de sol, me miró con fijeza para luego decirme al cruzarse:

—Frailuco.

Sentí perfectamente la verdad. No sé ni hoy qué verdad era, pero íntegramente supe la complicidad de Juanito Monje. Vi que tenía en mí dos conciencias: una me gritaba: «Díselo.» Pero volví a oír la prudente advertencia: «Calla», y me callé pasando, como hacia Claudio, mis dedos sobre las molduras doradas, fingiendo encontrar el resorte. Al separar un cortinaje que cubría un balcón vi claramente a una mujer. Me golpearon el hombro, tardé en recobrarme, pero la voz de Angelines me hizo volverme.

—Oye, Camilo, ¿te han contado la historia de Hortensia?

Detrás de Angelines estaba el muro de las ninfas y el salón silencioso. Se turbó, porque yo debía estar demudado y trémulo. La noche había sido demasiado densa para mí y ella se acababa de despertar. Llevaba el uniforme castrense de las Guerrillas del Teatro, pero así, recién despierta, se veía mejor su juventud. ¿Tenía yo derecho a alargar mis manos? ¡Ay, Señor Dios mío! ¿Si yo me atreviera a besarme las mías para sentir bien aquel recuerdo? La besé, sí, la besé dejando caer la cortina de raso, apoyándole la cabeza contra el cristal pintado de azul, dentro los dos de una transparencia marinera, tan solos, tan juntos, tan quietos...

Ya me está cansando lo del timbre. ¡Qué nochecita! Parecían caballos trotando por las habitaciones. ¿Y lo de Hortensia? Santiago Ontañón nos enseñó ya hace tiempo, un cuadernito donde se hablaba de los rosales de guirnalda, las glorietas y otras mil cosas de los tiempos bobos. ¿Será ese señor el responsable de la muerte de Hortensia? Pero lo evidente es que hay algo por esta casa que no nos deja sosegar. Las paredes me quemaban los dedos al recorrerlas buscando el resorte, claro que no lo dije. Hurgábamos todos los nervios del palacio, convencidos de que Hortensia estaba allí. Prefiero las ametralladoras del frente. Algo saltaba blandamente delante de nosotros como esos sapos de jardín que nos esperan al volver a casa y van precediéndonos ploc ploc —sinvergüenza, qué tarde vuelves a casa— ploc ploc. Y hay demasiado polvo viejo y cosas que parpadean y el timbre que va levantando fantasmas, mientras el tropel caballuno de mis muchachos golpea, sin consideración, el techo y se conmueven todos los cristales y dan su hora los relojes. Y es que anoche despertamos las defensas del palacio y todo él se puso en guardia. No, a los palacios hay que dejarlos quietos con sus Hortensias lívidas, sus crímenes susurrados y sus celos. Me parece peligroso abrir el vientre de un palacio aunque sea en nombre de la luz, pero nuestra secretaria, especie de heroica comisaria imprudente, se empeñó en llevarnos a una escena final de tercer acto. No consiguió nada. El palacio se vengó cerrándonos las puertas de golpe, abriéndonos las ventanas, apagándose las luces, moviendo las tablas de los pisos. Las Guerrillas creyeron estar jugando al escondite y cuanto más el timbre tocaba más se reían. Las chicas debieron creer que era aquello un colegio y jugaron al escondite metiéndose en los armarios y trastornándolo todo. Juanita perdió su seriedad y cuando yo estaba más absorto resbalando mis dedos temblones por la moldura se encendieron todas las luces del gran salón entrando

Juana, la encantadora dama de carácter que debería haber dado el ejemplo, vestida con un enguantado traje de cola, mirándome detrás de unos impertinentes:

—Claudio, amor, perdón, yo soy tu Hortensia.

Arrodillada ante mí seguía recitando mientras Leoz, sentado en el piano, fingía un tormentoso fondo pasional y mis muchachos se atropellaban muertos de risa y rodaban por las alfombras.

Pocos minutos después, estaban todos sentados, rendidos, vigilados por los antepasados de los antiguos dueños que se fruncían furibundos ante las carcajadas.

—¡Gracias a Dios que concluyó el dichoso timbre! Yo ya no podía reírme más.

—Tenemos que buscar los planos del palacio.

—Hortensia será ceniza, pero hay por ahí algún vivo que me gustaría retorcerle el pescuezo.

—Nunca leí en ninguna parte que las casas de los ricos fuesen tan difíciles de domesticar.

—En la mía había dos habitaciones y una aldaba.

—La de mi pueblo ni tenía llave, con un Ave María Purísima se tenía bastante.

—Me gustaría tener una casa mía.

—Cásate con un albañil.

—Prefiero un contratista.

—Burguesa. ¿Y el arte?

—La Pepa nació para tener once hijos, yo me apunto con uno.

—Bestia.

La Pepa no sabe enfadarse y ríe toda llena de cosquillas mojándose los labios. Monsell bailó con Juana. Durán insistía.

—Muy difícil un palacio. Yo he leído todas las noches de mi vida alguna novela policial, pero en ninguna había un timbre que anunciase al asesino. Llegaba despacio y olvidaba siempre alguna huella. Por ejemplo, debajo de la cortina asomaba un zapato.

Durán estiró la mano y señaló la cortina de seda más próxima. Nuestros ojos se dirigieron allí. Confieso que sé desde anoche lo que es el terror pánico. Los que primero se dieron cuenta quedaron mudos, poco a poco todas las miradas coincidieron en un punto, llegando el último Leoz, quien hizo girar su banqueta:

—Pero, ¿qué ocurre?

Y allí estaban los zapatos evocados, allí bajo la cortina celeste, monstruosos e inmóviles y fue la Pepa, sí, la heroica Pepa quien regalándonos una mirada despreciativa separó bruscamente el cortinaje.

—¡A mí con éstas! —murmuró.

Si no matamos en aquel instante a Camilo y Angelines, es que nunca podremos matar a nadie. ¡Qué tranquilos! Me entró rabia de haber tenido miedo y rabia de comprobar que están juntos y rabia porque, en cierto modo, ha disminuido mi prestigio. Carlos Durán se quedó preocupadísimo porque aquel desenlace le trastocaba su cultura policial y aquello le parecía un mal Conan Doyle y, claro es, ni por asomo llegaba a un Simenon. No pudieron seguir riendo. Como sucede a los niños, sintieron cansancio.

—¿Sueño?

—Estás pálida.

—El frío del amanecer.

—Sería más sano dormir.

—No podré.

—Podrás —replicó, autoritaria, Juana.

Y me quedé solo con Camilo.

—¿Encontraremos alguna vez el timbre? —me dijo para despistarme del asunto principal, pues bien sabía él que las Guerrillas cuidaban el buen nombre de sus muchachas.

—El que toca el timbre, dirás. Porque no es un contacto, ni lo provoca la trepidación ni la humedad. Hay alguien, aunque la historia de Hortensia sea invención vulgar, como aquella otra del palacio de la esquina, donde nació un niño negro a un conde que era blanco, de una condesa que era rubia; como la del otro más allá, donde cayó herido de muerte un cardenal que se paseaba, inocentemente enamorado de alguien que ya tenía dueño; como la del otro donde vivía el marido no confesado de una marquesa, porque el tío, contrabandista en la guerra de Cuba y paralítico, había prohibido a su sobrina todo contacto que no fuese el suyo, muy asqueroso, si la sobrina quería heredar los millones conseguidos no limpiamente. Y todo así. En un palacio riñeron dos hermanos justo en el ala que se estaba reconstruyendo y nadie supo nunca nada. Dicen que uno de ellos está en una viga metido y otro en la Cartuja. Si la imaginación popular no descansa, es porque la vida de los poderosos parece no tener freno y las leyes pueden burlarse con el dinero bien manejado. Pero la leyenda del rico es en España, país de pobres, más fecunda que en ninguna parte. Y, asómbrate, no es tanto el odio del pobre al rico sino del rico al pobre el que se manifiesta. El rico es aquí implacable. Lo demuestra nuestra guerra, los asesinatos, la venganza. Se comprende que un pobre miserable robe; se comprende que un hombre a quien le hacen una injusticia se tire al monte con un trabuco al margen de la sociedad; se comprende que el que tuvo hambre tenga dentro deformado el mundo de los ricos y la envidia lo ciegue y haga un desatino; se comprende que enloquezca de venganza el que ve su miseria y se vengue en cualquier cosa y de cualquier modo destruyendo, arrasando, matando, ensuciando lo que nunca fue suyo. No puede tener ni respeto ni amor a lo que no entiende. En la barrera de los ricos, la defensa de su mediocridad, encomendada a terceros —generales casi siempre— el taponamiento de su inteligencia que les hace no llegar a nada por medios limpios, sino tortuosos, no por fraternidad, sino por caridad, cuando más, no por destino común, sino por deformación de ese destino histórico del que expulsan a los que les molestan con peticiones de mejoramiento o pretenden compartir un poco de ese poder, ya que durante siglos ellos lo disfrutaron. Piden un poco de esa cultura que a ellos los engríe y los enfatua; algo de ese banquete al que no fueron invitados. Inventaron las clases sociales y se quejan de Carlos Marx. ¿Su patriotismo? Se les termina en cuanto no son ellos los que mandan. Creen en un poder consustancial con su clase; el resto es, efectivamente, revolución. Pero ese poder se les escapa en los países donde no hay harina y todo es mohína, donde se han equivocado tantas veces, donde no hay una pequeña burguesía satisfecha o un campesinado pequeño productor y odian con frenesí y prefieren la guerra y la muerte antes de compartir con el pueblo, con su pueblo el poder, el gobierno, la responsabilidad del mando y del futuro.

¿Dije todo esto a Camilo o lo pensé o lo pienso en este instante? No sé, estaba cansadísimo y salimos al patio ya con sol en todas sus losas. Llamaron a la puerta. El bombardeo del frente no disminuía. Aldabonearon más fuerte, Abrimos. Entró un camarada de las Brigadas Internacionales, un escritor que muchas veces recalaba en la Alianza los días de permiso. Venía trémulo. En su idioma defectuoso, masticando el castellano, nos preguntó si estaba aquel fotógrafo que llegó con su mujer un día a vivir con nosotros.

—¿Qué ocurre?

—Gerda, Gerda... destruida —y nos mostraba la máquina deshecha.

Pocos minutos después salían hacia el frente algunos escritores a rescatarla. Su marido estaba tranquilo en París y la Alianza siguió su sueño.

¡Gerda! Nos había fotografiado mil veces a todos, tan pequeña, tan viva, tan luminosa. Es ya la madrugada y acabo de dejarla en nuestra sala de ensayos, el famoso jardín de invierno, tendida sobre una lujosísima alfombra, dentro de una caja de esas que nos recibirán a todos, cubierta por la bandera de la Alianza de Intelectuales. Ha pasado mucha gente a mirarla, pequeña heroína dormida. Traen, no sabemos de qué jardines, flores. Nuestros amigos los ferroviarios montaron guardia y después los tipógrafos y los periodistas y las mujeres y, poco a poco, el pueblo de Madrid fue entrando. Así continuarán mientras yo duermo. Vienen a traerla pocas lágrimas y mucho respeto y un agradecimiento expresado en suspiros. Vino de los países tranquilos, iluminados. Dicen que durante una retirada, ella que estaba de repórter gráfico y manejaba la cámara como un fusil más contra los fascistas de todos los países, gritó a los nuestros en su lengua materna, olvidada de su castellano de ocasión: « ¡A ellos! » Maniobraron los tanques y Gerda se trepó a una camioneta justo cuando la cadena de uno le agarró el costado, lanzándola al suelo. Nadie retrocedió. Las maldiciones en buenísimo idioma castizo estallaron mientras se llevaban hacia la retaguardia a la muchacha fotógrafo que apretaba entre su mano convulsa la Leica destruida.

María Teresa y Alberti fueron a buscarla. Dijeron que aún fumó un cigarrillo. No quería quejarse entre soldados. Se convirtió, para entrar en la muerte, en una niña muy pequeña. Como la batalla llenaba el campo de explosiones y no había forma de traerla a Madrid se aprovechó la vuelta de un camión, cargado de tanques de gasolina. Arropada en varios capotes y alguna manta la tendieron entre el olor nauseabundo para que hiciera su último viaje hasta nosotros, sus amigos. Pero ya no le dolía nada. ¡Qué distinta forma de entrar tuvo anoche! Perico Ligero, lloraba. La *maison des fous* se había puesto seria. León Felipe, se inclinó a besarle las mejillas y tal vez murmuró sin que le oyésemos: ¿Eres feliz, eres feliz?, ¡como entonces! Al ver que la novia Dorotea movía los labios, queriendo rezar, la secretaria le dijo tajante: «Si crees, reza y santíguate, pero no te escondas.» Y luego hizo que Leoz, al piano, hiciese cantar a las Guerrillas «Vosotros caísteis...», vieja canción que había servido de sonoro acompañamiento en la muerte a tantos revolucionarios caídos, a tantos de nuestros amigos muertos.

Y aproveché para marcharme a dormir la reunión convocada por los escritores, justo cuando el poeta de las Internacionales, que trajo la noticia decía:

—La operación se desarrollaba perfectamente, pero ¿quién dijo que íbamos a atacar por aquella loma? *Les ennemis interieures, voilà!*

Burgos me parece aburridísimo. Hay una falsa corteza en movimiento y debajo todo sigue inmóvil, siempre seguirá todo inmóvil y los que se mueven en la superficie lo hacen por fuerza mayor, porque en cuanto puedan emigrarán de este frío espantoso. Me aconsejaron que me echase novia para calentarme las manos. Las muchachas son bastante bonitas y me gustan todas. Tengo muchas horas libres, porque la comunicación se establece en la madrugada, pero ¿de dónde sacaría el fantoche que el enlace lo traía Camilo? Aún hoy no he podido convencerle. Son estúpidos, raza de mandones, niños canijos todo uniforme. Y el tío que transmite también es un borreguíviris. Me suelta todas las noches una retahíla de saludos al Caudillo y luego se queja de no sé qué tácticas militares equivocadas. Ni que el tomar Madrid fuera agarrar y tocar la guitarra. «El pueblo es el del 2 de Mayo. ¡Aprieten! ¡Tiren menos bombas, que estamos nosotros! ¡Dios guarde al Caudillo de todas las Españas, enviado providencial de Dios, azote de los comunistas, pisoteador de los masones...!» Si lo tuviera delante lo asfixiaba en un cubo. A veces se le oye piar como un pollo y luego, después de varios gorgeos y aliñaduras de garganta rompe a hablar. Me parece que voy a ir a pedir al Cristo de Burgos que lo encuentren los milicianos y se lo lleven al infierno. No puedo más. Y ya me toman demasiado el pelo, sobre todo las señoras que se han creído muy en serio lo de la cruzada salvadora. Ya una me ha dicho:

—¡Conque en el frente del Arlanzón, joven!

—Sí, señora, pescando.

Pero es molestísimo el pasear mi juventud entre la exaltación de estas matronas que cada vez que la radio dice la palabra Caudillo se levantan de su asiento y saludan. Bueno, antes si el rey, por distracción, les daba la mano no volvían a lavársela y cuentan de una señorita burgalesa que bailó con Alfonso XIII y puso el vestido y los guantes en una vitrina. Ahora veo que el saludo de levantar la mano me está pudriendo. Huelen mal esas palmas al aire mostrando las rayas del destino. Me revienta que los falangistas hayan entregado su contraseña ritual tan pronto. Dicen que un grupo de beatas avanzó con la mano en alto a comulgar y el cura se negó a darles el sacramento.

En esta ciudad todo es posible. Yo, para no momificarme, me he reunido con un grupo de juergas. Hay uno de cara tan chica como un garbanzo de quien aseguran que nunca recobró el conocimiento desde su primera borrachera, lo cual sucedió cuando iba de pantalón corto. Todos ellos son simpáticos, esa cualidad espolvoreada a boleo sobre España tan profusamente que acaba por dejar de serlo. La tertulia se reúne en una confitería. Tiene la confitería cierta graciosa luz muerta bajo los arcos que rodean la plaza. En la plaza Carolus III resiste el frío. Todos resistimos el frío. Sabe a frío el aire, se mete por la boca y paladeamos frío. Las mujeres llevan las mejillas al rojo. A mí me gustan con esa piel levantada por el frío, cortada y lijosa de frío que se encrespa al pasarle la mano. Yo he pasado la mano por las mejillas de una muchacha que castañeteaba los dientes sin poderme rechazar. Por eso la besé. Era de noche y pasamos corriendo el puente sobre el Arlanzón. Al llegar al paseo, el viento nos quiso arrebatar como a las últimas hojas de los árboles, pero yo no lo consentí. Oímos, estremeciéndonos, los alertas del Penal, muy apretados en el quicio de la puerta de su casa, y yo la besé arrebatada y sin aliento. No sé cómo pudo resistir mis manos heladas en sus pechos tan tibios. Pero eso no es una novia sino una ocasión y las ocasiones no se repiten. La verdad es que no la he vuelto a ver y sigo yendo a la tertulia donde se habla mucho de mujeres del Barrio Alto, que no me interesan. En la tertulia hay una hostilidad latente al Caudillo, aunque todos son ricos y el Alzamiento parece inclinarse en su defensa. El otro día detuvieron allí mismo a un buen señor gordo, de espesa voz profesoral que compraba tranquilamente pasteles para su mesa familiar del domingo. Todos se quedaron atónitos y uno de los nuestros, hombre vuelto a medias de una hemiplejía, levantó el bastón, vociferando: «Hasta ahí podíamos llegar. ¡Que nos castren, que nos pisoteen, nos lo merecemos!» He pensado denunciarlos en más de una ocasión, pero ni son masones, ni socialistas, ni republicanos, ni monárquicos ni nada, son ricos. ¿Tendrán los ricos algunas virtudes específicas? Cuando hablaba el furioso me sorprendió que en vez de sujetarle se apresuraron a calmar a Ratón, que estaba lívido. Ratón, que ha soportado muchas veces: «Esto de parte del señor de Cato», apretaba sus dientes y se iba volviendo ceniza. Me enteré, cuando los ánimos se aquietaron, que el detenido era el Cronista de la ciudad, hombre con varias generaciones de prestigio académico. Había rechazado firmar la expulsión del Colegio de Abogados de algunos colegas en entredicho. Como me gustan los hombres, el gesto de aquel buen señor tranquilo me puso contento toda la tarde. A buen seguro que el oficialito que me recibió hubiera sido incapaz de defender a un camarada. Y es que entre los de Falange... Bueno, lo que he notado es que Burgos está lleno de gente que se mueve y a quien llaman intrusos los vecinos de la ciudad. La imposición de forasteros la acatan, pero no la soportan. ¿No seremos tan populares como parecemos? Aquí no ha entrado esa población errante que la guerra ha ido echando sobre Madrid, refugiados de los que suben al tercer piso con su burro y sus trébedes y luego de comerse la bolsa de patatas que traen, se comen el burro. Ha llegado una oleada de otra gente, sumergiéndolo todo. Y no nos quieren, eso que ya se les ha quitado el miedo a los bombardeos al verse, sin comerlo ni beberlo, convertidos en objetivo militar. Hace dos días tiraron un bacín sobre unos moros, bueno, el contenido de un bacín. A la mujer que lo hizo la condenaron a beberse varios litros de aceite ricino para que usase cumplidamente el recipiente, pero no pudieron evitar que se regocijasen en Burgos desde las cenizas del Cid Campeador, que están según creo en la catedral, hasta mi tertulia, que brindó repetidamente con Fino Coquinero porque se retomase la antigua costumbre de gritar: «¡Agua va!» antes de vaciar las aguas servidas en el arroyo. Pero más que este descontento me ha asombrado la abundancia de curas. Los hay para toda ocasión y en todo momento. Desde el estigmatizado que huye de su popularidad en algún convento extramuros, hasta el castrense de coronilla tapada que sube al prostíbulo con los oficiales y toca la guitarra. En la tertulia tenemos uno capaz de pescar truchas a pares con las manos, tirándose al río y sa-

cándolas vivas y coleando hasta en la boca. El otro día quiso que probásemos su fuerza sobre un velador y lo rompió. Las pobres gentes que van a comprar pastelillos y bombones miran nuestra tertulia con cierto escandaloso respeto. Las mamás saludan con la punta de los guantes haciendo dengues a los señores, que tal vez fueron sus novios lejanos de juventud, y las niñas abren la boca, preocupadísimas, sin comprender cómo sus madres estuvieron enamoradas de esos carcamales. Pocos somos jóvenes, mejor dicho, joven ninguno más que yo, pero me recomendó el general Yagüe, que paseó mucho por el Espolón su capa azul y blanca de Fuerzas Regulares, cuando andaba enamorado de una señorita, hoy señora gorda, que pasea varios hijos con la cabeza erguida como corresponde a una ex belleza local. Muchas veces han querido sonsacarme para qué estaba aquí. Susurran que «servicio secreto», y puede que me hayan adjudicado distintas peculiaridades. Pero no soy hablador y me resigno a que algún viejo disoluto vergonzante me sonría. Cuando por las madrugadas consigo comunicación con Madrid, me entra nostalgia de sus calles y creo que hubiera sido más divertido ser quinta columna. Muchas veces me pregunto: «¿Qué hará Camilo?» Pero el idiota que recibe los mensajes cree que la palabra Camilo es una contraseña, y me responde: «¡Arriba España!» ¡Tío memo! Me aburro y me gustaría entender de arte o volverme beato para poderme quedar horas y horas sentado frente a algún retablo. A veces entro en la catedral con otros ateridos, para tener calor, y me siento a dulcificar mis ideas. Me parece que Falange está arrollada y nada conseguiremos los que tanto hemos comprometido. Entonces, ¿para qué morir, si apenas vamos a ser un temblor de agua en un vaso donde todos flotan?

¡Dulces, dulces vacaciones perfectas! Morirán los que vivimos reunidos aquellas horas exaltadas, morirán sus hijos y los hijos de sus hijos y todo se olvidará, porque cada vida es apenas un breve pañuelo de lágrimas; morirá el recuerdo y el rastro más sutil del recuerdo, y nadie volverá a pensar en lo que nos ocurrió. Los hombres, eternos fabricadores de embelecos, fabricarán nuevos sinsabores y alegrías y crecerá la hierba y volverán los árboles, y seguramente estará el sol hasta que Dios disponga de él. Siempre alguien pretenderá besar a una muchacha, para que no se olvide el rito, y la muchacha lo mirará con ojos temblorosos, como si fuese el primer hombre. Todo correrá la carrera del tiempo y nada se definirá, porque en lo infinito sólo estás Tú. Pero si fuese posible que me dejases, en tu sin igual misericordia, que te pidiese un lugarcito para que alguna acción de los mortales se eternizase, yo te pediría que en cualquier rincón del viento o de la primavera, o en un rayo de luz quedase el heroísmo de Madrid.

Era un heroísmo de aleluya callejera, pequeño y audaz. Mujeres fuertes desarmaban a los cobardes, muchachas de senos robustos llevaban banderas nunca vistas de rojas, hombres patilludos lucían su fuerza debida a sus trabajos, mientras los adolescentes morían, no doblando la cabeza, sino cerrando el puño. Allí el mono azul era un uniforme, y «camarada» el mejor regalo para decir a una mujer. La aleluya madrileña era manola y varonil, cortés y arrogante. Parecía decirle al tiroteo: ¡Embiste! Todos nos dirigíamos a una fiesta imaginaria, a unos toros de fuego. Había teatros, cafés, bares, tiendas y, para proteger la sociabilidad, sacos terreros en los lugares de peligros que la lluvia fue desmoronando, y también tranvías que facilitaban el ir y venir de la muchedumbre. De cuando en cuando se lloraba...

¡Cómo me sedujo tu entereza! Dejé de oír los tiros para oír tu voz humana, tu latido humano, tu extraordinario sacrificio y el quejido de tus esquinas desprendiéndose, de las plazas abiertas, de los soportales cercenados, de las casas en llamas, de las verjas retorcidas, de los balcones desgajados, de las chimeneas volcadas, de los cristales en añicos, de las calles en canal con los hierros en espirales hacia lo alto y las venas de los cables anudados a los adoquines, a las ramas de los árboles rotos, a los postes en cruz del alumbrado.

¡Oh!, cuando miro hoy desde mi jardín conventual aquel montón de brillantes, que es Madrid al ponerse el sol sobre la llanura verde y oro, compruebo que mi memoria permanece absolutamente fiel a aquellos días. ¡Señor, escuchadme! ¡Que no muera Madrid! ¡Déjalo en la irisada memoria universal y yo permaneceré vigilante, más allá de mi muerte, para que nadie olvide tu heroísmo! ¡Oh, Madrid! ¡Oh, pueblo de Madrid!

¡Cómo pude sobrevivir a todo aquello! Miro hoy cómo cae la fina colgadura del agua sobre el tazón de mármol y el viento pinariego la desordena, y la fuente deja de cantar y vuelve a dejarse perder sobre la ancha mirada redonda del estanque. Así yo retomo el hilo de mi confesión sobre estas cuartillas que debiera quemar, pero que no quemo para que ellas me quemen a mí. Quiero contar que en medio de las explosiones aprendí a bailar, cuando Claudio se convenció de mi ineficacia interpretativa. Bailé al modo aldeaniego y nuestro duende de la capa azul se moría de gusto al mirarme aquellos trenzados del Pericote o del fandango. Sacaba un papel y anotaba mis canciones. Me susurraron que era un ilustre compositor, pero nadie había oído nada de él. Angelines me daba confiada su mano y todo resbalaba suavemente sobre mi corazón. Elegimos las horas tranquilas entre dos ensayos, antes de que nos llamasen a las casi inexistentes comidas, o al llegar la noche. En mi memoria de hoy suben altas las yedras del jardín o llueve sobre los cristales con la brusquedad del mal invierno de 1938. Apoyaba su nuca rubia en los cristales y detrás de ella caía el agua devolviéndomela húmeda y sumergida, sin querer quejarse de frío para que no pudiera yo llevarla hacia donde se calentaban los demás, junto a una estufa que apenas merecía llamarse eléctrica. Angelines me contó, un día de lluvia muy enconada, su historia triste, una más de las que se suceden en esta tierra chata e indiferente. Ya no recuerdo qué pudo moverla a descubrirme cuanto de ella misma sabía, creo que el amor. Si el amor es la forma de inclinar la cabeza y confiarse, si el amor es dar los pensamientos para que nada quede en sombra, si el amor es una cierta desnudez de alma, Angelines, aquella tarde de lluvia sonora sobre los cristales del jardín de invierno, me dio una hermosa prueba. ¿Cómo no va a ser difícil para una muchacha decir no tengo padre, ni madre, ni esas tías que vienen a preguntar a veces por mí son tías mías? Llegó a saber aquella desventura por algunas indiscreciones del taller de planchado que tenía su *madre*, junto al puesto de ropavejero de su *padre*. Le contaron que un día, cuando la jefa pretendió alzar del suelo una cesta de ropa se encontró dentro del canasto un niño abandonado. Alzó el envoltorio y juró que toda la plaza de Cascorro iba a oír el escándalo. Se avió con el pañuelo de felpa y se dirigió al que era su dueño, si no por la iglesia por detrás de la vicaría. «Toma, que esto debe ser tuyo.» Y dejó al cambalachero el presente, que lloraba como un gozquecillo. «Mío, mujer, ¿estás loca? ¡Buena estafa te han hecho!» Y como insistiera la ofendida y el otro porfiase, el envoltorio que habían dejado sobre la mesa cayó al suelo. «¡Hijo de mi alma!», gritó la buena mujer, y lo levantó y lo arrulló y lo vio tan desvalido y pequeño mirándola con unos ojitos, pálidos, aún de leche, que la planchadora se volvió a su amante como una reina para decirle: «No sé si es tuyo, ladrón, lo que sé es que desde ahora es mío.» Luego, investigando si había que decirle niño o niña, los dos exclamaron: «¡Niña!» Y cuentan que se besaron. Dios les había mandado un ángel, y Angelines se llamó la bienvenida.

La mano de Angelines en la mía era tan pequeña que cabía toda ella en mi palma.

—Mi padre ya no era joven. Cuando yo me trepaba por todos los rincones del negocio se le caía la baba de gusto. Tanto dicen que hice yo por su alegría, que no se conformaba con verme de cuando en cuando, y, ante el peligro de que me partieran por la mitad, las vecinas aconsejaron: «Mujer, cámbiate de casa y vete a vivir con ese pobre hombre.» «¿Sin vicaría?» «¡No, con vicaría!», contestó mi padre. Y me han dicho que, seguidos de medio barrio de Lavapiés, fueron, primero a casarse, y luego, en brazos de la recién casada, me llevó mi *madre* a la pila bautismal cuando yo ya tenía media lengua para buscar un pez dentro de ella y salpicar al cura. Mi madre no quería que yo me enterase de estas cosas, pero como las sabe todo el mundo y las vecinas riñen a veces con ella, pues yo fui comprendiendo lo que me querían decir y no decir, porque se les iba la lengua y la guardaban en la boca. Hasta que desembucharon y yo lloré y lloré, no porque quiera a otra madre, sino porque mi madre no me dijo que no era mi madre, ¿me entiendes?

Te oigo hablar, Angelines, dulzura, amor. Llueve por los cristales de mi celda, como entonces, pero no estás tú, toda dorada, toda mía. Me parece que mi existencia es una cuerda rota, desenganchada de improviso en un patio y que me balanceo golpeándome contra muros sucios, de amplias manchas. Oigo tu voz redonda en tus labios redondos, muy infantiles, muy apretados, y gimo en mi valle de lágrimas. Quisiera golpearme el pecho, desvanecerme, olvidarte, pero nada puedo contra ti, que no estás y me dejaste y nos dejaste cuando caminabas junto a mi hombro. En aquella ocasión, al incorporarnos a las Guerrillas nos encontramos en una revuelta del corredor con la profesora de baile, que al vernos sonrió enternecida, y cuando salimos al vestíbulo, Perico Ligero autorizó nuestros amores con un «Buenas noches, camarada», bastante regocijado, aunque menos que el «Enhorabuena» de Juanito Monje entrando del fondo de las sombras de la calle. Me pareció que Angelines quería demostrar a todos que había elegido y me hizo pasearme por la casa y sentarme a su lado. Cuando subí a mi cuarto, recordé que era el aniversario de la muerte de mi madre.

Y he dejado para hoy, que vuelve a serlo, el escribir sobre ti, madre, porque quiero que tu protección alcance aquel amor convulso. Yo vivía entonces la paz egoísta del niño inútil a quien hicieron frailecito para no tener que enviarlo a guardar cabras. Era un muchacho tonto, incapaz de adivinar que era «un zaratán que le comió el pecho y media espalda», como me dijo Micaela, mi prima, la burgalesa que vino al valle de amante del barbero, para luego quedarse, arrepentida, de sacristana. ¡Se le habían comido el pecho! Bajé los ojos y vi las piedras por donde se entra a mi hogar, y mi madre sentada con un niño en brazos, desabrochada la chambra gris, apareciendo el fulgor blanco de su pecho para dar una limosna a la sed del hijo de un caminante, mientras el suyo propio gemía en brazos de mi hermanilla. Micaela debió verme tan absorto que se fue y me dejó solo con mi infancia.

Allí estaban el soto con su traje de sombra verde, allí el paso del vado sobre el río, allí las cuevas de los cangrejos, allí el castaño permanente con su ciclo anual de erizos, allí las pendientes diminutamente florecidas por las primaveras, allí estaba yo... Y con sólo volverme a mirar, iluminadas con la misma luz, las mujeres que llegaban al entierro a llorar a mi madre. Yo les transmití con mi pensamiento el poder para que llorasen por mí, pues yo no podía.

¿Cuándo murió mi madre? ¿En qué momento preciso adelantó la mano para abrir la otra puerta? Seguramente sucedió al anochecer. Al doblar yo la esquina del claustro alto se me apagó la luz. Está el claustro de mi convento todo él lleno de enormes pinturas colgadas en los muros. Los arcos cubiertos de cristales permiten que la comunidad pasee hasta cuando cae nevada, y si nuestros ojos se dirigen al cuadrilátero que forman puede verse la rectilínea perfección del boj y la pompa mundana de los rosales. Es un lugar de predilección para mí porque canta el agua en torno al templete con cuatro fuentecillas y bajan las palomas, prohijadas por los profetas de robustos brazos, a beber a los estanques. Queriendo ser el reino de Dios es el reino del hombre contemplativo, a quien le basta una sabanilla de cielo azul para cubrirse la cabeza. Iba, decía antes, por el claustro con mis sueños, cuando me acometió la inquietud de quedarme a oscuras, pues la fragilísima cabeza de la llama se dobló justo en el instante de aparecerse el ángel que sostenía en un espejo una calavera. Noche a noche yo levantaba mi luz para mirarlo, y noche a noche él me sonreía; noche a noche oía el agua y el batallón celeste de los murciélagos; noche a noche golpeaban los desaparecidos los cristales. Pero, aquel día, la llama al acabarse borró todo y yo cerré los ojos. Mis oídos alcanzaron únicamente a distinguir el canto del grillo que cuidaba el hermano portero y seguí andando más ligero que nunca, desasosegado por la soledad. Alguien me acompañaba. Caminé de prisa. Aceleraron los pasos. Al sesgo vi los pliegues de la túnica del ángel marchando al par que mis hábitos. ¡Mi hábito negro y su túnica amarilla! No pude más y me detuve, justo en el momento en que el ángel ponía su espejo redondo como un escudo ante mis ojos y veía en él mi calavera, esa trascara que tan pocos años se regocija de cubrirse con nuestra piel. ¡Pobre amiga desconocida que nos guardas fidelidad absoluta siguiéndonos siempre, domesticada a nuestras menores emociones! Metí las manos en el espejo y sostuve en alto mi calavera, la besé y volví a depositarla en el cristal, contento de haberme conocido, diciéndome: «Hasta luego.» El ángel se elevó al infinito y casi me desmayo al sentir que tocaban mi hombro.

—El padre Superior le llama. Hace una hora que se lo vengo diciendo.

Supe que era una mala noticia y encendí mi luz, temblando.

Alguna vez la muerte de los hombres es cosa difícil y lenta. Hacen falta sucesivos permisos, no siempre rápidos de obtener. La de mi madre fue horrible. El valle no pudo dormirse hasta que el eco del último quejido no se desvaneció. Y es que las madres en el campo son sólidas, y aquel año habían comprado vaca nueva, y la vaca iba a darnos terneros, y mi madre no se decidía a morirse dejando al pobre animal en aquel trance. Cuando traspuse la puerta, Micaela se empeñó en decirme: «No ha cambiado, ¿verdad?» Pero yo no la reconocía. ¿Aquello había sido mi madre? Las mujeres atareadas de Castilla la Vieja no prodigan sus besos, pero cuando yo regresaba del Seminario, ella, pobre, pensando tal vez en mis ayunos, cocía pan nuevo y me cortaba rebanadas imponentes de la hogaza. Luego se me quedaba mirando con una sonrisita de triunfo y cierto fervor. ¡Un hijo cura! ¡Ay, madre, es que tú, sin decirlo, me tenías de predilecto! ¿Recuerdas el perrito rabón que encontré sin madre en el robledal? Lo dejé en tu falda y tú gritaste: «¡Quítame de aquí ese perro lobero!» Lo desterraste de la tibieza de la cocina, pero llegaba yo, y el desterrado volvía a entrar insolentemente en ella, protegido por mis manteos. ¡Madre, madre, yo sé que hasta le dejabas meter el hocico peludo en el orden sagrado de tus ollas, todo por amor a mí! ¡Madre, madre, el día de tu muerte fue el perro rabón y sarnoso quien gruñó debajo de tu cama y cuando llegué me enseñó los dientes! No pude resistir su reproche y hui.

Me pregunto. ¿Cómo pude permanecer en el heno tanto tiempo? No lo sabré nunca. La angustia moral me cercaba como la neblina de mi valle, madrugadora y blanda. Como un niño abandonado caí a plomo en el sueño que rehace la vida. Debí pasar muchas horas, pues al llegar la entreluz, despintando los monstruos de la noche, vi entrar en la cuadra tres doncellas. Cumplieron velando a la difunta y entraban empujándose y riendo, cuchicheando, un secreto de mozas. No me moví. La isla de heno donde estaba tumbado resistía bien los latidos de mi corazón. Sólo las mulas se volvieron a mirar a las muchachas. Desentendiéndose pronto, ellas comenzaron a soltarse los rodetes, a despincharse las horquillas, a soltarse las chambras... En el remanso del pelo metieron el peine y lo mecieron de arriba abajo, rastrillando las melenas de infantas campesinas, unas detrás de las otras, como hay en el cielo colocadas tres estrellas. Se servían con gracia de iguales, y las tres, en la luz plateada, relucían. Como no hallaron espejo se preguntaban: «¿Estoy bien?» con cierta cautela. Cuando concluyeron se besaron. Estaban contentas y comenzaron a soltarse cintas, a estirarse las camisas de lienzo, a sacudirse las chambras... Madre, ¿por qué me desterrasteis del goce inocente de la belleza? ¿Por qué no podré nunca desatar esas cintas, ni escuchar ese rumor de enaguas resbalando sobre unos muslos? ¡Ay, madre, madre! ¿Qué hicisteis de mí? ¿Es que jamás podré parecerme a mi padre, tan buen hacedor de hijos? No, ninguna herencia vuestra recibiré y yo, el día de tu muerte necesité gritarte mi amargura por esa decisión familiar que me alejó de vosotros y del derecho a tener mujer y criar hijos, como hicieron los hombres de mi casta. ¡Madre, madre, la más audaz, en un movimiento decidido, levantó sus brazos, sacó su camisa y, después de mirarla, volvió a ponérsela, ocultándome la visión fugaz de sus senos! Como un borracho enfurecido noté la boca llena de yerba, y no me podía mover para no espantarlas. ¡Madre, madre!, hoy las veo, como ayer, juntas y quietas, huyendo de la luz del ventanuco, porque ellas creen que los humores del cuerpo son impuros, acuclillarse abriendo en campana sus refajos y casi regar, sin saberlo, mis botas frailunas con la impaciencia de muchachas que quieren aliviarse de un arroyo...

Madre, protégeme la memoria de Angelines, arrodíllate junto a mí, o mejor, déjame junto a tu falda, acurrucado en el último pliegue, como el pero sarnoso y rabón, porque no me atrevo a rezar por tu alma.

Desde el día que nos descubrieron detrás de la cortina hay dos novias en la Alianza, la otra soy yo. Me gusta serlo, y como estos días me parece que he crecido, soy casi tan alta como él. Ya no nos pintamos. Claudio decidió que lo poco que hay debemos guardarlo para la escena, y Camilo se puso muy contento. A mí no me hace falta, soy rubia y me sonrojo con facilidad. Cuando tengo que encontrarme con Camilo me muerdo los labios, y esto basta. Juana asegura que la juventud tiene luz propia y ella únicamente necesita por sus años una manita de gato. Manaza, diría yo. ¡Qué cruel eres, Angelines! Pensar que ella fue la que se acercó a ti con más cariño.

—¿De veras lo quieres?

—De veras.

—¡Es tan poquita cosa!

—¡Poquita cosa y es más alto que yo!

Juana al golpearme el brazo parecía reírse, como si sólo los mayores supiesen distinguir lo que nos ocurre en las entretelas.

—Tonta, quiero decir tan niño, tan jovencito...

—¿Y para qué quiero yo muchos bigotes?

—A las mujeres rosadas y blancas como tú les suelen gustar los hombres barbados y broncos.

—A mí no. Ya grita bastante mi padre, y mi madre le contesta tan fuerte que aturden.

—Quiero decir que hay hombres... vamos, hombres, que, vamos...

—Vamos ¿qué? Camilo me gusta.

—Pues si te gusta, sobre gustos...

—Me gusta porque no grita y porque no tiene barba, y porque parece una niña. ¿Quieres saber más?

—Si es un encanto, pero...

—Y además habla y no sólo acciona, como los otros.

—No, si palique ya tiene. Más interesante que Claudio

con sus solos de política. Mira que a mí me gusta enterarme de cuanto ocurre y algo más, pues no lo puedo resistir. A mí también me interesa la política y no falto a una reunión del Partido, porque me da calor en las venas saber que muchos seres piensan como yo, pero él... Él nunca quiso afiliarse. Yo, en cambio, soy del sindicato desde la hora de la nanita; él, sólo hace unos meses y por imposición ingresó no sé dónde. Pero es bueno y no me hubiera importado vivir a su lado. El buey suelto... A mí no me gusta la soledad, y hasta cuando subo a un tranvía pienso: ¿serán de los míos? Y los voy clasificando por las manos, por la cara... éste albañil, éste sastre, éste electricista...

—¿Y a las mujeres?

—Las mujeres las clasifico de otro modo: ésta fría, ésta tonta, ésta salada, ésta burra, ésta pava, ésta remilgosa, ésta sucia, ésta terca...

—Nos quieres poco.

—O mucho, pero también encuentro de pronto a quien no colocar el cartelito y disfruto de ver cómo los del tranvía me miran, como diciendo: «¿Quién será esa prójima?» Y yo me digo: «¡Si supierais, camaradas, que soy una actriz y daría mi vida por vosotros!»

Cuando habla con tanto brío yo la besaría. ¡Es tan sincera, tan buena! Sabe muchas cosas y entiende de teatro y se las tiene tiesas con todos. Cuando se trató de hacer *Numancia*, la tragedia de Cervantes, ella fue la que dijo:

—España, debe hacerlo Angelines.

—¡Tan joven! Tú estás loca, mujer.

—Los locos sois vosotros. España no tiene edad fija, nace con cada generación. Bien es verdad que algunas generaciones vienen con barbas desde el vientre de su madre.

—Pero esa chiquilla no podrá aprender un papel tan difícil.

—Yo se lo enseñaré.

—Pero ¡hazlo tú!

—Yo sería una España declinando, y al espectador que hoy nos mira, al hombre de la guerra, al defensor de Madrid debemos darle una sensación de juventud y de futuro.

—¡Ya nos traes tus consignas, Juanita! —soltó Claudio, un poco borrico siempre con ella.

—Mi consigna es la de mi Partido: Resistir para vencer,

para atacar. ¿Y cómo tendrán ganas de vencer por una España vieja? No, joven, joven, una novia.

Lo dijo tan bonitamente que pareció llenarse todo de campanillas. Y fui yo.

—Serás tú, nada más que tú, y yo haré una de las madres; la que aparece con el hijo y se tira al fuego. Eso sí, me tiraré después de que Claudio haya ardido en la hoguera.

«Alto, sereno y espacioso cielo...» ¡No puedo olvidarlo jamás! Me veo siempre ante la muchedumbre: «Alto, sereno y espacioso cielo...» Los espectadores ante mí lloraban y comían pepitas de girasol mientras los obuses se llevaban trozos de cornisa del teatro. «Alto, sereno y espacioso cielo...» Me habían vestido con una túnica marfil y sobre la cabeza dos ruedas enormes de oro y pedrería se bamboleaban para que pareciese la Dama de Elche, mujer de piedra que me enseñó en un libro Santiago Ontañón. «Alto, sereno y espacioso cielo...» Al principio temblé al subir la escalerita empinada donde yo aparecía detrás de la muralla. A mis pies, Paquito Bustos, disfrazado de río Duero, estaba seguro de mi aterrizaje, pero no sucedió. En los ensayos yo no quería reírme y me daba risa verlo tan gordo, desnudo y con barbas descomunales verdes. Pero llegó el estreno y me encontré ante el vacío de los espectadores tan silenciosos. Pensé que estaba sola, que no había venido nadie y que la pobre España, despreciada del mundo, iba a clamar por ella y por nosotros.

Alto, sereno y espacioso cielo
que con tus influencias enriqueces
la parte que es mayor de éste mi suelo
y sobre muchos otros lo engrandeces;
muévate a compasión mi amargo duelo,
y pues al afligido favoreces,
favoréceme en hora tan extraña,
pues soy la sola y desdichada España.

Aquí se me partió la voz, quebré mi cintura sollozando y me empezaron a caer lágrimas por las mejillas mientras Claudio, ataviado de Scipión Emiliano, me gritaba desde el primer término de bastidores: «¡Pausa, pausa! ¡Calma!» Pero mis lágrimas, brillando con los reflectores habían hecho su efecto, y el público lloraba y yo seguía hablando, y cuando concluí la ovación fue tanta que el pobre Paquito Bustos, lleno de barbazas verdes que le tiraban de los carrillos, tuvo que aguardar, sin saber qué hacer de su persona.

¡Ay, glorias idas! Todo esto se lo conté a Camilo para que me admirase. Y él me contó de cuando era niño en un pueblo del norte y tenía perros y una burra, la *Mariquita*, que abría la puerta con el hocico y entraba a buscar pan. Yo apoyo mi cabeza en cualquier parte para que me vea bien, como he visto que hacen las actrices de cine, y él, una vez, me pasó la mano por la garganta... Noto que tiembla y entonces lo abrazo y me aprieto y lo protejo. ¿Tendrá alguna novia? Siempre me parece que sus ojos se llenan de lágrimas. Juana quiere que le pregunte, y me dice: «¡Del agua mansa...!» Y me da consejos. ¡Ella, que todos sabemos que al único que ha respetado es a Perico Ligero! ¡Qué severísima es con los demás...! No quiero oírla, es chabacana, me molesta. Camilo usa palabras limpias, como los autores de teatro, diferentes de las que usaban los novios de mi calle cuando las chiquillas nos escondíamos para sorprenderlos. A ésos les bastaba con apoyarse en los quicios y callar. Camilo cuando calla es porque me ha cogido las manos y toda yo quisiera plegarme entre sus dedos. Ya no me importa que cañoneen. Lo sé desde el otro día. Sí, nos sorprendió al volver a la Alianza y al no poder cruzar la calle de Alcalá quisimos llegar a la del Prado, pero también caían por allí y alguna granada explotó tan cerca que nos arrebujamos en una puerta cochera. Si el bombardeo comienza al caer la noche da más miedo, pero yo estaba tan contenta junto a Camilo, que no lo sentí. ¡No tengo a nadie más que a él! Estábamos tranquilos dentro del estruendo como si fuese una representación en la que no tomáramos parte, pero sobre nuestras cabezas se descascarilló una fachada cubriéndonos de yeso, polvo, cal. Camilo se apretó tanto a mí que me dejó las uñas en la espalda.

—¡Reza, reza! —balbuceó.

Y sobre mi boca, besándome, besándome, comenzó a decir el Credo.

—¡Señora! ¡Señora!

La señora se volvió, palideciendo. Estoy seguro, se juntaron y ya no oí más. Salía de la casa de enfrente y llevaba mantellín de beata o de pobre, bolsa de *crochet* al brazo y en la mano un periódico. Andaba a saltitos de perdiz, con ciertas menudas vacilaciones que no hubieran pasado desapercibidas para nadie si el clima de este Madrid no acusase cierto desgano en la vigilancia. La disfrazada de quinta columna siguió sin tropiezos y yo apresuré el paso. Iba emparejada por el portero, y el portero la conducía por las calles menos vigiladas. Pero en Madrid ha sucedido un fenómeno digno de tener en cuenta: las calles, hasta las menos transitadas, hasta las más oscuras no ofrecen peligro alguno, quiero decir que no hay atracos. Atracos, lo que se dice atracos, porque a más de uno le han apoyado el revólver en el estómago para quitarle la colilla de la boca. Y es que, evidentemente, no es de caballeros fumar en público tabaco inglés cuando no hay ni de migas de pan. En cuanto al pan, comemos los *chuscos* cuarteleros que repartimos con las señoritas camaradas en la mesa. Bueno. ¿Dónde se ha metido esta gente? ¿Tendrá novia ese animal? Dieron vuelta hacia la verja del Retiro y cuando llegaron a la altura de la Casa de Fieras se les unió un chiquillo. Vi que la mujer lo reñía y hasta pensé que podía llegar a pegarlo, porque lo sujetaba del brazo con rabia. «¡Écheselo a las fieras, señora!» Me callé. No hay fieras y era inútil gritar un consejo tan amable. Tampoco oía la conversación. Detrás de los hierros, el silencio me había impresionado. ¡Ni pájaros en el Retiro! ¡Con la de hondas que hay en Madrid, claro! Aquel rugido de selva envuelta en trapos, que nos encogía el corazón; aquel cacarear de las gallinas de Guinea; aquel ronquido de las hienas o el pobre ladrido gruñón de algún lobo se habían desvanecido en el recuerdo para siempre. Dicen que se llevaron todos hacia Levante y que los más cayeron sacrificados al estómago terrible de sus cuidadores. El elefante contentó a muchos. Apoyé mi cara entre dos hierros para comprobar la desolación y perdí lo que la dama, el portero y el chiquillo hacían. Pero no soy del todo tonto. Vi a la señora y al chiquillo cruzar el paseo y entrar en una casa, 117. Y como el portero se acercaba a la parada del tranvía, yo me precipité cuando llegó el vehículo y lo tomé en marcha.

—¡Camarada Juanito! —me soltó como si fuese lo más normal el encontrarnos en aquel momento—. ¿Viene a estirar las piernas? Hoy parece que no zumba el amigo del Garabitas, y hay sol.

Yo gruñí para darle a entender lo inoportuno que me parecía hablar del cañoncito que tanto amargaba la paz madrileña, pero ¡que si quieres!

—¿Qué tal van sus amigos? ¿Aún siguen esos pobres muchachos yendo a los pueblos? ¡Qué fibra representar eso que usted me dijo que se llamaban entremeses, mientras las *pavas* se pasean por el cielo! Yo no hubiera podido articular palabra.

—¿Usted palabra? ¡Hasta en el cadalso! —repliqué con ferocidad.

—Pero ustedes pertenecen al ejército ¿no? ¿Conoce al coronel Casado? ¿Ha visto las nuevas quintas? La más nueva, del biberón la llaman... ¡Angelitos! ¡Las madres! Para las madres es lo malo.

Frente a nosotros, en el tranvía semivacío viajaba una señora que al oírle rompió a llorar. ¡Pero este hombre es un suicida!

—¿Ha muerto su hijo?

La mujer sorbió sus lágrimas, se tocó la nariz, abrió el bolsillo donde se suele encontrar de todo con cierta paciencia y alargó un retrato.

—Señora, ¡qué imprudencia la mía! Perdón, camarada, qué bruto soy! Él la verá y acompañará en su pena, digo, no, él no la ve a usted porque eso del cielo, sabe, señora... Vamos, soy un bruto. Sí, un héroe. ¡Y los héroes ahora son tantos!

Seguí la trayectoria del librito y los pesqué. Sí, los pesqué. Al devolver el librito el portero se quedó con un papel entre el pulgar y el índice. Traqueteó un poco más el tranvía y la señora, gimiendo siempre, con el pañuelo casi sobre los ojos, se bajó. Yo, para demostrar que había entrado en el juego, acompañé al enlace hasta la plataforma, yo iba de uniforme y podía ser su hijo. Se volvió un instante para ver quién la había tomado del brazo, y para despistar al conductor la retuve y le di un beso. «Adiós, mamá.» A mí con escenitas.

Nos quedamos callados. ¡Qué feo está Madrid! Parece un salón al que no han vuelto a limpiar el polvo. De cuando en cuando cartelones que nadie lee: «Mujeres, en el mercado, callad. El enemigo os escucha.» Y una oreja. «Mujeres, en el mercado, callad. El enemigo os escucha.» Y otra oreja. «Camarada, en el trabajo, callad. El enemigo os escucha.» Y otra oreja. Tres orejas estuve mirando sin hablar mientras cambiaban la vía. ¿Se trata de nosotros? ¡Ja, ja! Tal vez. ¡De nosotros, que somos unos idiotas! Por aquí abundan los encontronazos políticos, sobre todo desde que dicen van a comenzar las ofensivas finales. Algunos confían en Alemania, pero otros están furiosos con los bombardeos, porque se corre el rumor de que los nazis no dejan ver su material de vuelo a ningún aviador de la Causa. Los hay que recelan del Caudillo y confían en varios reyes de repuesto, que van saliendo para aumentar la discordia española. «Soy legitimista», me soltó la otra noche la hermana del enlace que está en el batallón alpino. ¡Vamos, niña! Al hermano lo bajaron el otro día de la Sierra los del SIM. ¡Tienen un descaro! Ya está suelto. La hermanita me preguntó, mirándome con sorna: «¿Estás en talleres?» Y lo dijo con el acentito *columpiao* de chotis que han tomado en préstamo al barrio las niñas bien. Estuve tentado de tirar de la servilleta..., pero papá es duque y me parece que se va a acabar esto de que los falangistas seamos criados valientes, buenos para achuchar perros en la calle. El señor duque está en una embajada, de esas sin pie de imprenta, vamos, de esas que no estuvieron acreditadas en Madrid jamás. Por mí que se pudra. Dicen que le ha dado la crisis y se convulsiona escribiendo sonetitos a María Santísima, sonetos que la Virgen le devuelve a la mañana siguiente para que aprenda a no decir tonterías de los santos. La chica no es un soneto —¡qué preciosa criatura!—, sino una octava real. ¿Cómo habrá conseguido andar suelta después de su veraneo en la embajada de Chile? Pero va y viene, y se mueve y anda, y corre y vuela, y habla y ríe como si tal cosa. Dicen que un poeta con cara de mico de ojos azules, refugiado en otro de esos agujeros elegantes, es su novio. El emparedado de uniforme al que volví a visitar el otro día me dijo que desde Burgos habían dado su nombre para un cargo importante si se consigue llevar esto hasta el fin. Ya va durando mucho. ¿Qué será de mí cuando concluya? Me parece que se están apuntando en el reparto de premios. Lo único que me consuela es no haber tenido que enchiquerarme en uno de esos asilos, porque prefiero la horca, el paseo del señorito, la ley de fugas, el veneno o soportar al portero antes que la pesadez de convivir con todos ellos. Nosotros, al servicio; nosotros, a jugarnos la vida; nosotros, a transmitir partes y pasar datos... ¡que si nos pescan! ¿Sirvió o no sirvió aquello del alpino? ¿Sirvió o no sirvió lo de Brunete? ¿Sirvió o no sirvió, vamos, digan? Pero el día de la Victoria habrá demasiados militares pegándose codazos por las sobras. ¡Si hasta el pobre portero se da cuenta de que volverá a ser portero! Eso sí, los señoritos puede que se queden un rato a charlar con él, le alarguen un cigarrillo o lo releven de inclinarse demasiado. Sí, tonto, te tratarán como lo que has sido toda la vida: un criado a sueldo. Tu fidelidad entra en tu librea, es un botón más y no van a valorarte los paseítos y los rasgos de ingenio para que te entreguen un parte. La chica, esa hermana de mi amigo, me ha puesto de mal humor para una semana. Claudio se ha dedicado a olfatear algo en eso del timbre, y Carlitos Durán quiere que le cuente. «Tonto —le dije el otro día—, si esto se acaba. Cómo vamos a ganar la guerra con Inglaterra y Francia a contrapelo nuestro. No seas infeliz, Rusia está en Asia, y España es el Finisterre de Europa. ¿Pero no sabes que cuando habló Álvarez del Vayo en la Sociedad de Naciones todos los representantes se levantaron para no oírlo? Únicamente se quedó el ruso. ¿Y crees que los rusos van a seguir mandando barcos y regalándonos material por nuestra linda cara? Todo tiene un fin, hasta eso de comer lentejas y resistir que nos están metiendo por los ojos.» Tanto le dije que lo mareé un poco y no sabe hacia dónde tirar. Luego fuimos juntos a comer. Él dijo unas cuantas tonterías y yo... yo hablé —¡caray, qué listo soy!— como la Pasionaria.

Al bajarnos del tranvía nos dirigimos a un café.

—¡Café! —gritó el portero al mozo.

—Y si puedes un poco de esos hígados de comandante untados en pan.

Le oímos vocear: «Dos Puertos Ricos y dos *sanviches* de jamón de ángel.» Estábamos casi solos. El portero se confió:

—Llámame Cayetano, camarada Juanito. Es un nombre feo, un nombre proletario, pero me he encariñado con él desde que tengo uso de razón. Mi hijo, sí, se llama Cayetano, porque la cabezota de mi mujer se empeñó en que de ese modo habría en la familia cayetanos primeros, segundos y terceros, como en la casa real. Lo he mandado a vivir con su tía y a afiliarse a las Juventudes Socialistas Unificadas, porque hay que jugar a varias puntas. Mi mujer es la que usted ve barrer la calle, aunque dice que para los cerdos que pasan está demasiado limpia: a días no puedo sujetarla. ¿Recuerda cómo gritó aquel coronel de la casa de enfrente cuando vinieron a buscarle al principio de la guerra y se alborotó la calle y chillaban las hijas llamando a María Teresa, pues quería que nos perdiésemos todos? Es que ella no está interiorizada en el juego. ¡Lo que tuvimos que trabajar desmontando el transmisor para pasarlo donde está ahora! Los que vinieron a buscar al hombre no se preocuparon más que de llevárselo y dejaron detrás el gato sin desollar. ¡La de noches que no he dormido! Lo que no alcanzo a comprender es por qué no entran. Tanto alemán y tanto italiano y tanta morisma para quedarse ante un riachuelo que se pasa a pie enjuto. Debe ser que es mucho pueblo éste, ¿verdad, camarada Juanito? Lo que pasa es que cuecen habas en los dos bandos y que si yo tengo más derecho que tú, que si me corresponde por antigüedad, que si Yagüe dijo o el general Vigón opina, o si Cavalcanti es demasiado monárquico, o Barrera un cabezota, la cuestión es que el hilo se estira demasiado y comemos muy poquito, y cuando entren pareceremos todos de la orden del Santo Sepulcro. ¡Claro que por aquí hay cada mangante! Me avergüenza decirlo, ¡pero si no es por los comunistas...! Ellos que si las milicias, ellos que la industria, ellos que la reforma agraria y el ejército popular... El otro día vi entrar en la Alianza a un jefe finito y muy bien puesto de guante blanco. No iba mejor *apañao* ni el señorito Lorenzo Carlos cuando había revista. Y lo que yo digo: tanto tiempo está pasando que esta gente se organiza y empieza a saber cosas y...

—¿No te parece que hemos terminado de tomar el café?

—¿Lo dice por esos del mostrador? Pero si son de confianza: uno de la CEDA y el otro un vivo que cacareará en los dos gallineros.

—Las señoras...

—¿Aquellas del rincón? ¿Pero no se ha dado cuenta todavía?

Miré y creí poco a mis ojos, pero eran, sin embargo, las mismas. La primera se había quitado el mantillín y aparecía con su pelo negro ondulado; la otra, la segunda, era rubia y joven.

—La gorda me dio un recado para un sobrino suyo que es compañero de usted: para Camilo. ¿Qué tal van sus relaciones con ese mozo?

—Mal. Se ha enamorado de Angelines.

—¿De esa rubiasca desteñida?

—Eso será para los que las quieran pintadas al óleo.

—Sin ofender, paisano.

—Soy de Trujillo.

—Allí me sacaron a mí una muela cuando se nos ocurrió a mi mujer y a mí cambiar de oficio y llevamos a la feria unos columpios.

—No se columpie ahora, camarada Cayetano, y diga lo que quiere la vieja.

—No es vieja, tiene arrestos y pasa por el ojo de una aguja.

—Pues enhebre usted.

—Quiere que vuelva el chico a casa. Parece que le han encontrado pasaporte.

—Ahora no querrá despegar, porque lo han enganchado del chaleco.

—El señor me ha dicho que le gustaría hablar un rato con Camilo.

—Eso es una locura. Nos denunciaría a todos si supiese. Ya hacemos bastante con neutralizarle. En el seminario buscaba explicación a todas las cosas, y ahora haría lo mismo. Me alegro cada día más de que me sacasen de allí. Tuve una pleuresía y mis padres se conformaron con verme bachiller y taquígrafo.

—¿Así que es individuo peligroso?

—La peligrosa es la lengua.

Rió el portero, dando un puñetazo en la mesa, y me palmeó la rodilla.

—Qué, señorito Juan. ¿Cuándo entran?

—¿Cuándo salimos? —dije mostrándole algunos hombres que se aproximaban al mostrador.

Salimos a la calle sin mirar a la mesa de las mujeres. En la calle varios camiones parados y gente. La agitación y los empujones de la guardia del palacio nos llevó en volandas.

—Pero, compañeros, ¿qué ocurre?

—Poca cosa —nos contestó nerviosa una mujer—, que nos quieren evacuar a la fuerza y nos hemos vuelto desde Tarancón, metidas entre unos cajones.

—¡Que se vayan ellos si les apetece! —vociferaba otra, arrastrándose—. ¡A mí no me sacan de Madrid con bombas o con metralla, que lo que aguante otro cuerpo, aguantará el mío!

—No podemos con ellas. Las echamos por una carretera y nos vuelven por el campo raso. Hasta este chico de una colonia escolar se ha escapado para volver.

—No, si ya sabemos que son los maridos los que están interesados en que nos vayamos a Levante. Pero nosotras, arre, aunque sea en el coche de San Fernando, aquí nos tienen.

El jaleo se tornó más que mayúsculo. Los de la Junta de Evacuación decidieron entrar en el edificio, dejando a las mujeres con su bulla. El portero me tomó del brazo.

—Ve, camarada Juan, Agustinas de Aragón a cestos. Lo malo es que ahora vuelven a casa y puede que se encuentren el piso *fregao* por otra prójima. Esto de las guerras es el *desideriatum.*

Al llegar a la calle Marqués del Duero nos separamos, pero no tan rápidamente como para evitar las miradas de Camilo.

—¿Con quién venías?

Era la primera vez que estábamos completamente solos.

—Te traigo un recado de tu cuñada.

—Bueno, hablaré contigo esta noche, pero una vez nada más.

En esta clara agonía que va siendo el cerco de Madrid mis muchachos son lo más vivo y hermoso. Gracias a ellos las malas noticias se diluyen y seguimos viviendo con los corazones juntos, para que nadie flaquee. Han sucedido muchas cosas mientras íbamos hacia la línea de fuego con nuestras barbas de estopa y nuestras espadas de cartón y nuestros jamones falsos, a ese otro teatro de la verdad que son los frentes. La novia Dorotea, la chica a quien admitimos y disimulamos entre nosotros por compasión, me susurró, como queriéndome proteger, como haciendo ademán de devolverme la piedad que con ella tuvimos: «Cúidate, Claudio.» Esto quiere decir que hay una amenaza latente. Quién sabe si su aviso tendrá algo que ver con el timbre, pero no me pareció bien interrogarla. ¿Dónde están? ¿Quiénes son? Presiento que la quinta columna nos tiende cotidianamente lazos y que en cualquiera de los que se reúnen con nosotros puede haber un entendimiento con el enemigo, porque en esta guerra nuestra no hay frentes sino encrucijadas; no hay odio, sino odios. Decimos: España está en dos mitades, sí, pero no dos mitades geográficas, puesto que ellos nos combaten con la pobre gente nuestra, con los pobres chicos a quienes previamente han matado o asesinado a padres y parientes, como nos contaban los gallegos que se pasaron el día que estuvimos en las Rozas. Y nosotros tenemos detrás de los cristales de muchas casas a gentes que oyen los partes del enemigo, que rezan por su triunfo, que esconden la alegría de ver nuestra sangre por el suelo y quisieran —como aquellas nobles parientes mías— morir el día que arroyos de sangre republicana bajasen por la calle de Alcalá. Seguramente ya se habrán muerto de gusto, porque los bombardeos siguen, y aunque estos frentes están estabilizados, las noticias de Levante son poco alentadoras. Pero entre ellos también cunde el desorden. De una embajada llamaron a la fuerza pública para separar a los fascistas. Requetés y falangistas, cuerpo a cuerpo, tirándose a la cabeza cuanto objeto encontraron de la nación amiga —no sé si Chile o Panamá—. Tuvimos que llegar nosotros, los cafres, los groseros, los odiosos carniceros rojos a poner orden en aquel desorden de las ideas o en aquel orden español del guantazo y la puñalada, del no ceder y no enmendar para que la tranquilidad se restableciese. Creo que la embajada quedó muy deteriorada, el encargado de este negocio bastante sacudido y su mujer muy impresionada por una duquesa que no se había quitado el cigarrillo de la boca mientras duró el tumulto. Cuando terminó dijo, señalando a los caídos: «¡Olé, ahora las mulillas!» Esta flaca mujer fue la misma que cuentan estaba bañándose en el momento de llegar la fuerza pública a su casa, y dijo, señalándose: «Siento no tener nada mejor que ofreceros.» Luego la soltaron, se refugió en una embajada y los funcionarios se ven precisados a suplicar al director de Seguridad: «Por favor, cámbienos la guardia, que la señora duquesa ya la ha seducido.» Por arte misterioso es la única que consigue cigarrillos y sale. Sale, aunque tenga que saltar, no ya las consignas terminantes que dio el encargado de negocios para la seguridad de los asilados, sino las tapias del jardín. Pero no es ella únicamente. El otro día me encontré con E. de R. Se había quitado la corbata, pero no podía prescindir de la nariz colgante y el gesto estúpido de cuadro de Pantoja. No me rehuyó.

—Chico, creí que andabas fuera.

—Estoy dentro dos veces, porque vivo en una embajada. Figúrate qué purgatorio. Menos mal que la familia salió y en la última expedición se llevaron los niños y las mujeres.

—¿Porque os quedasteis solos fue el lío con los requetés?

—Fue para hacer mano. Lo mejor vendrá luego, porque como el Caudillo se empeña en el partido único... Se cree un Hitlercito.

—¿Tú no eras falangista?

—No. Creo que únicamente un rey es lo que cuadra a la discordia española. José Antonio ya lo sabía. A él no le gustaba Alfonso XIII, por alguna expresión desafortunada que tuvo al aludir un día a su padre. El viejo tuvo que aguantarse que lo borboneasen, y esa experiencia no quería repetirla el hijo. Pero hay otros reyes. A propósito, ¿es verdad que tenéis en la Alianza donde tú vives el cuadro del Tiziano, *Carlos V en Mulhberg*? ¡Vaya faenita que habéis hecho con el museo!

Me quedé atónito, acertando sólo a preguntarle:

—¿Qué hemos hecho?

—Sacar los cuadros para vendérselos a los rusos.

—¿Nosotros?

No tuve más que entornar los ojos para ver de nuevo a Alberti delante del gran camión donde iban a marchar a Levante varios cuadros de escuela española, sacados del Museo del Prado. Fue en noviembre de 1936, y Madrid estaba ardiendo. Me es fácil recordar su voz. Nos dijo:

—Cuando llegué aquella tarde me hicieron pasar por una puerta por la que no me imaginé poder pasar nunca. Dos milicianos fueron tomando cuerpo en lo oscuro. Subimos otra escalera en sombra y llegamos a una rotonda, donde la lámpara minera alumbró una gruesa moldura cuyo filo lanzó chispas de oro. Al azar y como quien abre las páginas de un libro, metí la luz entre dos lienzos. Uno era *La emperatriz Isabel de Portugal* de Tiziano; el otro, no se veía. Un trallazo de frío me recorrió la espalda. Todo el museo había descendido a los sótanos para guarecerse de los trimotores alemanes. Tres mil cuadros, centenares de obras maestras estaban allí, muertos de miedo, hombro con hombro, temblando en los rincones. Quise subir a ver el espectáculo terrible, único, insospechado, de una pinacoteca de las mejores del mundo, desnudas de pronto sus paredes. Pocos hombres podrían recorrer de un lugar a otro aquel dolor sin nombre del museo vacío. Yo eché a andar por él. En la rotonda se alzaba un andamiaje que subía hasta la cúpula. Entre los travesaños se veía la estatua de Carlos V, con Francisco I a sus pies, de Leoni. A través de la cúpula se oscurecía el cielo. Una bomba incendiaria había hecho añicos los cristales de la montera. Seguimos. El olor a cera mezclado con el barniz de los cuadros, que me había perfumado tantas mañanas inolvidables, persistía sólo en mi recuerdo. Hacía frío. Las vidrieras del techo también estaban rotas. Como ventanas ciegas, la huella de los cuadros descolgados se estampaba en los muros. Y fui poniendo sobre ellas: aquí *La visión de*

San Pedro de Alcántara, de Zurbarán; enfrente, el *San Bartolomé,* de Ribera; más allá, *Las fuentes de Aranjuez,* de Juan Bautista Mazo... Se me caía el alma de vergüenza. En la sala de Velázquez entreví la mancha dejada por *Las lanzas* y no quise pasar, tal angustia mezclada de cólera sentí. Varias bombas incendiarias habían perforado la techumbre y no había concluido entre las llamas todo porque hay que pensar que las bombas allí caídas tenían más conciencia que los que las tiraron. «Catorce bombas incendiarias hemos recogido», dijo la voz despaciosa del miliciano. El subdirector, señor Sánchez Cantón, inclinó confuso la cabeza. Seguimos andando por aquel extraño sueño de mangueras entrecruzadas como serpientes y de tierra y polvo, sobre el que quedaba la marca de los pasos. «Hemos extendido mucha tierra para proteger lo que hay en los sótanos», seguía diciéndome mi acompañante. Y su voz era tierna y me conmovía ver aquellos dos hombres salvando con ternura admirable, con profunda intuición aquello importantísimo, no para nosotros, sino para el mundo entero. «Algún día entre los salvadores del Museo del Prado, vuestro nombre figurará en un sitio de honor.» Era casi de noche y se me desdibujaron sus caras, pero no su voz. «Camarada Alberti: nosotros hemos hecho bien poco. Es el Partido. ¿Comprendes?» Aunque era ya de noche me llevaron a los tejados. Vi los cauces de cinc de las canales que guían el agua de las lluvias, perforados por las bombas arrojadas para incendiar los Goyas, los Velázquez, los Grecos... Fueron contadas hasta treinta y cuatro bengalas. La puntería no podía fallar. Sabían muy bien los hitlerianos que allí no había polvorines. Una bomba enorme cayó en el Paseo del Prado. Desde la Fuente de Neptuno hasta la glorieta de Atocha se rompieron los cristales de las casas; una de las fuentes que mira al Botánico rodó por el suelo... Hablábamos mirando aquello cuando asomaron tímidas las primeras estrellas. Bajamos a los sótanos. El subdirector del museo nos había seguido sombrío y silencioso. Dentro de él parecían reñir en guerra civil la verdad de lo que había visto y sus simpatías personales. No le hicimos caso. «El Ministerio de Instrucción Pública autoriza a María Teresa León a evacuar inmediatamente, de acuerdo con usted, aquellas obras cuyo estado de conservación lo permita.» Sí, que salieran para que el zumbido diario de los aviones sobre Madrid no nos atormentase tanto. Se trabajó con celeridad y dos días después la primera expedición estaba dispuesta.

Yo la había visto salir del patio de la Alianza de Intelectuales. También sentí un escalofrío cuando me dijeron: «Ahí están *Las Meninas*, y en la otra caja, precisamente, el *Carlos V* a caballo de Tiziano.» Hasta ayudé a colocar sobre el extraño monumento grandes lonas para protegerlo de la humedad. Milicianos del 5.º Regimiento llegaron a medianoche para custodiar la expedición. Dos motoristas irían abriendo paso a la histórica marcha. Alberti se había quedado muy pálido. Su perro Niebla, amigo de todos, ladró a todo aquello. Todos estábamos conmovidos y aguardábamos sin hablar. Cuando llegó el que iba a ser jefe de la expedición, casi a medianoche, salimos al patio. Alberti se encontró que todos los milicianos se habían agrupado para mirarlo, para despedirse. Bajó con ellos a la oscuridad del patio, que es nuestra casa provisional, y oímos: «Camaradas: El gobierno, su Ministerio de Instrucción Pública os confía esta noche algunas de las obras maestras más valiosas de nuestro tesoro nacional. Los defensores de Madrid defienden también su museo. Nuestra guerra no se limitará a vencer al fascismo que armó a Franco, ni a dar de comer a los que siempre tuvieron hambre; nos batimos por algo más lejano, más alto. El mundo entero saludará mañana en vosotros a los verdaderos salvadores de la cultura.» Los motores se pusieron en marcha. Algunos segundos después, aquellos milicianos jóvenes, que tal vez no supiesen leer, y que, sin duda alguna, jamás habrían entrado en el Museo del Prado, se disponían a salir de Madrid entre la niebla y muertos de frío, lentamente, camino de Levante... Y a mí, me decían a mí en plena calle de Alcalá, que teníamos en la Alianza los cuadros del Prado ¡para vendérselos a los rusos!

—Sois unos miserables. Con que yo diese un grito te agarrarían cien manos para darte el paseo, estúpido.

—Prueba. El tonto eres tú. ¿Crees que las calles de 1938 son las de 1936? Ahora la gente no quiere líos y se escabulle. Madrid es un heroísmo cristalizado.

—Tú y los tuyos sois gente sin alma. Vete a tu agujero pronto. Y agradécele a Maruja lo que estoy haciendo. La he querido demasiado para matarte.

Apenas acertó a balbucear:

—Pero, perdona. No creí que estuvieras tan convencido, pensé que eras un republicano geográfico.

Le volví la espalda, pero ¡qué desorden me dejó dentro! ¡Otra vez Maruja! ¿Estaremos siempre ligados por algo a esta gente: sangre, afectos, costumbres? Mezquina y baja. Sí, mezquina y baja moviéndose en una escala de rencores, en el si tú eres más o menos medido al milímetro, contando una invitación, un saludo, un antepasado más o menos, pero nunca la inteligencia. La inteligencia tenía figura de lacayo; se la usaba, pero no se la admitía. ¡Qué pocos de ellos se salvaban de esta mediocridad! ¡Admitir socialmente! A mí no me admitían, a mis padres no se los admitía, a mis tías sí se las admitía. Pero ¿adónde? La pirámide se escalonaba hasta el rey. Mi tía María llegaba hasta la infanta. ¡De cuando en cuando iba a los salones de la calle Quintana a oír música! ¡Qué arrobo estar con Isabelita! Isabel de Borbón, con los ojitos muy chicos en su cara de botijo verbenero no veía a nadie, pero las agraciadas sí que la veían cerrar los párpados, seguramente despreciándolas, pues fue señora muy pagada de su prerrogativa real. «¿Ha terminado?», bostezaba cuando el pianista daba ese acorde último que restablece un silencio incómodo, porque si Isabel de Borbón no se acuerda de aplaudir, nadie puede hacerlo. «Sí», decía Margot Beltrán de Lis, muy música, profundamente inquieta al ver que al ejecutante le colgaba del calcetín sobre el zapato negro una liga femenina intensamente rosa. Era difícil no verlo, pero aquel día la infanta se levantó ligeramente aburrida. Todos la imitaron, pasando a otro salón, haciéndose los distraídos, naturalmente, y sobre el tapiz quedó culebreando la liga rosa, muy rosa, casi impúdica y mucho más importante para el comentario de la reunión que aquellas danzas del Amor Brujo que acababa de tocar Manuel de Falla.

Me lo contó mi tía María. Lo contaba siempre. Anécdotas triviales donde la inteligencia no cuenta, no sirve. Han puesto número a las cunas y si no consigues nacer con buena numeración no entras en el sorteo. Yo no entré, aunque por haberme tocado cierta aproximación, me saludaban afectuosamente y hasta iban a mi camerino. ¡Señoritos y cómicos! Pero el día que presintieron que Maruja y yo... ¡Ay, Maruja, poco valiente, tonta! ¿Por qué has hecho la inmensa tontería española de meterte en un convento...? He recorrido todos los de Madrid buscándote, pero llegué tarde. No estabas en ninguno. Vacíos. En las Descalzas Reales, en la Encarnación. La Junta del Tesoro Artístico Nacional funcionando, las milicias. Como desde que el mundo es mundo los pasos militares necesitaron espacio para sus evoluciones en otros conventos. A mis amigos no pude decirles a lo que iba —¡qué situación absurda!—, y me enseñaron miles de cartelitos con fechas, con clasificaciones de épocas, de autor y de procedencia. Correspondían a miles de objetos: tallas asombrosas, porcelanas de poro apretado, marfiles como puntillas, pinturas... ¡Y yo te buscaba a ti! Apenas oía: ¿Ves esta jarra de Alcora, esta lucerna, esta paloma eucarística de esmalte de Limoges? Pero eras tú la que yo veía. «Observa ese techo pintado tan finamente, tan palatinamente para que cubriera la cabeza de unas monjas de clausura, votos perpetuos, camposanto dentro de los muros, etc., etc. Y allí, detrás de la rejita en el altar, la Magdalena del Sodoma, testigo el impuro pintor de las purezas angelicales de las arrodilladas. Perfecto, ¿verdad? ¿De quién fue la idea? ¿Felipe IV? Porque aquí vivió, su fervor y su arrepentimiento, la Calderona, la comediante, su amante, y aquí tenemos su retrato hincándose el peine en la cabellera abundosa, puede que antes de ser cortado cruelmente por las tijeras ceremoniales. "Lo que más sentía yo era mi mata de pelo...", ¿recuerdas la cancioncilla de los niños? Esa canción, tal vez, fue a su mata hermosísima de pelo. Nos dejó su fantasma en ese retrato de la bella y el peine. ¿Quieres ver su celda? Bueno, ¿una celda?» Fui siguiéndole por el laberinto quieto, los claustros húmedos y los patios. Habían hecho nido las palomas, buscando la serenidad, pues allí los frentes se habían borrado, acolchándose detrás de los siglos todos los ruidos. Aún no había demasiada hambre y cuando la hubiese estoy seguro que aquellos coleccionadores furibundos pedirían un decreto para protegerlas, atándolas al cuello un cartelito de clasificación. Vivían en trance maniático de salvamento. Todo estaba limpio, intacto. Podía aparecer en la vuelta de cualquier esquina... «Las monjas que vivían aquí eran todas unas viejas eternas. Les costó salir mucho y no abrieron hasta que el capellán las conminó. Yo estuve cuando se rompió la clausura y, te confieso, que pasé un rato amarguísimo. Lloraban. Habíamos decidido hacerlo, porque la presencia de una banda de incontrolados incautándose de todos los edificios que les parecían bien para la "Contraguerra", nos daba miedo. ¿No los conociste? Les echaron mano y el gobierno los fusiló. Al frente de ellos iba un sospechoso austríaco, del que me han dicho era agente del enemigo al servicio de no sé qué potencia. Se trataba de presentarnos como energúmenos y lo hacían muy bien. Una vez iniciado el desorden, cuesta mucho que el agua vuelva al cauce y todos estos pequeños objetos maravillosos se destruyen tan fácilmente... ¡Pobres monjitas! Para ellas no contaban estos tesoros y preferían rezar ante sus santitos de escayola. Nos miraban aleladas y perdidas. Tratamos de explicarlas que no éramos nosotros los crueles, los sinvergüenzas que les queríamos mal, si no Franco. Así se les dijo: "Franco, Franco es quien las hace salir de sus celdas tranquilas; Franco, Franco el que nos tiene a todos los españoles divididos y muriendo; Franco, Franco el que protege a la Iglesia entregando al martirio a sus religiosos. Así que, madre superiora, ¿dónde quiere usted trasladarse?" Se desató "la honda raíz del grito". ¡Qué buen romance español este de las monjitas en la tarde corriendo desoladas, dejándonos sus sombras que matábamos con la luz de nuestras linternas! Pero Federico ya no estaba, ya no estaría nunca con nosotros. Pero, te voy a enseñar una celda.» ¡Qué celda, Dios mío! ¡Qué decoración teatral para una celda! Dos arcos cortaban en dos lugares iguales el espacio, en uno, una tarima cubierta con una colcha parda y limpia; en otro, un arconcillo con jofaina de Talavera Vieja y jarro, en la pared las cuentas de un rosario de Tierra Santa y una cruz muy negra, muy sola. El ámbito de soledad era perfecto. Así podía haber sido el tuyo; cuatro paredes de cal donde yo estaba excluido, de donde todos los hombres estaban excluidos. «La que salió de aquí era una viejecita que había entrado sin cumplir los quince años. Se santiguaba al oír un automóvil, invento de Satán. Nos llamaba niños y debía creer que el sublevado era el general Prim. Apretaba una bolsa de seda negra contra su pecho y no cesaba de preguntar: "¿Y el canario, el canario?" La condujimos a casa de unas parientas. Las propias parientas abrieron la mirilla y dijeron: "Las señoras no están." Fue imposible encontrarle alojamiento, porque en este Madrid de hoy nadie quiere recibir el regalo de una vieja y además monja. ¿A quién íbamos a dárselo? Todo se solucionó genialmente. Acudimos a ver a Pasionaria, quien la miró con toda su gran belleza revolucionaria y dijo, tomándole de la mano, con su maravillosa voz de mitin: "Venga por aquí, madre." Se la llevó y al poco momento, instalada en un coche, tapadas las piernas por una manta de cuadros, salía hacia Alcalá, donde Dolores tiene un convento que reúne a estas infelices. Eh, ¿qué te parece? ¿A que de esto no hablará Radio Sevilla, que sigue confundiéndonos con Lerroux, llamándonos jóvenes bárbaros, violadores de monjas?» Muchas cosas torturadoras y tristes me miraron desde el pasado en aquel convento, mucha España quieta con la que tú te habías quedado, algo nuestro que se nos enreda continuamente al caminar... Los carteles preparados en un claustro para salir a fijarse en todos los muros del exterior decían: «*El arte y la cultura reclaman tu ayuda. No destruyas ningún dibujo ni grabado antiguo; conservadlo para el tesoro nacional. Cualquier objeto puede tener valor artístico; conservadlo para el tesoro nacional.*» Y la multiplicación de esa palabra: «Tesoro», nos hacía sentirnos dueños de algo que nos era debido, una herencia que nos habían escamoteado y buscábamos por todos los rincones. «Haremos varios museos de arte religioso. Yo ya me he traído musgo y vidrio para instalar el Nacimiento de las Carmelitas de la calle Ponzano, una belleza napolitana del siglo XVIII ¡con unos toritos!» ¡Un nacimiento, Maruja! Habló mi amigo de un nacimiento lleno de figuritas como el que veíamos en casa de tus padres. Nos arrodillábamos con falso fervor para sentirnos juntos y un día, al bailar la jota frente al Portal, porque nos dejaban jugar delante del Niño Jesús «para que lo distrajésemos», al apoyar el pie en mi rodilla resbalaste y nos vinimos al suelo prendidos de una punta del damasco, dando en tierra con las montañas, los ríos, los arbolitos, las lavanderas, Herodes... ¡Un nacimiento! Yo, niño español de los que habían tenido nacimiento me paseaba por la clausura estricta, que no se traspone sin peligro de pecado mortal buscándote vestido de soldado... Me llené de pena, de nostalgia de ti, de angustia de cuanto ocurría, de rabia de chico, y te hubiese abofeteado. Pero miré los tapices fabulosos, el arca de san Isidro viejecita y pintada, los crucifijos de Pascual Mena, las esculturas de Pedro, las de Alonso... Vi Cristos yacentes ya expirados y los que están por morir y entreabren la boca en una última palabra y la sangre de los Ecce Homos. Vi cientos de cálices y cruces, hasta la que santa Teresa tuvo ante sus ojos en la hora de su muerte, y casullas para vestir miles de tonsurados y los marfiles chinos de la casa de Pastrana. Vi las vírgenes sosteniendo a chiquillos desnudos, sencillas como madres de pobres y santos, batallones de santos con mitras repujadas, cabellos rizosos, pelos revueltos. Un mundo fantástico, inmóvil, sacado de sus hornacinas, como nosotros de nuestros alvéolos, sin preguntarles sus preferencias, sin contar con sus antipatías, allí en montón, en promiscuidad. Vi lámparas extinguidas de un soplo violento, floreros vacíos con un residuo de flores en el fondo y una hojita mustia en las paredes, alternando con jarrones de porcelana de todas las fábricas del mundo, hasta de aquella de la Granja, que destruyó un incendio. Piezas únicas, tesoro monumental amenazado por los cañonazos que nos iban volviendo pobres a todos los españoles, que éramos, sin darnos cuenta, los herederos que nos empobrecíamos. La Junta albergaba todo con desesperación, llegando al último lugarejo bombardeado, pues toda la inmensa casa española está rica de cosas extraordinarias y las cosas llegaban y se quedaban quietas y mudas bajo su cartelito. Ante mis ojos dejaron un papel. ¿Éstas son las actas que utiliza la Junta al hacerse cargo de algún objeto? Leí escrito por una mano torpe: «*Hace entrega por la Juventud Socialista el secretario general. En Madrid, 5 de febrero de 1936.*» Eran los tesoros del palacio de Fernán Núñez y hubieran podido desvelar a más de un director de museo internacional. Los recibían dos catedráticos y un escultor. «Te lo enseño para que veas cómo trabajamos. Pero mira esto que te gustará más. Mira, comiquillo.» Agarré un papel y leí: «*En la villa de Illescas, 17 de octubre de 1936, reunidos en las Casas Consistoriales del Ayuntamiento el alcalde Nicomedes Guerra con los que suscriben del Frente Popular de Defensa de Monumentos de Toledo y delegados de la Junta del Tesoro Artístico de Madrid...*» Mi amigo me alargó otro papel bien metido en una carpetita de damasco y no me lo entregó sin decirme: «Sacúdete las manos primero y termina de leer.» «*...El motivo de esto no* *es otro que el recibir los segundos de los primeros en depósito para su resguardo provisional durante las circunstancias anormales porque atraviesa nuestra patria, la partida, digo la carta dotal de Miguel de Cervantes Saavedra a favor de su esposa doña Catalina de Palacios Salazar, contenida en un protocolo de escrituras de la villa de Esquivias, archivado en la notaría de Illescas...»* ¡Qué vuelco del alma! Pasé mis dedos sobre aquel papel, llegando tembloroso a la firma. Allí, en aquel sitio, había colocado su mano como yo ponía la mía, el más extraordinario español. «Te lo enseño, porque lo mereces después de la versión que nos diste de *Numancia.*» Mi admiración tomaba vuelo y una pena y un recuerdo de ti y una misericordia hacia todos aquellos objetos amontonados y hacia todos nosotros amontonados y en desorden por las calles, me hizo temblar las piernas. Me recobré. Pero esta doña Catalina fue un infortunio más en los días de nuestro ingenioso padre Cervantes. No corresponde *Numancia* a doña Catalina, sino *El juez de los divorcios,* un entremesillo donde don Miguel nos la deja de cuerpo entero. Pero ella no le dejó y el día de su muerte volvió, después de veinte años, para arrodillarse ante su agonía, vestida de hábito franciscano, distante y dura. Mi amigo me sacó de las manos la carta dotal y, viendo que yo las dejaba abiertas, que yo dirigía mis miradas hacia algo que no supo lo que era y pensando en alguna codicia mía, se golpeó la frente: «¡El canario! Te voy a regalar el canario que cuidaba la monja vieja. A ver cómo te arreglas para encontrarle cañamones, Claudio.»

—Dime, Cayetano, ¿crees que tendremos noticias? En esta radio hay un silencio parecido al de aquellos días de Teruel, ¿recuerdas? Nadie nos transmitía nada a pesar de nuestras insinuaciones. Yo creo que el ataque los tomó desprevenidos. ¡Qué vitalidad la de estos rojos; cuando ya parece que van a expirar, dan una topada! Cayetano, ¿pero es todo lo que has encontrado para mí? ¿Salchichón mohoso de embajada? No soy yo quien protesta, no, es mi jerarquía. Esa gente asilada en cómodos palacios —te lo digo, porque los conozco— tiran a matar de hambre a los valientes que arriesgamos la vida por el Caudillo, ante este aparato de tortura. ¡Ay, de tortura no, no! ¿Qué hubiese sido de mí, Cayetano, sin esa voz bienaventurada que nos llega como un mensaje celeste? Me hubiera muerto. Además que como coronel tenía que presentarme y los rojos me hubieran dado un cuerpo de ejército por lo menos, pero yo, yo... Cayetano, antes suplicar que me fusilen. Aguantar, aguantar porque Cabanellas, Dávila, Jordana, Saliquet y Moscardó me aprecian y después de ellos en jerarquía vengo yo, vamos, vendré yo. ¿Quién puso el cascabel al gato transmitiendo la felicitación de los que en Madrid creemos en él justo el día 19 de octubre de 1936, día que el Caudillo fue nombrado jefe del Estado Español? Pues... iba a decir este cura. Sí, Cayetano, este hombre que aquí ves o no sé si ves porque ciertas cosas sólo algunos seres las comprenden, mientras otros se quedan en la corteza y mi corteza no debe ser muy atrayente. Dime, ¿cómo estoy? El día que subí a este lugar cumplía sesenta años. Han pasado varios meses. ¿Cuántos? ¿Treinta? Me he entumecido en este lugar donde ni para tumbarme tengo, y si tardas... ¡Ah, no tardes nunca, Cayetano, porque me erizo, me baño en sudor, me descompongo, doy cuerda al reloj como un tonto porque su cantito, su tic tic me acompaña! ¿Crees que pudiera suceder que no volvieses? Pues, hijo, si te pescan como únicamente tú sabes el secreto, adiós, coronel. Podrías confiárselo a alguien... No es que me asuste morir, pero el hambre, el hambre, Cayetano, tiene el rabo duro y me costaría morir en este agujero como un ratón atrapado. Creo que gritaría, aunque ya sé que estoy detrás de una ventana pintada, ¿no es eso? ¡Ay, Cayetano, todo un coronel! ¡Pero adónde nos han llevado a parar esta gentuza! Figúrate que estábamos muy rebién con Primo de Rivera, aunque era algo fantoche, y el año 23, cuando se sublevó en Barcelona, no contó conmigo para el Directorio. Se lo perdono porque trajo la calma y los militares recobramos el respeto. ¡Ay, es que si en España se pierde el respeto a los militares! Tampoco estuvimos desamparados con Dámaso, aunque Dámaso Berenguer por su madre —una cubana hermosísima— tenía menos decisión, más blandura con los civiles, gente que no sirve hasta que se la pone uniforme. Eso, eso le hubiera yo contestado a Clemenceau cuando dijo que las guerras las ganaban los civiles. Sí, señor presidente, cuando se les pone uniforme. Pero los civiles y los intelectuales sirven para que el extranjero no proteste, y no se preocupen tanto de lo que pasa en España. Pero llegó ese señor republicano, que no recuerdo el nombre, que quiso meter la milicia en cintura. En esa reforma salté yo, aunque otros que ahora presumen se quedaron. ¡Vaya decretito el del día 2 de diciembre de 1931! Pareció que el propio Satanás agarraba el mandoble y zas, zas, de 21 mil oficiales, dejaba 8 mil contando hasta con los de oficina. ¿Y generales? ¿Pues no quitó 67 y dejó 21? Los de brigada salieron peor, pues eran más de cien y dejó apenas 40. ¡Pobres, después de haberse sacrificado tanto en Marruecos! ¡Qué destrozo en el ejército de San Fernando, del Gran Capitán y Daoíz y Velarde! A mí me tocaba ascender, pero aquello... Mi mujer me dijo —y aunque yo no hago caso de sus consejos, insistió—: «Retírate, puesto que ese bendito señor, que no recuerdo el nombre, permite que lo hagas con el sueldo. Vente a casita y otros que se peguen.» Pero, ¿qué es un país sin ejército? Un bajel sin remos. Así nos ha ido sin garantías, sin término medio, sin estabilidad. Me retiré y vi llegar a la antipatria, los que quieren arreglarlo todo con afeites de fuera y nos pintan un poco, pero quedamos debajo y nadie nos moverá, porque aquí nada tienen que hacer las debilidades, ni las tolerancias, ni las transacciones. Ese señor, que no recuerdo cómo se llama, tocó al ejército sagrado, y ahí está el ejército llamando a cañonazos a las puertas de Madrid. Si aguardamos un poco, Cayetano amigo, no nos dejan una unidad completa, ni una ametralladora. Con decirte que han hecho escuelas con el dinero que ahorraban en Guerra, está dicho todo. ¡El atraso! Cada país tiene su atraso y hasta conviene, para que no tengan las potencias codicia o envidia. ¿Que hay pobres? ¡Pero si es a los ricos a los que prohíben entrar en el reino de los cielos! ¿Que hay oficios duros y pesados? ¡Pero si un capitán me contó que cuando pidieron voluntarios para limpiar las letrinas se presentó media compañía! Además, siempre habrá ricos y pobres, hilacha y trama. A mí que no me digan, España es un pueblo de hilacha. ¿Te canso, Cayetano? Como no hablo más que contigo... Ahora, cuéntame. ¿Qué sucede ahí fuera? ¿Se aguarda fervorosamente al Caudillo? Las mujeres, ¿se preparan para recibir a los triunfadores? ¿Cosen colgaduras, banderas y estandartes? Se lo merecen todo. Fíjate lo que han hecho en este año: ¡Málaga! Se han tragado Málaga, ¡como si fuese un boquerón! ¿9 de enero? Sí, 9 de enero, aquí lo tengo en el registro. Allí aparecen nuestros amigos italianos con requetés, regulares y falangistas, aunque podíamos haber prescindido de los primeros. ¡Carne de huerta, Cayetano, carne de huerta! Precisamente aquí ¡marqué el mes de marzo con una gallinita: Guadalajara! ¡Lo que debió sudar ese día Mussolini! Son muchos esos locos españoles cuando hablan con una ametralladora en la mano, aunque sean rojos. Yo estaba al escucha y me quedé riendo una hora. En abril nos fuimos para el Norte con gente más seria, dejando a la división Littorio los trabajos de rutina y a los alemanes los bombardeos psicológicos. Allí tiene un ahijado de mi mujer una fábrica de clavos, y como estaba muy inquieta —aunque yo nunca la hago caso— y me freía a mandarme papelitos, pues pregunté si la táctica era destruir la industria. ¡Quia, nada, nada, solamente Guernica para que los nacionalistas escarmentasen! El 19 de junio, caída de Bilbao, en azul, y aquí, en rojo, julio y Brunete. ¡Cuánto aspaviento hicieron los rojillos! ¿Recuerdas que murió una muchacha y la trajeron al palacio? ¡Qué estrépito de canciones, bonita manera de despedir a un muerto! Aquí tengo otra fecha: 24 de agosto, Santander. Se acaba, se acaba el norte, ya no les quedan más que cuatro breñas. Se lo tienen merecido los asturianos. ¿No empezaron ellos? ¿No cantaron «¡Viva el Nalón, viva la dinamita!»? ¿No mandaron contra las pobres fuerzas de Regulares de África burros con explosivos para hacerlos saltar? ¡Pero si no podían sujetarlos entre Doval y Yagüe! Algunos del Gran Casino me increparon una noche: «¿No cree usted, coronel, que es un salvajismo mandar moros a la cuna de don Pelayo?» Como yo veía por dónde atacaban esos masones, les contesté: «Para morir, ¿no es mejor que mueran moros que cristianos?» Sandeces, amigo mío, sandeces, pues lo que había era que terminar con los mineros, y los que lo conseguían tan buenos eran moros como toros. El triunfo es lo que vale. Pero a los católicos izquierdistas les dio por sentirse mansos de corazón y hasta mi mujer —a quien yo no hago caso nunca— se contagió y se creía violada por los moros de Yagüe cuando se desvelaba por las noches. Aquí tienes, Cayetano, otra fecha. Todo se ha concluido, cae el Norte y podremos exportar hierro a Inglaterra para compensar la desgracia del azogue, pues está en Almadén y los rojos lo cambian a peso de oro por armamento. Oro, oro, eso es lo que tienen los de ahí fuera. Oro que han sacado de las cajas del Banco para comprarse muy lindamente el mejor armamento del mundo que les viene a través de Francia, desdichado país que desde que guillotinó a sus reyes no sabe por dónde se anda y cada siglo da un paso en la corrupción y en la concupiscencia. Afortunadamente, España es católica. Toda ella, hasta esos desalmados que vocean: «¡No pasarán!» pero temblarán ante el milagro. Óyeme, Cayetano, cayó Teruel y su obispo fue respetado por las hordas y bendijo a los que lo encarcelaban. Se lo he oído por la radio de Francia a un periodista que lo vio. ¿No es ése un síntoma? El milagro se hará y toda la civilización decadente del mundo se derrumbará y daremos gracias al Todopoderoso de rodillas.

—Señor, señor, no se duerma. Tengo noticias.

—Cierro los ojos pero no los oídos, Cayetano; ellos están listos para captar el primer chicharreo que se produzca, pero nada.

—Señor, la señora me dijo que tiene que atender si dicen Salvador Pancorbo. El poeta de los ojillos pálidos, amigo de la señorita Sarita, no aguarda más que ese nombre para no sé qué. Al hermano de la señorita ya lo han soltado y está de nuevo en la Sierra. ¿Qué más? Juanito Monje me vio con doña Panchita y su señora. Doña Panchita está que no sosiega porque hay una lavandera en su casa que ha visto al padre Blas Torrero, precisamente en calzoncillos. El niño mala pata golpeó la puerta marcando una copita de ojén, como estaba convenido, y el pobre señor salió en pernetas llevándose por delante el barreño, la ropa y la mujer. El suelo se llenó de lejía y tuvieron que desnudar a la lavandera y meterla en la ducha porque estaba furiosa. «¡Que me abraso, Virgen Santísima!» Cuando doña Pancha la hizo reaccionar, la prójima preguntó: «¿Pero quién era ese elefante?» «¿Elefante? ¡Si era mi niño!», contestó la señora inocentemente, poniéndole diez duros en la mano. Sí, señor, como se lo digo, diez duros.

—No hablará. Se mojó y dijo ¡Virgen Santísima! Es mujer de principios.

—Pero es muy pobre, y los pobres son...

—Sois.

—Bueno, somos más del otro lado que de éste —concluyó Cayetano, bajando la cabeza.

En aquel instante chirrió el receptor. Acudió el recluso al dial y se oyó en sordina: «*¡Arriba España! Las fuerzas nacionales, arrollando en un esfuerzo incontenible a las avanzadas rojas, acaban de tomar Vinaroz, llegando al mar Mediterráneo.*»

—¡Cayetanito de mi alma! —Saludó militarmente, levantó el brazo, se golpeó la cara, se le humedecieron los ojos, se le destemplaron las mejillas y de su garganta salió una Marcha Real confusa, un tatachín que Cayetano no pudo acompañar porque lo único que encontró en su memoria era inarticulable:

La Virgen María,
es nuestra redentora
nuestra salvadora.
Es usted un animal...

¡Los tejados del palacio! Allí dejé mis inquietudes y comprendí que era definitivamente hombre. Aquellos tejados fueron la gruta de las ninfas, mi jardín cerrado, mi heredad, mi fuente de la vida. Hoy sólo encuentro chimeneas rotas, tejas voladas, aleros, canales, tragaluces, guardillas, muros. Todo ello sube su vejez hacia otras chimeneas, otros tejados, otras guardillas... Ya no hay viajes hacia las nubes, ni espero junto a Angelines el último rayo del sol para verlo tocar un vidrio de una ventana y llegar a nosotros; ya cambiaron los ruidos, los olores, los tactos. El niño tonto, que sólo sabía soñar, según mi abuela decía a mi madre, el inútil, ha vuelto a dejar quietas sus manos desde que no recuerda bien la medida del talle de Angelines, cuando prendido a ella iniciábamos el viaje a las alturas. Dejo caer mi cabeza sobre cualquiera de mis libros abiertos —san Juan o fray Luis— y me hundo en mi pecado cubierto de sudor, de lágrimas.

Ya salíamos obstinadamente juntos. Habíamos inventado un signo imperceptible de tribu enamorada para comunicarnos la decisión de vernos a solas. Si era correspondido afirmativamente, uno de nosotros —casi siempre me tocaba a mí— desaparecía hacia lo alto. ¡Qué paraíso llegar a su soledad! El palacio iba quedándose sordo; alguien acechaba en los rincones más oscuros, en los cuartos abandonados, y teníamos cuidado de correr para que aquella oscura sombra no nos alcanzase los talones, sitio vulnerable del que huye. Cruzábamos desvanes amontonados de muebles inútiles y baúles a medio abrir bajo el tenue polvo del olvido. Se salía a escaleras que subían a unas arquitecturas últimas rodeadas de barandales de hierro y allí podíamos asomarnos a los abismos de los patios y fisgar por las claraboyas. El recorrido era sensacional, pues era el de las ratas vivas, porque aún no se había ofrecido por ellas una moneda de oro como en el asedio de Zaragoza; el de los pájaros y ciertos fantasmales sonámbulos que habíamos inventado nosotros, pues el ser humano ha de fingirse patrañas para no encontrar tan vacíos los sitios que le dan miedo. Angelines se fingía sonámbula para que yo tuviese el placer de agarrarla justo cuando colocaba su pie en el vacío y tiraba de ella como de un bien rescatado. Nos metíamos por las ventanas en las guardillas de olor indefinible y nos instalábamos en alguna butaca coja o sofá desguarnecido muy tranquilamente, porque sabíamos que nadie pensaba en nosotros. Olía a libertad y polvo, a libertad y verdín, a libertad y vejez. Pero Angelines era la juventud, sobre todo cuando soltaba su maravilloso mar de pelo, dulce naufragio para mis mejillas. «No grites, que van a salir a echarnos los que viven en aquella luna.» Pero el espejo manchado no tenía nada que oponer, pues debía cosquillearle su azogue leproso el ver a Angelines colocar sus trenzas mirándose en las gotitas de luz que aún le vivían. Descubrimos que un gato nos espiaba: «Algún familiar tuyo», le dije. «O tuyo», me contestó rápidamente, y yo muerto de risa le contesté: «Sí, mi cuñada. Es gata y se llama Panchita.» Y como a la auténtica Panchita, jamás pudimos convencer al gato de nuestras buenas intenciones, y nos trató de intrusos y nos siguió espiando. En un alero habían hecho nido las golondrinas, pero ya no estaban. Únicamente el nido tozudo y fuerte, algo agrietado por las heladas terribles de aquel invierno que mantuvo nieve durante quince días en las calles de Madrid. «¿Volverán?», me preguntó Angelines. Y yo, con algo estrangulado en la garganta, contesté: «Estas golondrinas de la guerra puede que no; serán las de la paz.» «¿Y qué será de nosotros cuando ellas vuelvan?» Angelines se deslizó a mi costado abrazándome: «Nos casaremos.» De pronto oímos gritar nuestros nombres desde el fondo de la casa; precipitamos nuestros besos y corrimos, uno primero y otro después, para no descubrirnos. Pero ahora pienso que yo, como aquellos bienaventurados de la leyenda dorada, debía caminar con resplandor áureo sobre la frente.

Era completamente inútil que quisiera fingirme. Todo yo vivía y accionaba pensando en ella. Recuerdo que esperándola desesperado, para calmar al tiempo que me castigaba sin su presencia, subí hasta las guardillas sólo porque en aquellos extraños lugares su rastro no lo borraban otros rostros. Creo que por primera vez llegué hasta unas barandillas de hierro fino detrás de las cuales estaban sin abrir una serie de puertas idénticas pintadas de gris. Se me ocurrió empujar. La primera se movió un poco y la dejé, pero la segunda se abrió. Creí que eran calabozos o celdas o un lugar para el olvido o la muerte, pero todo estaba preparado para vivir, si vivir puede llamarse a un catre, un lavabo, una percha... Realmente, el ornamentador francés del palacio no llegó hasta aquellas alturas o tal vez los dueños pensaran que para los cuerpos rudos de aquellas hijas de la tierra bastara la desnudez de las paredes. ¡Qué cuchitriles idénticos! ¡Qué pequeñas tumbas aquellas polvorientas viviendas con su catre, su sillón, su lebrillo y su humedad y su frío y su incomodidad pobrísima! Si había existido Hortensia, su muerte emparedada no debía haber conmovido mucho a aquellos cautivos asalariados. ¡Con qué rencor debían recorrer los salones mullidos y cerrar las puertas de picaportes de oro y sacudir las sedas, los damascos, los brocados y mover las porcelanas, los marfiles!... ¡Y ellas, al llegar la noche, arriba, a su soledad, que bastante sol y aire han tomado en sus pueblos cuando eran mozas! Abrí todas las puertas con el hombro, y ayudándome de un hierro, dando golpes sin importarme que me oyeran, pues quise que las entrara el sol, pero no estaban orientadas al sol, y únicamente conseguí abrirlas a la lluvia y al viento. Durante muchas noches golpearon. Alguien tuvo que subir a cerrarlas y se hicieron mil conjeturas. Yo nada dije. Durante aquella espera subí hasta los hierros más altos, hasta donde el cinc resbala, y miré respirar a Madrid un humo silencioso, como si las cocinas no quisieran ser divisadas desde los campos enemigos. Subía un hálito pegajoso de alientos ajenos, respiraba la ciudad por sus tejados densamente, se le veía hasta su terror. Asomado a un barandal miré el enorme patio, gris como los estanques perdidos, sin nubes reflejadas. Parecía imposible subir más, pero subí a un tendedero donde se había prohibido colgar ropa, capaz con su blancura limpia de dar situaciones exactas a las bombas de aviación, y arriba de él, la torrecilla y la veleta. La veleta con su pararrayos. Desde allí Madrid, pobre y reseco y con un nudo en la garganta. Cada tejado con su huella. Cada casa con su herida: cornisa derribada, balcón roto, cristales volados. La pobreza de los techos madrileños, su color agarbanzado y reseco lo era más por las tejas partidas y los hoyos dejados en los sotabancos por las bombas. Algunas guardillas habían quedado de par en par abiertas como escenarios vacíos. Madrid parecía asombrado de verse así, a medio chamuscar por los incendios y por la pena. Yo olvidé todo lo que no fueran lágrimas, me tumbé sobre un tejadillo de cinc y me quedé sobrecogido de angustia. Poco a poco el sol al irse hizo desaparecer muros y paredes. Alguien cantaba en lo hondo del patio. Resbaló el atardecer en el cielo purísimo, trayendo ligeramente una sombra azul. Mis ojos iban siguiendo el renovado milagro cuando sonó firme y taladrante el timbre. Me incorporé. Alguien dio un grito. Bajé de un salto las temblorosas escalerillas de hierro. Dentro del palacio todo estaba oscuro ya. Atravesé el sórdido corredor de las sirvientas y corrí hasta la escalera principal. No se oía el timbre, ni gritos. ¿Habría sonado? Me detuve rodeado de tinieblas. Tuve miedo. ¿Dónde estaban los conmutadores de las luces? Bajé un piso más agarrado al barandal de terciopelo rojo, al que se iban pegando mis palmas húmedas, me encontré ante el vacío, fui aproximándome a lo que yo suponía las paredes... ¿Cuánto tarde? Entonces por no sé qué ridícula extravagancia, saqué el pañuelo, como hacía nuestro duende azul, envolví mis dedos y los precipité sobre el conmutador. Se prendieron las luces y me quedé flotando en un espejo. Justo en aquel momento comenzó a sonar el timbre. Tardé unos minutos en reaccionar, pues sentí terror de encontrarme solo frente a la llamada misteriosa; por fortuna oí pasos firmes de hombre, pasos de botas militares, y todo volvió a recobrar sus proporciones justas. Era Claudio.

—¿Has oído el timbre?

—No.

—¿No has oído un grito de mujer?

—No.

—Te digo, Claudio, que oí un grito y luego el timbre.

—Estarías traspuesto.

—¿Qué haces?

—Nada, apago la luz porque aquellas persianas están abiertas y puede la patrulla tirotearnos.

Nos quedamos en sombra, pero luego de cerrar retrocedió y encendió la luz. El timbre seguía.

—Pero, ¿no oyes el timbre? Entonces estoy loco.

—He cerrado bien porque dicen que de esta casa sale claridad.

—Contéstame. ¿No oyes?

—No —me dijo, mirándome muy seriamente—, no lo voy a volver a oír. Tenemos que no oír nada, no ver nada, para poder seguir combatiendo. No hay que oírlos, ¿me entiendes? Es lo que están deseando, quitarnos los nervios, hacer unas piltrafas de nosotros, pero no lo conseguirán.

—¿Qué te ocurre, Claudio? —pregunté tomándole por los hombros.

—Nada, han tomado Vinaroz, y eso quiere decir que hemos quedado aislados, ¿me entiendes?, y yo me he portado como un cobarde porque he tenido delante de mí la cara de la quinta columna y no le he roto el alma.

—¡La usan tan poco, que a lo mejor no la llevaba puesta! Has hecho bien, Claudio.

—Yo, que estoy obsesionado por los traidores, lo he dejado ir.

—No era un traidor; era uno del otro bando.

—Del otro bando, eso, un disfrazado, un simulador, un ser despreciable de esa quinta columna, nombre inventado por Mola, que quedará en el palabrerío internacional para designar a los que aguardan agazapados. Pues sí, he visto la cara de la quinta columna y no la he escupido, no la he denunciado y la he visto marcharse como un ciudadano cualquiera.

—Eres un hombre bueno.

—Un idiota, tan idiota como el que ve una mecha encendida y pudiendo arrancarla no lo hace y vuelan todos. Por los inocentes que caen a diario debí haberlo denunciado, pero no pude, no puedo llevar a un hombre a la muerte. Estoy agarrado por una moral absurda.

El timbre vino a interrumpirle. Se puso trémulo:

—Ves, se ríen, se ríen de nosotros y el mundo también se ríe de nuestra razón y de nuestra verdad histórica. Han armado una gran confabulación contra los humildes y los pequeños y apoyan al generalísimo Franco porque es la garantía del orden, de la represión, de los capitales de las compañías extranjeras, y el hambre, la injusticia, la supervivencia de miles de servidumbres del hombre español acumuladas durante siglos de Historia. ¿Tú crees que España es nuestra? Pues te equivocas; se la reparten las compañías inglesas y las belgas y las francesas y las alemanas. Somos el décimoquinto lugar entre los productores de acero, pero el hierro se nos va hacia otras manos más listas. Para que esto pueda suceder, compran unos cuantos señores respetables y ellos apoyan, ante gobiernos dispuestos a vender trozos de riqueza nacional, las pretensiones de los capitalistas extranjeros. ¿Nombres de compañías extranjeras que recuerdo? Société Générale de Belgique, camuflada detrás de la Real Compañía Asturiana de Minas. La Riotinto, que es inglesa, y la San Telmo Ibérica Minera S. A., que es alemana, y la Chade-Barcelona con las potasas, que es catalano-franco-alemana, y la Hispano Suiza, que es francesa, suiza y alemana, y la International Telegraph and Telephone, y no sé cuántas más. Los negociantes no descansan y ahora están como buitres, pues ven cómo llegan los alemanes de cara sonrosada a echar a los ingleses, de cara sonrosada también, de los negocios que en la zona de Franco planean para el día de nuestra derrota. No creas que no están los yankis. A estas citas sobre la muerte y la carroña no falta ninguno. Por eso me doy más asco, pues no supe liberarme de viejas ataduras y lo dejé marchar.

—Claudio, él era uno y se acercó a ti pensando que no debía recelarte. En cierto modo puso su vida en tus manos.

—No lo creas. Pensó que yo era un republicano geográfico y hasta me lo dijo. Y me preguntó si habíamos vendido los cuadros del Museo del Prado a los rusos y lo dejé ir y hoy han llegado al Mediterráneo y estamos en una trampa. ¿Quién abastece sus líneas? Los nazis. ¿Quién entorpece, en cambio, la llegada de nuestros suministros? Las naciones libres y democráticas: Francia e Inglaterra. ¿Qué tenemos dentro de nosotros? Discordias e intrigas. A los esfuerzos de unidad y subordinación, a una moral de victoria, a la disciplina social que lleva a unos ideales concretos, nos contestan como si fuera hora de escalar puestos y no cotas militares. Estamos llenos de francotiradores, de minúsculos hombrecillos que tienen miedo a exaltar el valor, miedo a que se diga: Modesto o Líster son unos héroes y prefieren la zancadilla. Los armamentos llegan angustiosamente, diseminados; han echado a pique más de ochenta cargueros los submarinos de Mussolini, y nadie dice nada. Si nos llegan aviones, están descuartizados; los motores por un lado, el fuselaje, las alas, por otro. Las hélices han encallado cerca de Marsella y el Frente Popular francés no las devuelve porque ¡qué dirían internacionalmente! Está preparada una operación que se desarrolla como estuvo prevista, pero no llegan las municiones porque intrigamos para que la política militar vaya de los socialistas a los republicanos, y los suministros, de los republicanos a la CNT. Yo sé que los comunistas mueren como valientes, sé que los socialistas se dejan la vida en los frentes y los anarquistas son heroicos, que allí hay una tierra sin microbios políticos recibiéndolos a todos en la gran verdad de la muerte, pero hoy, hoy yo debí matar a un miserable y no lo he hecho. Esto es todo.

El timbre volvió a sonar. Claudio levantó la vista hacia mí con una mueca desconsolada.

—Ves, no lo oigo.

Salió para dejarme con mi angustia. Sentí un olor a cuerpo humano vencido y era mi olor a miedo. Había sentido miedo todo el tiempo de mi conversación con Claudio. Yo, yo también era uno de esos que no se atreven a delatar en la confusa encrucijada de la guerra civil. Pero mi caso era distinto. Si nada dije de Xavier Mora, si nada de Juanito Monje, fue porque al denunciarlos iba mi vida. ¿Cómo explicar quién soy? ¿Cómo perderme ahora, aprendiz de ternuras, enamorado de Angelines? Y todo se me trastornó dentro, pues pensé sin querer en un muchachín del cuartel de Milicias primero donde entré. Se hubiera podido parecer, aunque algo mayor, a mi sobrino, al hijo de mi hermano y de Panchita, insoportable criatura alborotada de pelo y de maneras. Pero la mirada de éste, ¡Señor Dios mío!, la mirada de éste era venenosa. Enrojecida y venenosa, en su cara escuálida, de lagarto. No sé por quién supe que era un delator. Se reía y chupaba caramelos o azúcar. Un monstruo que hablaba sin parar y daba datos y direcciones. Decía: «¡Mi tía! ¡Anda, mi tía es más carca! Tiene tres curas en la habitación del fondo que no alquilamos ahora.» Oí esto y palidecí tanto y el estómago me oprimió tan fuertemente que sentí un vahído. Había entrado en la sala donde estaba yo de guardia un oficial;

venía con dos obreros. Hablaron con el chico unos minutos. «Vete a comer azúcar», le dijo el obrero más viejo. Luego se volvió a los otros: «¿Y si lo suprimimos?» Aquellos tres hombres habían sentido tanta repulsión por el delator como la que yo sentía. No supe qué fue de él, pero al salir Claudio me vino a la memoria y toda mi cobardía desapareció. Hablaría con Juanito Monje. ¿Pero de qué iba a convencerle? ¿De no ser falangista? ¿De no hacer daño? ¿De la razón que pudieran tener mis amigos? ¡Ay, toda la alegría primera, la despreocupada felicidad de las Guerrillas del Teatro, la gracia antigua de ir con nuestras pelucas y trajes de colores a llevar alivio y risa, y confianza, habían desaparecido de mí! Todo se ensombreció en un instante. En aquel caserón sonaba el timbre con una insistencia enloquecedora. «Están celebrando la llegada al Mediterráneo», pensé. Y sentí, de pronto, que todo aquello que sucedía me llegaba al alma, me apuñalaba de pesar como a Claudio y me encontré diciendo, en alta voz, al techo decorado de ninfas y de nubes: «¡Ves, pues no te oigo!»

¡Qué pena! ¿Y pensar que las malas noticias pueden darse por teléfono? Ayer mismo sucedió algo muy triste. Ni ganas tuve de plancharme el uniforme de las Guerrillas ni los trajes de escena, antes de darlos a guardar en los baúles. ¡Qué pena tengo! Juanito Monje me dijo: «¡Tonta, lilaila, estúpida, idiota, no te emociones tanto!» Pero yo lloraba y Dorotea y la Pepa y la misma Juanita se sonaban continuamente. Me entristecía pensarlo desorientado sin saber cómo librarse de las bombas. ¡Sabe Dios qué fascista bruto lo tendrá ahora! Me duele como si hubiese sido mío, pero era de la secretaria, y la secretaria se quedó tan triste con la noticia que a la hora de comer no comió, y a mí me daba vergüenza comerme las patatas que el otro día nos regaló Morillo, el jefe de El Pardo, después de representar *La cantata de los héroes*. Yo comprendo que la poesía y las patatas no van muy bien y hasta es algo vergonzoso estar recitando y pensar a un tiempo en la comida que nos espera, pero debo ser una insensible, una burra, un adoquín, ¡tenía tanta hambre! El teatro era muy doradito y el palco de los reyes una preciosidad y nos aplaudían mucho los soldados, pero yo, recordando los pollos en escabeche que nos dieron en otra ocasión, tenía la boca hecha agua entre verso y verso. ¡Soy una buena burra con orejas peludas y todo! No se lo conté a Camilo, porque ése es espíritu puro e inventa unas cosas tan raras para quererme. Pero me quiere y yo le sigo y representamos escenas preciosísimas sobre los tejados de la Alianza, donde estamos muy tranquilos, porque a nadie se le ocurre la locura de subir ante la amenaza de los bombardeos. Camilo me ha convencido que es mucho peor un sótano que el aire libre y hasta hemos visto pasar sobre nuestras cabezas las granadas. La secretaria tampoco baja nunca al sótano y Monsell se duerme cuando comienzan a tirar contra Madrid. Es una defensa de sus nervios, dicen. ¡Vaya ciudadano tranquilo!, pienso yo. Ya ninguno tenemos miedo; será la costumbre o nos creeremos inmortales. Si estoy sola no me considero tan segura. Cuando está Camilo, es todo tan distinto... Llegó Camilo y me preguntó:

—¿Has llorado?

—No..., sí.

—¿Qué ha sucedido?

—A mí, nada... a la secretaria.

—¿Ocurrió algo? ¿El timbre?

—No, el perro.

—¿Qué perro?

—El que estuvo aquí, el que parecía un crisantemo de plata, ese que se llamaba *Niebla*. Figúrate que cayó prisionero en Levante. ¿Comprendes? ¡Pobre! Los fascistas han llegado a Vinaroz y la gente, asustadísima, se trepó en todos los carruajes, en todos los camiones. ¡Un espanto! Nadie se quiso quedar, porque si llegan los moros en vanguardia... Bueno, ya sabes. Pero cuando la pobre gente echa a correr y los aviones ametrallan las carreteras, todos se vuelven tan locos que hasta se olvidan de los niños y los pobres se pierden. A uno se lo encontraron llorando debajo de unos naranjos, mientras la madre iba a buscar a otro pequeño ¡que se había dejado en la cuna! La secretaria lo sabe bien, porque estuvo hablando por teléfono. Su familia se subió a un camión, pero el perro no cabía, porque primero son los hombres, ¿verdad? Era ese perro que tuvimos aquí en la Alianza, el perro que primero fue de Pablo Neruda y después de Alberti. Dicen que el pobre miraba a todos los que subían en el camión y temblaba, porque los perros son muy sensibles a los estruendos. Cuando el camión arrancó, él echó a andar; cuando el camión tomó velocidad, el perro corrió. Volaron sobre la carretera los *zapatones* tirando bombas para desorganizar la evacuación, y el perro corrió más, ladrándoles: «¡No me dejéis aquí!» Pero ya nadie podía detenerles. Huían. Todo huía por aquella carretera, tan preciosa, que nosotros vimos, ¿recuerdas?, llena de flores de azahar... Nadie se ocupaba del perro. Dicen que cayó un rosario de esas bombas pequeñas que tiran para levantar hoyos en las carreteras y mientras el camión seguía loco su camino el perro se detuvo y ya no lo vieron más.

La secretaria murmuró: «Hay momentos en que parece

inoportuno llorar y éste es uno de ellos. Pero el perro era nuestro perro y pienso que al ver correr la gente habrá pensado: ¡Cómo se divierten hoy los hombres! Pues correr es la felicidad de los perros los días felices... Desde su nivel de perro no se habrá dado cuenta del desastre o habrá pensado que el desastre era que aquellas viejecitas que lo cuidaban desaparecieran, arrebatadas por un camión y seguramente se habrá lanzado a defenderlas de los milicianos que las ayudaban a subir, creyendo que eran ladrones, y le habrá dado mucha rabia a su almita de perro guardián al no haberles podido hincar el diente a los ladrones de viejas... Lo que os cuento puede parecer un absurdo, porque ha sucedido una verdadera catástrofe militar para nosotros los republicanos y yo hablo de un perro. Pero era tan fiel, que muchos quisieran poder mirarse en su espejo de fidelidad. ¿Os acordáis cuando fuimos a Sagunto y aquella representación memorable dentro de un taller de los Altos Hornos del Mediterráneo, sobre una plataforma de tren? La planta siderúrgica había resistido bombardeos innumerables. Los aviones venían del lado del mar desde las islas Baleares, descargaban sus bombas y regresaban a sus bases de las islas gobernadas por un conde italiano. Los obreros de los altos hornos eran el orgullo de la clase proletaria, nuestro propio orgullo. Seguían en sus puestos. Para ellos que no era una simple consigna resistir. Resistían junto a sus martillos y fraguas, junto a sus coladas de mineral y sus hornos. Días y días, meses sin pedir permiso para salir, pues eran los depositarios de secretos de fabricación que nadie podía conocer. Después de más de un año, el único alto en su trabajo, fue el día de nuestra llegada. ¡Hora y media de asueto! Las Guerrillas del Teatro tenían el honor de un público excepcional. Junto a mí, un viejo obrero decía: "Hace más de dos años que no voy al teatro." Y por todos los lugares libres se instaló un público con las manos sucias y las caras sudorosas y los trajes de faena, engrasados, para ver bailar a las Guerrillas sus danzas populares de otras regiones, para oír los graciosos versos de Lope de Vega y las afortunadas ocurrencias de Chejov, de Alberti, de Santiago Ontañón... Un jovencito que habló agradeciendo el espectáculo al contestar a mis palabras de gratitud, ya que ellos eran los héroes de la retaguardia industrial que abastecía a los frentes, nos dijo: "Gracias, camaradas artistas, porque cuando nos sentimos entre estos hierros y este ruido creemos a veces que estamos solos. Hoy nos habéis dado un día feliz. A los que pregunten por nosotros contestadles que si la guerra la tenemos que ganar los obreros con disciplina y trabajo prometemos ganarla, que ellos hagan lo mismo y no nos saboteen nuestro trabajo con discusiones, con diferencias indignas de los que han de presentar un frente unido contra el fascismo —y añadió después de una vacilación—, contra el fascismo internacional." *Niebla* nos había acompañado, tan fiel y tan peluda porque al pasar por Castellón todos la quisisteis ver y ella se subió sobre el camión de los trastos y la dejamos venir porque estaba preciosa arriba sobre las maderas de nuestro tabladillo de campaña, con su pelo desordenado al viento. Por eso vino a la representación y no se movió hasta que oyó las últimas palabras. Un ladrido sonoro de repulsa fiera acogió la palabra fascismo, un ladrido espontáneo de protesta, que le valió una ovación. Dejamos a nuestros amigos entregados a su trabajo y volvimos a Madrid depositando la antifascista *Niebla*, en Castellón. Había sido amiga de todos vosotros durante los días más agrios del cerco de la capital cuando se incorporó a la Alianza, sacada de debajo de los escombros de mi casa y había llegado ¡oh, prodigiosa comprensión de nuestra pobreza de víveres! hasta dejar a mis pies, robado no sé de dónde, un trozo de carne: " ¡Pero, qué tonta te has vuelto! ¡Ya ni eres capaz de darnos de comer! " Pareciera que su destino era perderse en la niebla. Salió de ella y en ella ha vuelto a desaparecer.»

Calló María Teresa y a alguien se le ocurrió que nos escribiese la historia de *Niebla*.

Una noche, al ir Pablo Neruda hacia su casa, notó que venían siguiéndole unos pasitos cortos, sí, unos golpecitos dados en la acera lo vigilaban, lo perseguían. Volvió a mirar y vio un perro grande que le mostraba su pata. Hubo algún diálogo tierno, pero el poeta siguió andando. El perro, también. Se detenía el poeta y se paraba el perro, lo mira el poeta y el perro le mostraba la pata rota. «¿De quién será este animal?», preguntó al sereno de su calle. Éste contestó: «Vaya usted a saber. Seguramente lo atropelló un camión de guardias de asalto que pasó hace poco.

Sí, me parece que le oí aullar.» Pablo se inclinó a acariciarle: «¡Con que una víctima de la represión!, ¿eh? ¡Pobre viejo!» Pero entró en su casa y cerró la puerta. El perro ladró: «¡Abre, hombre!» Pablo comenzó a subir la escalera. El perro ladró de nuevo: «¿Pero qué te cuesta recibirme?» Pablo, antes de llegar a la puerta de su piso, ya estaba retrocediendo hasta la calle. Le franqueó la entrada: «Vamos, entra, insistente.» Como con la pata rota era incapaz de subir la escalera, Pablo lo alzó en sus brazos y él se dejó llevar por el poeta, que aquella noche durmió de un solo ojo, porque el pobre visitante volaba de fiebre.

Amaneció. Conflicto doméstico. La víctima de la «reacción fascista» no cabía en las habitaciones con su larga cola y su pelo alborotado. ¿Y si se lo llevo a Alberti que tiene terraza? Y allá fue con su amigo, diciéndonos al abrirle la puerta: «Os traigo un regalo.» No hubo objeción al regalo porque Rafael parece nacido para que estos compañeros fieles y silenciosos, arrullados por la poesía, se queden quietos a sus pies mientras trabaja. Contó la historia. Se avivó nuestra piedad y por el color de su pelo y por la extraña manera de presentarse herido una noche de niebla se quedó con tan poético nombre: *Niebla.*

Niebla, que era una perra, acompañó muchos paseos de los poetas de la revista *Octubre*, corriendo delante de ellos por las cuestas de la Moncloa, de la Fuente de la Reina, de la Casa de Velázquez o la Escuela de Agrónomos hasta llegar al Palacete de la Duquesa de Alba y mezclar las teorías de la tierra para el que la trabaja, al recuerdo de Cayetana y Goya. El perro iba abriendo campo con su carrera hacia los desniveles que anuncian el Guadarrama y sus amos, ya convencidos de que la forma más extraña de vida inventada por los hombres es la opresión despiadada de las empresas de trabajo controladas por los poderosos egoístas, mezclaban sus teorías de liberación a los versos de Góngora o Quevedo. Se revisaba, en aquellas caminatas, el proceso del mundo mientras *Niebla*, ya curada su pata rota por un veterinario jorobadito de la vecindad, corría libre de preocupaciones. La víctima de la represión, rescatada por el pueblo, estaba en buenas manos.

Pero como todos los años, llegaron las vacaciones y nos fuimos hacia la isla de Ibiza. Allí, cuando el sol aparece todo reverbera, pues los muros están blanqueados por cales vibradoras. El suelo de esta isla balear forma arrugados pliegues montañosos cubiertos de sabinas y pinos; los valles son huertos y hay un solo río: el Santa Eulalia. El pie del hombre puede bastar para ir de pueblo en caserío, pero no por ser pequeño el paisaje deja de ser grandioso. Nosotros lo mirábamos desde el Molin del Socarrat. No estaba solo nuestro molino con velamen color herrumbre, por la cresta del monte corrían hasta veinte o treinta; unos desarbolados con los muñones muertos y otros enteros. El mar se nos aparecía alto, de un azul magistral y la lección de azul continuaba en el cielo, campo de nubes redondas y estrías en la gran pizarra que borraba un lebeche fino. Era el mar de Ulises y hasta la transparencia de sus aguas mansas bajaban a beber los algarrobos, los almendros y aquellos torturados gigantescos geranios que jamás hemos vuelto a encontrar. Desde nuestro molino veíamos los barcos redondos que buscan la sal, las canoas finas del recreo, las pesadas urcas de transportar madera y las gaviotas. Desde nuestro molino veíamos las parejas de la pesca y, pensando en los salmonetes carmín y oro, tomábamos un balde y corríamos a la Marina, saltando entre las tumbas cartaginesas que cubren la ladera del monte de piedras rodadoras, alternadas con matas de piadosa alcaparra, tapizando de flores, resquicios y hendiduras. Tendíamos el balde, que se llenaba por unos céntimos de relumbres de aletas y mirábamos el ánfora de barro recamada de moluscos, traída en la red desde el fondo del mar, tan perfecta como una milagrosa Afrodita de barro. Los fenicios llamaban a la isla Ebusim y más de seiscientos años antes de Cristo ya Ibiza gozaba una población de marineros, artesanos y traficantes. Los griegos, por sus muchos pinos, le dijeron Pitiusa y los ricos cartagineses peninsulares trajeron sus muertos a enterrar a la tierra mecida como una cuna. En la isla de Ibiza dejaban a sus pies una lámpara que les permitiría alumbrarse por los corredores del más allá.

Esta precaución ha permitido llenar el Museo Provincial de toda clase de objetos domésticos, haciendo de él un lugar de riqueza arqueológica única. Tanit, la Astarté fenicia, preside con sus ojos asombrados la sucesión de los tiempos. Talismanes, amuletos, collares, colgantes, escarabajos, figurillas, candiles, vasos, platos de barro, se amontonan en dos salas del edificio gótico construido para Concejo cuando los catalanes tomaron la isla. Es un museo sorprendente. Allí están, empinándose, las casas de una ciudad gótica catalana, la villa de viviendas palaciegas y, coronando el monte por donde muros y calles trepan, el castillo.

Muchas veces nos quedamos asombrados, viendo salir a las muchachas ibicencas de la catedral de Santa María, llevando en procesión sobre andén de flores alguna pequeñísima imagen medieval. Es difícil representárselas sin verlas esas faldas plisadas, que por detrás barren con altivez el suelo, esos mantones amarillos, esos delantales recamados y sobre el pecho «la emprendada» de hombro a hombro, que es la dote, colección de cadenas, collares y joyeles que sirven de armadura y ahorro. Las muchachas ibicencas llevan sobre la espalda el pelo atado en dos trenzas, con cintas hasta el ruedo, y también atado bajo la barbilla, un pañuelo de colores y sobre él la mantellina blanca con bordura de terciopelo oscuro. Son la gracia popular heredera de fenicios, griegos, romanos, vándalos, árabes, catalanes... Va el *complejo español*, bajando modestamente los ojos al suelo cuando se le mira. Al llegar los árabes comienzan a usarse las norias y el regadío hizo brotar miles de hojitas verdes. Pero los inquietos condes catalanes no podían dormir, pensando en las tierras que tenía el infiel. Jaime el Conquistador pone el don en Mallorca y Guillermo de Montgrí, obispo electo de Tarragona, pide humildemente que se le deje la fortuna de desposarse con Ibiza. El día de la Virgen, 15 de agosto de 1235, desembarcaron sin grandes batallas al viento el pendón de las barras carmesíes.

Después, pasaron muchos siglos. Vivíamos en Ibiza, pero *Niebla* no estaba con nosotros. Era nuestra casa apenas un refugio: un grupo de pinos parasoles en el Corb Mari. Tiempos inquietos y peligrosos para la vida de los amigos del pueblo, gentes sospechosas los poetas a su servicio. La guardia civil caminera, que ya había fusilado a Federico, nos obligó a dejar la puerta entornada y las «alcandaras vacías» en nuestro Molin del Socarrat. Corrimos monte abajo hacia la *platja* d'En Bossa. La isla obedecía a un comandante sublevado a favor de Franco y había comenzado el terror. Paseándose por la playa encontramos un extraño veraneante de gafas ahumadas. Era Pau, el patrón contrabandista, complicado en la voladura de un puente al tenerse noticias de la traición de los militares en África. Lo habíamos conocido con el estudiante Justo Tur, en el bar de la Estrella, donde nos refugiábamos para oír noticias en una radio casi clandestina mientras el dueño, un alemán antinazi refugiado, hacía gritar hacia el paseo un altavoz lleno de cuplets: «Que tengo sangre gitana en la palmita e la mano...» Pero ya eran otras sangres las vertidas y nos quedábamos allí hasta que la noche nos borrase las caras para poder subir al molino. Asombraba despertarse y estar libres. Una mañana, mientras sentados bajo la higuera más robusta mirábamos deshacerse la onda marina en la calita correspondiente a nuestro jardín, vimos avanzar hacia nuestra casa, secándose el sudor, a los guardiaciviles. Preguntaron a la vecina, gorda y buena, por nuestro paradero, debió conformarles la respuesta porque los vimos desandar la subida, desapareciendo. Pero nosotros no entramos más en aquella casa. ¡Adiós adelfas del pozo y escalones que llevaban nuestros pies descalzos hasta la curva pequeña del agua tornasolada de erizos e ictinias! ¡Adiós, almendros, algarrobos gigantes, higueras centenarias! ¡Ya apenas si regresaríamos unos momentos para no volver a verte Molin del Socarrat, estación hacia el cielo, hora sin nube, amor de perfección! Cuando Pau se hizo cargo de nosotros en la playa d'En Bossa ya la orden de nuestro fusilamiento descansaba sobre la mesa del comandante sublevado.

El monte que fue nuestro refugio, como los bosques de las representaciones shakesperianas, estaba lleno de proscritos. Al anochecer nos sentábamos con ellos a ver enrojecerse la torre de la Salrossa, las barcas de regreso, la isla de Formentera en la lejanía cercana... ¿Dónde estás, Escandell, tan limpio de ojos, tan buen obrero; y tú, Pau, contrario de la misma idea convencido de que no hay que tener manías, a quien sacaba llanto de los ojos saber que Lenin duerme cubierto de cristal y amor mientras cae la nieve que jamás hace ruido? Vivimos agrios y duros días militares impuestos. Yo recuerdo vuestra voz, aunque hayáis olvidado la mía. Cantábamos himnos que allí sonaban temblorosos, conmovedores. Seis o siete corazones, apoyados en los troncos creían en el valor y la razón del pueblo de su patria. Éramos bastantes. Por la mañana me veían llegar mis amigos de la aldea de San Jorge y en un pozo inutilizado yo oía la radio y escribía en papeles finísimos las últimas noticias de Madrid. Pronto aparecía un ciclista que se colocaba el papel en un doblez de los pantalones, compraba pan y volvía silbando hacia Ibiza. Arrastrándome entre los matorrales, disimulándome volvía al monte después de robar algunos racimos verdes de las vides.

Durante el día, Rafael y yo estábamos solos. Conocemos lo amable que es la pinoche verde para formar una cama de fortuna y cómo al salir el sol todo despierta: agua, piedras, pájaros, pinos, pastores. Pastores desnudos, en aquel mar turquí de Odiseo, lavaban las borregas manchadas de tierra roja y del abuelo al nieto se resguardaban de los rayos del sol con un sombrero de palma, de moda en todos los archipiélagos mediterráneos desde los fenicios. Veíamos delante una torre de defensa contra los piratas berberiscos, la de la Salrossa. Para oponerse a ellos que razziaban todos los litorales mediterráneos, tuvieron los ibicencos que echarse a la mar. Comenzó la guerra de represalias y el último corsario ibicenco, el capitán Riquer, tiene una estatua, pues venció al gibraltarino que pirateaba bajo bandera inglesa, ¡cómo no!, en 1806. Al caer la tarde llegaban los compañeros del monte. Y así durante más de veinte días. Tratamos de llegar a la península sobornando al patrón de una barca. Salimos a buscarlo con Pau y Escandell. Fueron casi dos horas de camino hasta la playa Els Sagnadors. Nos dejaron en el refugio, y tanto cansancio teníamos que nos quedamos dormidos, aguardándoles. De pronto, oímos gruñir un perro. Chasqueó detrás un ser humano y apareció, en la primera bruma de la mañana, un hombre que nos alargó dos tazas de café. «Tomen, tendrán frío.» Aceptamos aquella inesperada invitación en la playa desierta y a poco llegaron Pau y Escandell con la poco agradable noticia de que a todos los pesqueros les habían quitado el contacto por orden superior. La última esperanza desaparecía. El buen hombre dijo en ibicenco: «No pasen por aquella casa; echen bien al monte.» Saludó el amigo imprevisto. ¡No, no estábamos solos! Contrariados regresamos, pero a la otra amanecida, viniendo de Formentera, aparecieron los primeros aviones leales.

¿Ha podido sentirse mayor alegría? Únicamente los que dejaron la patria y de pronto la recobran. Tiraron volantes. Nos arriesgamos a recogerlos. La proclama anunciaba, con cierto candor, que el día de la festividad de la Virgen, aniversario del desembarco de los catalanes de don Jaime el Conquistador, la República reconquistaría la isla. El corazón se puso a dar saltos, pero cierta lógica nos advertía la torpeza de descubrir a nuestros enemigos los planes propios. ¿Y si llegaban a los sublevados refuerzos de Mallorca? Los del monte estábamos nerviosísimos. Por necesidad de acción pedí a Escandell que hablara con las payesas que nos proporcionaban pan y sobrasada, para poder darme un baño en su alberca. Pau me acompañó hasta una casita emocionante de sencillez, gloria arquitectural de ese pueblo. Ya os he dicho que todo en la isla es ponderado y hermoso, todo ocupa el lugar exacto marcado por la belleza. Están las casas hechas para crecer. Sus líneas rectas se desarrollan en planos blancos, con terrazas, con algún ligero balconaje, con un almenado jugando masas y ángulos magistralmente al ir añadiendo, al aumentar la familia, habitaciones que se enlazan a la unidad tipo. En una de esas habitaciones puras de cal entré aquella mañana. Dos payesas ibicencas me recibieron. En el centro de la habitación ya estaba colocado un barreño vidriado y cubos de agua hirviendo. Me besaron. Creo que querían decirme: «¡Pobrecita!» Su ibicenco y mi burgalés debía hacer reír, pero las mujeres, muy seriamente, me empezaron a desnudar como a la hija cansada que retorna. Flotaban en el agua del barreño hojitas de menta...

Al concluir de refregarme con áspero jabón casero la muchacha me entregó su ropa blanca y en pocos minutos yo era también una joven payesa ibicenca. Me encontraron tan de su gusto, que renovaron su contento con risas y manotones. Las tres mujeres nos miramos, Escandell les había dicho que yo era la amiga de los campesinos y de los pobres. ¿Qué habían entendido de aquella explicación tan vaga? Seguramente todo el problema español, pues su soledad se había roto al encontrarme, al saber que miles de mujeres pensaban como yo y miles de hombres como su hijo. Unos y otros se habían levantado para defender sus derechos. Pertenecían a un pasado remoto las sabias leyes que diera a la isla Guillermo de Montgrí. En el siglo XIII, el obispo electo de Tarragona, había dado una Constitución hecha con gran sentido de igualdad y justicia, para librarlos de los abusos feudales. Cada uno de los habitantes de la isla tenía derecho a campos y albergues. Estaban exentos de servicio militar, si no fuera para defender la isla, y para cualquier desavenencia habían de recurrir al consejo y fallo de los hombres buenos. Ignoraban esos tiempos venturosos mis dos amigas. Ignoraban que las salinas, donde su hijo perdía los ojos, habían sido bien común arrebatado luego, en manos de La Salinera, compañía que los explotaba. «¿Terminará con bien?», me preguntaron. «Todo», contesté besándolas y Pau me llevó monte arriba, corriendo.

Al atalayar el mar se detuvo: «Ahí los tienes.» En perfecto orden avanzaban dos destroyers republicanos y un mercante. Enfilaron sus cañones al castillo, intimándole rendición. ¿Habéis contemplado alguna vez esas estampas de batallas donde los cañones y los generales son tan chicos que hasta inspiran confianza? Así era lo que veíamos. Bajó un bote con bandera blanca. Lo tirotearon. Vimos cómo lo izaban apresuradamente, luego bajar la boca de los cañones y por banda de estribor soltar al castillo una andanada. Los cañonazos desplegaron una nube de gaviotas que sesgó el cielo. En aquel instante y a toda máquina se interpuso un barco inglés. Subieron oficiales al fuerte y comprendimos que trataban de nuestra libertad. Vimos regresar la canoa inglesa y acostar al *Almirante Antequera*, luego, para desconsolarnos, sobre el mar de espejo, fueron desfilando hacia Formentera los barquitos republicanos que habían venido a liberarnos. ¡Qué angustia! ¿Iban a dejarnos allí a la lluvia y al viento y al hambre? Sentados y sin ganas de hablar y sin esperanzas los proscritos esperamos la llegada de la tarde. Pero apareció Escandell, quien nos dijo que la escuadra republicana estaba anclada al otro lado de la isla, frente a San Antonio. Comenzaron a reunirse con nosotros, llamándose de monte a monte muchos salineros y más de cuarenta personas se sentaron en torno a nuestro pino tutelar. Pau propuso ir hacia la escuadra para indicarle un buen lugar de desembarco y la noche, disimuladora y habilísima en disfraces, se llevó a nuestro amigo.

No pudimos dormir. Hablábamos en la oscuridad. Siguiendo nuestra costumbre no teníamos reloj, pero las estrellas girando nos ayudaban a presumir la hora. Desde entonces mi amor hacia ellas es fraternal. Cuando llegó el alba vimos pasar por la carretera a un soldado en bicicleta con el fusil en banderola y grupos de gente que hablaban. Uno del monte bajó a interrogarlos. Sí, el castillo se había entregado a la República. No sé cómo me encontré en medio de una columna de valencianos que avanzaba hacia la ciudad, ni qué brazos amigos me estrecharon, pero alguien me entregó un fusil y junto a los libertadores entramos en la capital ibicenca. «Vamos a poner la Señera valenciana en el castillo. Toma.» Y me encontré con la sagrada bandera de las barras rojas y *lo rat penat* entre las manos ásperas y sucias de los días de monte. Con mi bandera llegué hasta lo alto y pronto la vimos batida por la virazón del mediodía, restallando libres sus pliegues de seda. Abajo estaba el barrio de los pescadores, la bahía, el mar de confines azules, los barcos minúsculos, los molinos parados, los pozos de cal, las tumbas cubiertas de alcaparras blancas, las adelfas rojas, las higueras que hay que sostener su invalidez con horquillas, los almendros, los geranios, las ibicencas cubiertas de oro y toda la gracia exacta, fina, reverberante de la isla de Ibiza... No sé quién trajo una bandera republicana y pretendió colocarla más alta, con nuestro tradicional mal humor intransigente. «Déjala, hombre. ¿No sabes que hoy hace siete siglos, don Jaime el Conquistador tomó estas islas para mayor gloria de España?» El hombre me miró asombrado y convencido bajamos juntos las calles de la ciudad gótica. «¡Eh, María Teresa!, ¿quieres ser gobernadora?»

¡Adiós, Pau, adiós, Escandell! Sentimos en los huesos la pérdida de aquel paraíso cuando sentados en la lancha del *Almirante Antequera*, que iba a trasladarnos a la península echó a andar. ¡Adiós, Pau, adiós, Escandell! Llorábamos. Escandell sujetó un momento la lancha para gritarnos. «¡No os vayáis!» Pero nos íbamos, porque otro deber nos reclamaba.

Todo es diferente visto desde el mar. Pronto nos dimos cuenta que no teníamos bajo los pies la tierra roja, sino la deslizante agua que al entrar un inesperado barco alemán había dejado sucia. Se fueron fundiendo las aristas de las casas y las manos de nuestros amigos. ¡Adiós, Pau, adiós, Escandell! Se agitaban los pañuelos como si saliésemos a una larga excursión prevista, pero los sabíamos empapados de lágrimas. Subimos al destroyer. La traición de Franco había disuelto las fórmulas viejas dejando en todos los labios un «camarada», que antes estaba reservado para los que estábamos unidos por los mismos compromisos. Zarpamos. ¡Adiós, Pau, adiós, Escandell! ¡Adiós, hermosa entre las hermosas, isla de Ibiza! ¿Qué nos esperaría en ese sitio lejano que nuestros amigos isleños llaman «el continente»? Pronto la bruma de la tarde nos arrebató nuestro Molin del Socarrat donde había quedado sola, titilando, una luz.

Al entrar en nuestra casa madrileña preguntamos por nuestro perro. No estaba. Las noticias habían sido confusas, hablándose de nuestro fusilamiento en la isla y, agobiados, tristísimos, alguien de la casa regaló *Niebla* a un chiquito que venía a retirar las basuras. Fue su aprendizaje proletario. Lo cumplió bien. Atada al carrito madrugó durante más de veinte días, recorriendo las calles madrileñas. Debió ladrar, desesperarse. El chiquillo se resistía a devolverla: «Ladra a los fascistas», nos dijo muy contento de descubrir las habilidades de *Niebla*. Pero no la quería devolver. «Necesito hablar al camarada Alberti», y cuando estuvo seguro de que le iba a recomendar para que lo admitieran de trompeta del 5.º Regimiento devolvió al perro.

Para todos, y para *Niebla*, cayeron bombas. La casa de Rosales de los Albertis y la de las Flores de Neruda, fueron destruidas con todo el barrio de Rosales. El último en salir de los escombros fue el perro. ¡Pobre *Niebla*, rasguñada, perdidos trozos de su hermosa piel! Fue cuando la trajimos a este caserón y la conocieron las Guerrillas. Luego, después del 7 de noviembre, nos acompañó al Pardo y allí hizo su aprendizaje militar. Su gran éxito lo tuvo la tarde que acorraló a un ciervo extraviado del coto real de Riofrío contra los fosos. Otras veces nos acompañaba hasta las trincheras con los oficiales, otras se tumbaba bajo una encina y Alberti escribía, mientras, sus romances de la guerra de España.

Niebla, tú no comprendes,
lo cantan tus orejas...

Pero sí que comprendía y confiaba en la justeza política de sus amigos mayores y ladraba al oír la palabra fascista. Y movió la cola al oír la palabra libertad. Nos la había traído un amigo, sacada de la niebla y a la niebla ha vuelto, ayer, día amargo para las armas republicanas...

Aquí termina la historia de *Niebla.* Todos hemos querido copiarla. Yo tardé bastante en hacerlo y ahora voy a leérsela a Camilo.

—Angelines, cuando esto concluya, cuando todo se aquiete y yo te pregunte como en el cuento de la mariposita: «¿Te quieres casar conmigo?», nos marcharemos agarrados de la mano a que nos case el Papa.

—¡No picas tú alto!

—Es que sin él, Angelines, me temo que no haya boda.

—¿Deliras?

—Nos casará el Papa, tenlo por seguro, y el viaje de novios lo haremos a mi valle.

—¿Hay lagartos?

—Sí.

—Pues no cuentes conmigo, no me gustan.

—Tendrás ovejas y cabras.

—¿De esos bichos que huelen mal? No me gustan; me parece que no voy.

—También tendrás vacas y prados para que pasten.

—¿Las vacas? ¿Y habrá que ordeñarlas? Pero si me dan miedo.

—Y tomarás la leche de la ubre.

—¡Qué asco! ¿Y con espuma?

—Con espuma. O si la tomas en un cuenco le puedes añadir castañas.

—Me gustan más las asadas.

—A mí, hervidas y con anís.

—Pretenderás que yo te me queme, cocinándote. ¡Tramposo, hombre!

—Yo te prenderé la leña y te acercaré las trébedes.

—¿Qué es eso?

—Niña ciudadana, madrileña, manos muertas, marmotilla, comicucha que no sabe nada de nada. Pues es bien sencillo: son unos hierros para colocarlos sobre la lumbre y allí la olla, ¿entiendes? Desde hace tres mil años los ibéricos las usan y tú sin enterarte.

—Ellos tampoco se han enterado de la luz eléctrica y

todos tan tranquilos. ¿Y hay luz eléctrica en tu pueblo?
—Tenemos otras comodidades: la yerba, las nubes.
—¿Es fácil subir a las nubes?
—Según.
—Me parece que a ti te conocen los angelitos de servicio y te dan pase.
—¡Chula!
—¿Y se está bien en algún rincón del cielo?
—Dicen.
—Pues no iré, no me gusta volar.
—Presumida, si no has volado nunca.
—Sí, he volado.
—¿Cuándo, dónde, cómo?
—Hace mucho tiempo, en un aeródromo secreto al que llegamos una noche y en un avioncito de caza, ¿conforme, usía?
—Y te ataron a un árbol y gritaban los energúmenos: «¡Requisada para la Aviación Republicana!»
—¿Cómo lo sabes? Celoso.
—Me lo contó él mismo. Pero ya no podrá verte más.
—¿Muerto?
—No, ciego. Derribaron su avión incendiado. Dice que lo último que vio fue la mano del aviador enemigo que le hacía una seña. Dice que pensó: «Ahora me ametralla», pero no fue así. Cuando tocó tierra el paracaídas, perdió el conocimiento. Estaba abrasado y no se había dado cuenta.
—¿Cómo lo conociste tú?
—Leí a los ciegos una temporada antes de venir aquí.
Bajó los ojos y fue poniéndose roja y tensa. Los puntitos dorados comenzaron a bailarle en las mejillas. Hacía esfuerzos por no llorar y cuando le fue imposible sujetarse por más tiempo, huyó. Huyó y yo comprendí que nuestro juego había concluido. Por primera vez alguien manoteaba en mi corazón, estrujándomelo. Una voz a mi espalda me habló:
—Camilo, ¿ya has pegado a la chica?
Me revolví furioso. Era Juanito Monje. Todo mi aprendizaje, mi paciencia para navegar entre dos vidas y poner de acuerdo pasado y presente, quedó roto.
—¡Qué oportuno eres presentándote donde no te llaman!

—¿Y el recado que te dio Perico Ligero de parte de su paternidad?

—Podías haber esperado un momento.

—Es que ahora te necesito yo. Vamos.

¿Por qué lo seguí? ¿Por qué si Angelines acaba de revelarme lo que eran los celos? Pero tal vez el pasadizo oscuro y maloliente era lo que me convenía. Fue un latigazo tan real que todo el resto se desvaneció.

—¿Dónde me llevas?

—A un lugar seguro para que hablemos tranquilos.

—¿Por qué bajamos?

—Para ir a la casa vecina.

—¿Se puede pasar?

—Estamos pasando.

—¿Quién anda por ahí arriba?

—Los que nos esperan.

—¿Luego no estaremos solos?

—No, pasa.

—Me niego, si no me dices quién.

—¿Una versión poética? Pues Hortensia. Vamos por los muros interiores del palacio.

—No, una versión del siglo XX. ¿Quién nos espera?

—Lo vas a ver.

Subimos unas escalerillas que me recordaron las de mi primer encuentro con los cómicos, las paredes chorreaban agua, podía suceder que mi duende azul estuviese preparado para conducirme hacia las muchachitas que bailaban como caballitos moviendo sus penachos de pluma, la magia teatral de las Guerrillas, su lenguaje alegre..., pero nadie cantó, nadie se rió y únicamente nuestros pasos se iban ahogando al estrecharse los corredores. De improviso, Juan abrió una puerta.

—Pasa, hemos llegado. No retrocedas. Te los voy a presentar.

Ante mí estaban tres personas. Tres personas en un pequeñísimo ámbito maloliente, tres personas iluminadas por una bombilla que por estar en lo alto les daba sombras extrañas en la cara. Aquellos tres seres estaban sentados ante una mesa. Me quedé a pocos centímetros de ellos, pero el corredor se perdía a ambos lados. Nunca pensé situación parecida. Miré primero al frente. Era un viejo vestido de uniforme, completamente blanco de cabellos y de piel, y la luz contribuía a borrarlo. A la derecha un personaje bajo y por estar vestido de obrero y no serlo me pareció siniestro. A la izquierda, como echando el cuerpo hacia atrás para escamotear la luz, ¡el portero de la casa de al lado! No oí las presentaciones y aún hoy no sé con qué jerarcas extraordinarios estuve, seguramente soñé. Pero, no ¡ay de mí!, no soñaba, pues mi presentación me despertó:

—Camilo, coronel; Salvador Pancorbo, coronel. ¿Me oye? Sí, debía haberse ido ya, pero...

—Jovencito, durante horas y horas he estado a la escucha esperando su nombre, ahora veo que se quedó. ¿Tuvo razones valederas para no obedecer la orden?

—¿No habló con usted un triunviro de los que están en la embajada?

—¿En cuál? —pregunté casi sin voz. Afortunadamente, Juanito acudió en mi auxilio.

—Ahora hay que intentar irse por otra ruta. La del Guadarrama es imposible, trataremos de abrir camino por Levante. ¿Enviaron noticias de Perpignan? La señorita Maruja tiene que reintegrarse al lugar en que estaba. Golfín dijo que informará directamente. ¿Lo sabía, coronel?

—Lo sabía, porque Golfín soy yo —dijo el personaje siniestro rascándose algunos pelos desordenados de la frente—. Por lo que veo la cadena funciona. ¿Cuál de ustedes sale? ¿Este muchacho? Pues escúcheme, porque este lugar es insufrible.

—Reventó la cloaca... —murmuró tímidamente el portero.

—Pues debió hacerla componer.

—Con esto de la guerra y todos los obreros irse al frente, no hay fontaneros —se excusó tartamudeando.

—Bueno, escuche: la filtración entre el E. M. no adelanta porque está Rojo, que es inatacable. Sinclair no pudo hablar con él, ¿me sigue? No así Casado. Casado estableció contacto, pero necesita una potencia extranjera. ¿Me oye? Las unidades no están mal de moral. Sin embargo, necesitaríamos otro golpe como el del Partido Obrero Marxista. El objetivo de atraernos otros grupos políticos fracasó. Los comunistas son quisquillosos y exigen más limpieza política que sangre azul para ser grande de España. ¿Me oye?

—Breve, por favor, Golfín, nos estamos asfixiando.

—El problema fundamental es aumentar las disensiones internas: el derrotismo entre la población civil, las denuncias falsas, la inquietud en las colas, etc. Aprovechar las grietas en las dos centrales sindicales. En una, por lo menos, tenemos amigos. Y recuerde méritos contraídos por los que están a mi cargo: campaña contra la formación del ejército popular, financiación de algunos diarios, campaña de rumores contra los privilegios de las Brigadas Internacionales, contra los instructores rusos, contra el pago en oro del armamento comprado por la República, discordias entre los jefes, promesas a algunos militares. Conseguir que en algunos pasquines se llamase al presidente Azaña, el asesino de Casas Viejas; a Largo Caballero, consejero de la feroz dictadura de Primo de Rivera; a Indalecio Prieto, el millonario vasco con la sangre del pobre; a Marcelino Domingo, el negociante; a Negrín, el megalómano, insistiendo en que le gusta la buena carne.

—¿Las buenas carnes?

—No, coronel, no aludimos a las mujeres, sino a la carne de mesa.

—Ah, entendí. ¿Pero no querrá usted que este inocente lleve todo eso en la cabeza?

—Dijeron que era actor y memorizaría el informe.

—Pero tendremos que dárselo, ¿verdad, Golfín?

—Lo leerá y lo romperá. Éstas son acotaciones para que pueda explicar ampliamente. La oficina de Perpignan funciona con dificultades. Desde que sacó de la cárcel al dirigente de la organización amiga, parece que se han dormido. Bueno, eso lo hizo el servicio alemán, pero ahora...

Se calló, como si hubiese hablado mucho; desconfiado, me clavó los ojos. Yo sentí latirme el estupor, la impotencia. Me parecía imposible resistir aquel olor y aquellas gentes y el descubrimiento brutal de todo aquello presentido por mí, pero nunca visto abiertamente. Debí tambalearme, porque Juanito me tomó del brazo. Estaba atrapado. Era inútil revolverme, pero ¿quién había dado mi nombre para la misión secreta?

—Debe darse cuenta exacta de lo que queremos decir: no hace falta de sublevación militar si se consigue que las Brigadas Internacionales se retiren. Consiguiendo esto de nuestros amigos ingleses, basta. Efecto desmoralizador seguro. Pedir que Inglaterra envíe su hombre a hablar con Casado. Al llegar a tierra liberada nos hace transmitir exactamente: «Salvador Pancorbo llegó bien.» ¿Entendido? Aquí está el informe.

Alargué la mano. Juanito Monje fue más diestro.

—Aprovechará el viaje a Levante. Juanito comunicará la fecha aproximada al coronel.

—¿No estás contento, hijo mío? ¿No es maravilloso exponer la vida por Dios, por España, por el Caudillo? No olvides detallarle nuestras penalidades y hablarle de esta cloaca donde nos dejas, para que se apresuren. Dile que las piernas se me han atrofiado, que mi mujer es una heroína. ¿Entiendes? Porque en ti ponemos nuestra confianza, en tus manos está nuestra vida y la de muchos de los que aguardan que la Puerta del Sol dé la hora de la Liberación Nacional. Y ya no pego ojo, pues la alegría de ver a nuestro general en su caballo blanco y su guardia mora abriendo marcha, es bastante alivio para la desazón de estos pobres huesos míos. ¡Ay, y encontrar un sacerdote para decirle mis pecados!

Me solté bruscamente del brazo de Juanito. Había tomado una decisión. Les quise gritar cuánto me repugnaba todo aquello, justo en el instante en que Juanito Monje me empujaba contra la mesa, diciéndoles:

—Y yo también quiero que diga lo que hacemos los que nos rompemos los pies por el Caudillo, expuestos a caer en el otro servicio secreto, el de los rojos. ¿Creen ustedes que son niños inocentes que se chupan las manos? No, el ir por la calle con la cara descubierta, el inventar la forma de eludir los perros, el camuflarse ¿no es un trabajo? El que Panchita haya pensado en Camilo mejor que en otro, ¿por qué es? Pues muy sencillo, porque es un sacerdote. Coronel, ¿no necesitaba usted uno? Aquí lo tiene, y no me dejará mentir.

—¿Sacerdote? ¡Me lo dijo la señora Panchita y sobrino suyo, además, o cuñado o algún parentesco tiene! —intervino muy solícito el portero—. Y a mí me parece muy puesto en razón que hable de los pobres que apoyamos al Caudillo, porque luego llegan los que yo me sé...

Pero debió guardarse su sabiduría porque ya el coronel estaba casi sobre mis ojos, alto y lívido, temblándole las mandíbulas:

—¡Dios me lo manda! —y saliendo a empujones de detrás de la mesa se tiró a mis pies—. ¡Reciba mis pecados! ¡Absuélvame! ¡Déjeme el alma limpia de malas horas y pensamientos horribles! ¡Láveme de palabras soeces que se me escapan en esta soledad, y de blasfemias y de injurias, porque hay veces que todo yo me voy hacia la locura y veo al Generalísimo ayuntado con potros, mientras lo soflaman las camisas de coros de monjas, y llegan adulones que le marcan medallas y cruces hasta por el trasero, sin darme tiempo a mí de acercarme! Y cuando quiero alargar la mano para pescar en el río revuelto me la cortan y vuelve a crecerme y veo que me atropellan y se me adelantan, y gimo, y luego los veo en cuatro patas ante un trono. Y en ese trono está sentado un rey, y el rey da una palmada y todos corren moviendo las nalgas hacia el rincón de los tesoros. ¿Por qué veo un rey? Vuelve la cara y es el Generalísimo. Pero éstos son disparates que mi Señor tendrá que recibir en las alturas, pues todo es para su servicio. Como para su servicio es cuanto hacemos aunque hayan caído inocentes, pues la inocencia nos salvará y el Cordero no tendrá en cuenta la sangre, ¿verdad? ¡Absuélvame! ¡Me pongo en sus manos! ¿Verdad que puedo dormir y todo fue en servicio de Dios? ¿Verdad que nada tuve yo que ver con aquella bomba de mano que tiramos en el patio del colegio? ¿Verdad que aquellos hijos de rojos habían ido allí inesperadamente? ¡Cómo iba yo a saber que estaban jugando! ¡Sálveme! ¡Yo soy un hombre bueno! ¡Ya expié bastante aquí metido! En esta inmundicia, en esta soledad, en esta espera... ¡Absuélvame!, y Dios apartará de mí estos pensamientos y podré dormir y loará mi lengua al Señor por los siglos de los siglos.

—Bendice, cobarde —musitó apenas Juanito tomándome con tal maña el brazo que casi grito. Todos estaban asombrados; únicamente Golfín acertó a encerrarme genialmente:

—Absuélvanos a todos, padre. Cuanto le hemos dicho aquí recíbalo como secreto de confesión.

Dudo que jamás en el mundo haya habido un silencio como aquel silencio. Mi mano, siguiendo a mi brazo levantado por Juanito Monje, estremecía el aire. ¡Yo, yo bendiciendo aquello y aquellos seres en nombre de Dios! El olor amoniacal se hacía insufrible. Golfín estaba deseando marcharse y nos despidió con un «Buena suerte en su trabajo».

Tuvo que tirar de mí Juanito Monje. Salimos al pasadizo. Desandamos los corredores y las escaleras. Corrimos como si huyésemos. Al llegar a la serenidad de un patio, todo se me deslizó en el olvido. ¡Aire, aire, en el mundo había aire! Juanito Monje me tocó el brazo:

—Hasta luego.

—¿Y el informe?

—Hay tiempo. Cuando lleguemos a Levante, hombre.

—A mí no me gusta que entren en mi vida sin llamar, y tú acabas de hacerlo.

—¿Es que el señor cura no estaba ya comprometido con su Iglesia?

—Con mi Iglesia sí, pero no con vosotros.

—¿Tu Iglesia se llama Angelines?

—Inmundo. De manera que llevas tus soplonerías a Panchita y acabas de sellarme los labios.

—Me alegra que te avengas a razones.

—Pero mis labios sellados no quiere decir que no os escupan.

—Cualquiera diría al verte subir esta escalera hablando alto que te voy persiguiendo deshonestamente.

Y agarrado de la barandilla de terciopelo se reía, provocador. Tuve la seguridad de poder aplastarlo. ¡Yo sé, Señor Dios mío, yo sé lo que es sentirse homicida, yo he notado en la punta de mis dedos el remolino de la sangre agresora, se me han afilado las uñas, se me han encogido las palmas! Gritaron lejos y dentro:

—¡Camilo!

Y Camilo sintió cómo le flaqueaban las piernas al oírse llamar hacia la vida y bajó las manos. Juanito Monje debió interpretarlo contrariamente, porque antes de que mis piernas hubieran descendido dos escalones levantó el puño y me hizo rodar sin sentido.

No le tengo rencor. Entonces tampoco se lo tuve.

Aquella hora tendido al pie de la escalera fue deshaciéndome, desbaratándome, porque volví en mí y, sin embargo, me quedé tendido. ¡Otra vez volviendo a la vida! Como entonces los celajes se me interpusieron, pero no había rostro inclinado hacia mi resurrección. ¡Para qué volver a la presencia de las cosas si todo va a ser distinto!

¡Para qué abrirme paso entre esta niebla si estoy tronchado, roto en dos! ¡Para qué, si todo mi aprendizaje de hombre va a ser inútil! ¡Días y días aprendiendo el valor del tacto sobre la piel de una muchacha, el peso de su cabeza en mi hombro, la lisura de sus cabellos, la palabra precisa para que no huya y el ademán minúsculo del roce! Aprenderlo todo de nuevo, como si naciera, pues nada me servía, y tenerme que quedar llenos los poros y la sangre de atisbos, ya que aún no sé la manera de desnudar a una muchacha, ni si he de apartar los ojos o arrebatarme o contenerme o estrecharla como una ciudad a quien se cerca. Inútil abrir los ojos, incorporarme, mirarla, porque todo ha cambiado. ¡Angelines! Cuando la encontré estaba en pleno ensayo de las Guerrillas.

—Camilo, vamos, ven, tienes que hacer de perro en el entremés de Quiñones de Benavente. Lo tenemos que estrenar en Levante.

—¿Preparados? ¿Listos para zarpar? ¿Tenéis algún impedimento? Os advierto que tardaremos en volver. Estamos de moda y nos reclaman de todas partes. A la vuelta seguiremos la discusión.

Nunca me ha parecido más contento nuestro auto. Piafaba. Manolo había colocado las cosas con tanto arte que hasta cupieron unas escandalosas maletas de Juanita.

—¿Qué llevas ahí?

Me confió maliciosamente:

—Las llevo vacías, pero las traeré llenas de naranjas.

Entonces me di cuenta de que llevábamos gran cantidad de cestos y bolsas y maletas vacías para llenarlas de naranjas. Mis guerrilleros, obedeciendo a las instigaciones familiares, pensaban en su hambre. La lluvia que se presentó tristona y persistente no pudo con su alegría y cantaron, aunque a Cotapos lo hubiésemos perdido en el trasiego de la guerra y el canto sonase un poco melancólicamente. ¡Cuántas caras llegaron hasta nosotros, las miramos un momento y las perdimos! Para detener el tiempo me acomodé junto a Juana. Juana era inmutable. Valientemente aceptaba todos los cansancios, todos los caminos y hasta todas las bromas. Todas, no. En una era intransigente: su fe en el partido, en su Partido. Pero me gustaba oírla hablar y en la luz gris, tristona y persistente, llena de augurios de melancolía las casuchas de las Ventas me parecieron más humildes aún entre la tierra plegada y arrollada como alfombras viejas. Ni los árboles parecían árboles, y el horizonte, muy enlutado, nos decía tormenta. No es muy divertido viajar lloviendo; la humedad os desborda por los pies y sube hasta enfriaros la garganta. Los cómicos tememos mucho esa sensación de las cuerdas vocales. Delante de mí Dorotea se estremeció. Juana callaba y no sé quién, al intentar cantar una copla, se quedó solo con su estribillo, apagándose pronto todo intento de alegría. Dorotea debía tener los ojos cerrados y yo me reproché el llevarla hasta un frente en pleno combate. No, no debía ir. Desconfié de su modo tranquilo y del olvido que parecía hacer de sus muertos. Había tenido fe en ella antes gracias a su novio, pero ¿no debía sospechar al haberme dicho: «Cuídate, Claudio»? Intentó, como todos, fabricarme un rincón más tranquilo para mis pensamientos y llamar a algún recuerdo amable. No pude. La alegría de salir de Madrid se me diluía en la lluvia que comenzaba a batirnos los cristales finamente. Nuestro viaje iba a ser lento e incómodo. Tomé del brazo a Juana y me consoló el roce con su seno florido de muchacha que no se rinde. El agradecimiento de sus ojos maduros fue instantáneo.

—¿Por qué dijiste anoche que no te gustaba leer obras de teatro?

—¿Yo? —me contestó desconcertada.

—Creo que fuiste tú, comicucha. Si no se puede creer en vosotras. Os falta pasión. El actor es un cómplice peligroso. ¿Ves? A ti, gran comedianta, ¡no te gusta leer teatro! Y eso que tú no eres como nuestra Rosario Pino, aquella fabulosa analfabeta a quien leían los papeles para fijárselos en la memoria. ¡Ay, Juanita, qué miedo me entra al pensar en el porvenir! ¿Qué tendremos que hacer con el teatro? España será como una ensaladera donde batiremos los más diversos ingredientes. ¿Qué gritaremos a nuestros espectadores? Porque anoche dijimos que la dramática española era un grito violento.

—Toda nuestra historia, Claudio, no lo olvides.

—¿Gritamos porque estamos naciendo o porque morimos?

—Ya te dije que las mujeres gritamos para defender nuestro honor ultrajado o por ultrajar. ¿Te acuerdas?

—Te he visto hacer la Casilda del *Peribáñez* y la Laurencia de *Fuenteovejuna*, obras todas donde nadie llora.

—Es que en el teatro español no llora nadie.

—Y con él, tampoco.

—Con él, sí, pero no a lo ñoño y por cosillas de sentimientos pequeños, sino a lo grande. ¿Qué me dices de *Numancia*?

—Allí lloramos sobre nosotros mismos, Juana, sobre nuestra situación especial de cercados y sobre la muerte que nos va llevando hacia la última réplica.

—¿Y *Reinar después de morir*? —terció Dorotea, volviendo sus miradas hacia nosotros.

—Ése es nuestro primer drama romántico.

—¿Y *Las mocedades del Cid*? —intervino Camilo.

—Vamos, ¿quién va a llorar con Jimena, que resuelve su venganza casándose con el matador de su padre?

—Sí, tienes razón. Con Hécuba o Antígona es distinto. La tragedia se da mal en la literatura española.

—Camilo, eso pasa desde Lope, porque Cervantes tiene un tono.

—A mí me daba pena que *Numancia* no terminase en boda. ¡Pobres! Después de tanto sufrimiento juntos, los dos enamorados tienen que morir. Eso no es como para que salga el espectador muy alegre. A mí me parece una injusticia.

—No tuvo la culpa Cervantes, Angelines, sino Scipión Emiliano. Numancia es una verdad histórica. ¿No te habías enterado aún?

La pobre niña se nos quedó suspensa, pero aprovechando nuestro silencio se irguió dentro de su traje azul de guerrillera y, golpeando como distraída el vidrio de su ventanilla, comenzó:

Sobre mi verde traje de trigo y sol han puesto
largo crespón injusto de horrores y de sangre.
Aquí tenéis en dos mi cuerpo dividido:
un lado preso; el otro, libre al honor y al aire.

—¡Ya te has aprendido mi papel? —saltó Juana—. Pero esta vez me toca a mí y yo seré España. ¡Ah, eso sí que no! En *La cantata de los héroes* yo soy España. Ahora es muy distinto. Las Brigadas Internacionales se van, nos dejan sus muertos, trozos de su vida, su sangre y la memoria de su valentía. Yo los vi llegar. ¿Ha pasado algo para que nos los quiten? No puedo conformarme. Tonta, ¿para qué has dicho esos versos justo hoy que llueve y vamos por una carretera, las dos cosas que me ponen lo más melancólica del mundo? Dicen que es conveniente que se vayan, pero así, de la noche a la mañana, no sé por qué me pone triste. ¿Por qué razón si ellos se van ganaremos mejor la guerra?

—Juanita, tu partido ha votado con los demás —le dije sonriendo, al ver que su ortodoxia flaqueaba.

—Mi Partido sabe lo que nosotros no sabemos de tironeos y zarandajas internacionales, pero hoy te declaro que a mí me parece como si nos hubiesen metido en medio de un bosque con un palo, y justo, al ir a llegar los lobos, nos quitasen el palo. No me vas a hacer decir una cosa por otra, no me mires. Sé que hay un ejército, gracias a mi Partido, que te conste; sé, además, que el Frente Popular francés exige el retiro de los voluntarios para mandar armamento, pero, ¿llegará?

Juanito Monje abrió un ojo, despertó de su sueño y aclaró:

—La no intervención tiene por origen la ayuda extranjera a la República.

—¿Cómo? ¿Y los alemanes? ¿Y los italianos? ¿Y el avión que cayó en Ciudad Real? ¿Y los prisioneros de Guadalajara? ¿Y la división Cóndor y la Littorio, y los submarinos, y el hundimiento del *Sibiriakov*, y el bombardeo de Almería por los alemanes?

¡Cómo chillamos todos!

—Y el Alto Mando franquista felicitó al Deutschland por la hazaña de bombardear Almería, ciudad al parecer situada en el Congo y habitada por hotentotes y no por españoles de la misma sangre que el Caudillo, la misma raza, la misma religión, el mismo idioma.

—¡Protesto! Ni la misma sangre, ni la misma religión, ni el mismo idioma. Ellos son bárbaros de origen, mahometanos y protestantes de religión, alemanes, árabes e italianos de lengua.

—*¡Tovarich!* —graznó Juanito levantándose, fingiéndose oso.

—*¡Aus Rauch!* —parodió Monsell dentro del estrecho pasillo imitando el paso de ganso.

—*Partepipi fiorello bambino*, calla, calla que Manuel nos lleva a la cuneta. ¡No te rías más, que volcamos!

—Pues que retire lo de *tovarich* —insistía Juanita—. Hay cosas divertidas y otras que suenan a ordinarieces. No lo consentiré.

—Pero no lo tomes en serio, Juana, si el chico es un infeliz osezno de Asturias.

—Bueno. Que retire Juanito la insinuación. Yo no consiento que nadie tome a broma a Rusia. Desagradecido, idiota. ¿Quién nos ayudó cuando todos nos echaban al cesto de la basura? ¿Quién se negó a firmar nuestra sentencia de muerte, que toda Europa firmaba sin pestañear?

—¡Buenos duros que nos cuesta! —insistió Juanito atrincherado en su rincón.

—Y los otros ¿han querido vendernos? ¡No, los otros lo que quieren es comprar conciencias y dictadores! ¡Y la paz! La paz a costa de que España se convierta en una basura si vence Franco. ¿Qué les hemos importado los españoles? Nada. Siempre nos tuvieron por el peligro de Europa, los salvajes, los africanos. ¿No empezaba África en los Pirineos? ¿No se vendían mercancías francesas con el letrero: «*Pour l'Espagne et pour le Maroc*»? ¿No vinieron a hacer un ferrocarril los ingleses, precisamente el Santander-Mediterráneo, y yo los he visto tratar a todos los campesinos españoles, a los señores españoles, a las señoras españolas, a los obreros españoles como si fuésemos una colonia inglesa? ¡Ay, niño, tú eres demasiado tierno para entender de política!

Yo estaba maravillado oyéndola. ¿Pero de dónde había sacado esta mujer tanto buen sentido y tanta erudición? Estaba juvenil, brillantes sus ojos, que son pequeños y grises, dardeaba aniquilando al pobre Juanito.

—¿Y sabes por qué lo que has dicho es intolerable? Pues porque la que está amenazada por el fascismo es la Humanidad entera.

—¡Vamos, déjanos de consignas! —replicó también levantisco Carlos Durán, a quien no sé por qué irritan las discusiones.

—Os hablo en consignas porque sois muy débiles políticamente para entender otra cosa que jaculatorias.

—¡Bravo, Juanita! Así me gustan las mujeres.

—Pues a mí asadas y al horno.

—No seas bestia. Juanita nos está demostrando que es una camarada ejemplar y se preocupa de nuestra instrucción política, como desea su partido.

Se puso roja, le temblaron las sienes y esos lugares imposibles de estremecer: los huesos, el pelo.

—Mi Partido, lo que desea, es ganar la guerra y saber por qué la gana, y para quién y contra quién.

—Contra el franquismo.

—No, contra todo lo que le sigue: los privilegios, el hambre, la miseria organizada, los grandes terratenientes, la Iglesia inculta, la opresión de los demasiado poderosos.

—Vamos, el quítate tú para ponerme yo —insistió Juanito, impertérrito.

—Eso, y pondremos a los limpios de conciencia, a los que han pasado siglos de hambre, a los buenos sacerdotes que todavía creen en Cristo —fíjate si será grande—, después de todas las atrocidades que se han autorizado con su nombre. Y a los que quieren ver una España limpia, evolucionada, libre, demócrata y no fascista.

—¡Olé, la diputada por las Guerrillas del Teatro!

—Dejadme tranquila. No me beses, Claudio, yo no soy más que una cómica, pero también discurro, lo que parece se os ha olvidado hacer a vosotros.

—Si pienso casi como tú, Juanita preciosa, si te quiero desde el día que te conocí, ¿recuerdas?

—Buen cretino eres tú. Vas a decirme que me conociste haciendo *La noche del sábado*, de don Jacinto, que se estrenó en 1903.

—¡Cómo voy a decir eso, Juanita! ¡Si empezaste a los veinte años y entonces tenías dieciocho!

Me quiso arañar, pero la discusión estaba cortada y nos habíamos olvidado de la lluvia, mejor dicho, casi comenzábamos a aquietarnos cuando Manolo, que siempre iba tan atento al camino y apenas si hablaba nunca y aceptaba sólo un cigarrillo de cuando en cuando, detuvo el coche en seco.

—¿Qué ocurre? —le pregunté levantándome a medias—. ¿Aviones?

—No, compañeros, pero quiero decir que la camarada se ha expresado bien, vamos, que la camarada Juanita lleva razón. Ese telegrama de que se retiran los internacionales me hizo agraz la boca. Lo dijo Stalin, ¿no, compañeros? «La lucha contra el fascismo no es sólo patrimonio de los españoles, sino de toda la Humanidad Progresiva.» Pues los de las Brigadas, digo yo, serán los de la Humanidad Progresiva y no hay por qué hacerles el feo de que se marchen.

—Pero si no se marchan, infeliz, los echan. ¿No entiendes? —gritó de nuevo Juanita—. Los echan los fascistas que hay emboscados en todos los gobiernos de los países libres, tonto. Para mí eso de ser fascista es como tener los ojos azules o ser jorobado: se nace y no se hace.

—Entonces, camarada Juanita, el camarada Negrín está equivocado en eso de aceptar. Ni por oro, ni por armas, ni por aviones, ni por... debíamos dejarlos ir.

—Pero si estamos más solos que la una, simple —intervino Juanito Monje—, si duramos demasiado, si están hartos de guerrita de España, ¿no te das cuenta?

—De lo que me doy cuenta es de que si Hitler gana aquí, luego se marchará allá. Vamos, que empezará el pastel por otro sitio.

—Sí, contra Rusia.

—O contra Francia.

—Más gana le tiene a Francia por lo de la guerra del 14 y por el Tratado de Versalles.

—«Resistan ustedes hasta que los laboristas tomemos el poder. Hellen Wilkinson.» ¿No recordáis? Sí, hombre, la laborista inglesa que vino a Madrid con míster Attlee para reforzar nuestra moral. ¡Lo que es si aguardamos la ayuda inglesa hasta que lleguen los laboristas al poder!

—Que se la guarden. Me acuerdo que lo dijo en el Teatro Español mientras representábamos *Fuenteovejuna.* «Cañones y aviones y menos charla», gritaron desde el paraíso.

—¿Y cuando llegaron aquellos otros señores que pasaban el dedo por las molduras del trono del rey para investigar si tenía polvo? Muy ingleses, pedían agua caliente para bañarse y nos explicaban cómo se debían guardar las armaduras, untándolas de glicerina y envueltas en papeles de seda, pieza por pieza. ¿Y el carbón y la glicerina y los papeles? ¿Por qué no preguntan ustedes cuántos muertos hizo el bombardeo de anoche? ¿Qué come el pueblo de Madrid? ¿Hace cuántos siglos pasa frío y no se puede bañar? ¡Eran chistosos! ¿Y los diputados norteamericanos? Aquéllos comieron en la Alianza y nos pidieron que cantásemos algo. Cantamos *Puente de los franceses* y las coplas de la defensa de Madrid, pero ellos habían oído otra clase de música española: guitarra y cante. Nos parecieron tan estúpidos que Serrano Plaja, Aparicio y no sé quién más se vistieron de caballeros calatravos, bajando entre una fila de disfrazados de todos los colores. Fue un éxito. Sentados en ruedo improvisaron una juerga mayúscula y disparatada. En medio del tumulto y la bulla apareció Modesto. Modesto, muy de uniforme de general, con su ayudante. Hicimos las presentaciones y hablamos del caso extraordinario del muchacho del Puerto de Santa María, convertido en gran jefe militar. Yo noté que sus labios de raza fina, descendiente de aquellos fenicios triunfadores de Tartesia, estaban bailándole de risa. «Pero qué malange tenéis ustedes, muchachos. ¿Eso es cante? Traigan la guitarra. Si hay que divertir a estos cabrones para que nos manden armamento, pues olé, y andando, ¡arza!»

Yo quise contarles aquello, lo que era nuestra inmediata historia, para que ninguna fisura se produjera entre mis guerrilleros. Muchas veces habíamos discutido, pero en aquel ómnibus lluvioso camino de Levante con las malas noticias que se filtraban de los frentes, la discusión tomaba mal tinte. ¿Nos estarían venciendo? Manolo terminó de liar un cigarrillo y puso el coche en marcha, pero antes de arrancar nos soltó:

—Si todos, desde el último al primero, cumpliesen con su deber de no decir bulos ni embustes, otro gallo nos cantara.

—Razón llevas, hombre, razón —apoyó Juanita—. Y si alguno que yo me sé se largase al frente a dar hasta su última gota de sangre por la victoria...

El coche arrancó entre risas.

Al sentarme de nuevo veo que el sol me ha favorecido dorándome estas páginas. Hace meses que debieron ser rotas, pero me detuvo el no saber dónde tirarlas, aunque tengo un estanque, un gran estanque que llamamos la balsa, justo a los pies de mi celda. Pero debe ser que no me atrevo a separarme de estos recuerdos que sin concierto voy amontonando, de estas pruebas de mi cobardía. Por unas horas pensé depositarlas en el correo, conforme tengo oído que hacen los criminales para desembarazarse de obstáculos molestos, pero ¿para qué y a quién? ¿Adónde dirigirlas si ya no queda nadie? ¿A qué dirección si todo ha sido aventado sin casi despedirnos? Por la noche vuelvo a escuchar la querida, querida voz de Claudio: «Duerme, no tenemos noticia de que ninguna bomba haya matado a un cómico.» Y entonces aprieto mi cara contra el colchón y en la negrura están todos, todos mirándome llorar. Estoy hecho un pobre fraile anonadado y vacío, un traje que anda por estos corredores, aterrado de que alguien se dé cuenta de lo lejos de todo esto que vivo. Dorotea ha debido casarse; Juana estará almidonando sus blusas escotadas y obscenas; Monsell intentando oscurecer a Shakespeare, ¿Y Cotapos el clavero admirable de mi iniciación teatral, la llave maestra de mi sueño? La Pepa, montada en su bicicleta de chiquilla, aquella que siempre fue prestada. ¿Y Carlitos Durán? ¿Y Perico Ligero y su sutileza para distinguir a los huéspedes? ¿Y todos aquellos seres que me aventajaban en imaginación, ricos en fantasías, en juvenud, en entusiasmo? ¿Y los poetas, los pintores, los músicos? ¿Se habrá quedado España sin voz, sin canción? ¿Y Claudio? Todos se me han sumergido en un lecho de agua y veo sus figuras temblorosas en mis ojos.

Hoy, al apretar mi llanto, volví a verme...

¡Qué lugar absurdo! Mi facha era tierna y estremecedora. Jamás pensé estar en tan íntima compañía con un asno.

Justo al lado de mi cabeza, que luchaba por colocarse una peluca, estaba *Sonajero*, intentando besarme con sus hocicos rosa. *Sonajero*, incómodo vecino que se empeñaba en mirarse en mi espejo y me obligaba a defender mi derecho a reflejarme dándole patadas. No podía pedir mucha ayuda porque todos los guerrilleros andaban como don Quijote en Sierra Morena, en pernetas, y de tanto reírse no acertaban a echarme mano para librarme del rucio. ¡Pobre *Sonajero*! Las Guerrillas del Teatro habían invadido sus dominios, que eran justo un pesebre en una corraliza, pero *Sonajero*, burro de buen humor, pretendía enterarse del porqué de nuestra osadía y metía las orejas peludas y grises, plateadas y largas, puntiagudas y espesas de terciopelo como las de su hermano de Moguer, aunque éste lo fuera de Cuenca. Después de olfatear los cofres y no sé si hasta de ponerse nuestros trajes de escena, largó un rebuzno de satisfacción. Había comprendido y nos cubrió de su baba risueña en tal copiosidad, que los cómicos lanzaron juramentos antiasnales casi con la misma violencia que los ensalivaba el asno. Seguramente, por ser el lenguaje al que lo tenían acostumbrado los rústicos, no se conmovió y únicamente cuando Carlos Durán le largó una patada muy certera en la grupa conseguimos hacernos respetar por *Sonajero*. ¡Qué respeto más de asno! La emprendió a coces y todos huimos a medio vestir dejándole el campo. Sirvió esto para que saliésemos de la corraliza a un patio y en el patio estuviesen las criadas de la especie de posada donde parábamos en Motilla del Palancar. Las necias se morían de risa, asomadas a los ventanucos que agujereaban la pared más sucia que encalada y se dedicaron a abrir y cerrar los postigos en medio de una lluvia de burlas. Nos desquitamos —se desquitaron— con ciertos signos que averigüé en esa ocasión, tienen un significado procaz. Pero las descocadas retrucaron con palabrotas del diccionario íntimo para uso de arrieros y para abuso de maritornes. Mas todo es admisible en la vida de cómico, así lo dijo Claudio fastidiándonos con su Francisco de Rojas y su cita de *El viaje entretenido*: «Los cómicos en aquellos tiempos felices vivían contentos, caminaban desnudos, comían hambrientos, espulgándose en verano entre los trigos y en el invierno no sintiendo con el frío los piojos...»

—¡Sí, pero no les coceaban! —arguyó Monsell, que había sido uno de los favorecidos con la ira de *Sonajero.*

—Es que debes oler a coles.

—¿A coles?

—Por eso te persiguen los burros.

—¿Y no será burra?

¡Pobre *Sonajero,* indiscreto y juguetón! No habían concluido de preguntar si era asna o asno cuando, suelto del rozal, apareció en la puerta de la corraliza. Nuevo alboroto concluido por un niño que se lo llevó detrás como un manso cordero únicamente con decirle:

—¡*Sonajero,* sus, quieto! ¡*Sonajerito*!

Sacaron al burro, pero nos dejaron las mozas cervantinas que cacarearon al ver a Paquito Bustos disfrazado de sacristán. Monsell, por su parte, mientras se colocaba el coleto de capitán de los tercios, había pegado la hebra de su atención con una moza, que debía ser más joven porque apenas si asomaba la cara y un pelo rizoso de escobilla. Todos se amontonaron a mirarla.

—¡Fuera, fuera que yo la vi primero!

—¡Vaya compañerismo, una mujer para ti solo!

—¡Pero si yo me enamoré antes! ¡Atrás, fulleros!

Entonces todos le cantamos:

—No me los ame nadie
los mis amores, eh,
no me los ame nadie,
que yo me los amaré.

Debimos cantar con afinación inesperada, porque las mozas se conmovieron y hasta llegaron a bajarnos un balde de agua casi limpia. Nos precipitamos a él, pero las mozucas se apresuraron por su parte a alzarlo, bautizándonos con su contenido. Aquello no podíamos dejarlo así y trepando unos en los hombros de otros alcanzamos el alféizar, vociferando como demonios, prometiendo vengarnos en las posaderas de las posaderas, y si no lo cumplimos fue porque el tío Tocana, alcalde de Motilla del Palancar, nos mandó a su alguacil con un lebrillo y un cántaro. Detrás apareció su figura:

—¿Pero están cazando tordos? ¡Esas endiabladas! ¡A que les han tirado un bacín! Pero si voy a retorcerles...

No les retorció nada porque era un infeliz gordo, tripudo y bueno. Tuvimos que aclararle que la prueba del bacín no nos había alcanzado y estábamos dispuestos a perdonar lo del agua.

—Pues sí que me alegro, porque yo soy socialista, y si se enteran los comunistas que os ha sucedido algo... ¡Ay, mi madre, con esto del Frente Popular todo son teclas! ¡Con lo rebién que estábamos cuando los partidos hacían cada cual su política!

—Eso sería hace mucho tiempo.

—Claro, con Romanones.

—Pero, compañero, tú no serías socialista.

—No, yo era ciervista. ¿Os acordáis? Un señor muy limpito de Murcia.

Claudio encontró difícil dialogar con el buen hombre de políticas que pasasen del año 36, por eso cambió, palmeándole:

—¿Y gustan por aquí las comedias?

—Las alegres, mucho; las tristes ya nos las fabricamos nosotros. Así que música y que se muevan las mujeres.

—No tengas miedo, camarada, nos recordaréis durante mucho tiempo.

—Eso sí, que memoria no nos falta. Creo que aún se comenta lo de aquel hombre que se tragaba de un saque tres cuchillos.

Yo miré a Claudio; Claudio dejó su párpado derecho graciosamente abierto y asomó a su pupila la duda, la perplejidad en que lo ponía el alcalde. ¿Estábamos las Guerrillas a la altura del tragador de sables? ¡Qué miedo! Cada uno se puso a esperar la hora con esa horrible inquietud sobre sus posibilidades.

Claudio salió y aproveché para salir también hasta una esquina. ¡Qué soledad! Por un ancho muro perdido caminaba nada más que el sol y el sol por la calle, sin descanso, y el sol hacia las nubes. Nadie y nada, todo silencioso y lejano y en vilo. De un muro a otro, impresionante como el destino de una raza sin bordes y el todo fundido en el cielo. El cielo casi sin azules, solitario, sin asidero, sin ventanas como si fuese un muro más y todo hacia lo alto. Dejé el muro y miré otro muro y más allá la torre de cuatro muros y todo de blancura lechosa. Nada inútil, ningún capricho, apenas si un balcón con los hierros pintados de cal y unas cigüeñas. Los ojos se me destemplaban de mirar, hasta que las miradas encontraron el reposo de una grieta. Había muchas grietas, muchas filtraciones y culebreos en los muros y las inesperadas yerbas locas, pero todo inmóvil. ¿Desde cuándo estaban inmóviles? ¿Desde qué siglo?

—¡Fiesta en el Corral del tío Tocana!

¿Por qué grieta de aquellos muros se había filtrado el pregonero? Detrás de él y por las hendiduras misteriosas que sólo ellos conocen, salieron algunos chiquillos. ¿De dónde les llegan sus caras de viejos y tal vez sabiendo tanto como los viejos? Pregoneros y niños se requemaron de sol inmediatamente. Al tamborileo Monsell salió en mi busca:

—Camilo, ven a concluir de vestirte. Claudio tiene prisa por empezar.

Pero Monsell con su chambergo atrajo a la chiquillería como agujas un campo imantado, y allí fue nuestro apuro.

—Eh, cómico, ¿quieres una guinda?

Y comenzaron a bombardearnos con los huesecillos de no sé qué fruta de estación que chupaban primero y luego metían en una caña hueca. La cerbatana hizo blanco en alguna delicada parte de Monsell, porque lo vi volverse, sacar la tizona y emprenderla a cintarazos con el viento. Estaba fuera de sí, infanticida y cómico, pero los huesecillos continuaban y tuve que protegerme, yo que me reía, entrándome más que ligero en el patio.

—¿No te parece que debería haber una ley que impidiese el tránsito de niños menores de veinte años?

—¡Fiesta en el Corral del tío Tocana! —seguía el pregonero, esforzado paladín contra el vacío y el silencio. ¡Fiesta! ¿Pero sería posible que allí hubiera nunca fiesta? Y fue posible.

En aquel pueblo, sin ninguna flor, comenzaron a abrirse las puertas. Salían gallinas, incomodadas en su siesta; perros, de los que nunca faltan; niñas, de las que se componen para que las miren; mujeres de miradas vagas que no se dejan sorprender de novedades así como así. Llegaron lentamente hasta el corral del tío Tocana. Apresurarse, no se estila. El patio estaba sombreado por un olmo cabezudo y parras ligeras aún de hojas. Para dar tiempo a que se llenase el *anfiteatro*, salimos hasta la calle. Observé que llegaban mujeres en grupos con un banderín rojo. Los primeros años de la guerra era costumbre muy corrida el encontrarnos en los pueblos con muchas banderas rojas como protegiendo cada casa. En Motilla del Palancar era la primera bandera que veíamos.

—La moda de las banderitas ha bajado. Antes era un diluvio. En Toledo me encontré con un alcalde, maestro en capear galernas, que encontró una solución magnífica para su posición de fronterizo. Mandó hacer la misma cantidad de banderitas rojas y monárquicas. Sus escuchas y adelantados le traían el parte: «¡Republicanos!» Y él daba su bando: «Por la gracia de la República, parece que llegan amigos del pueblo. Ordeno y mando: que los vecinos de este pueblo engalanen sus casas con la bandera de rigor.» Que llegaban los franquistas, pues daba otro bando: «Por la gracia de Dios, parece que llegan amigos al pueblo. Ordeno y mando: que los vecinos de este pueblo engalanen sus casas con la bandera de rigor.» Se cambiaban las banderitas, se preservaba al pueblo y él siempre era el alcalde.

Cuando Claudio concluyó su cuento, la calle rebosaba. Había sobre todo perros. Perros que olisqueaban el curtido de nuestras botas, un escuadrón estrepitoso que se metía, muerto de hambre, pulguiento y sarnoso, entre nuestras piernas. Volvimos a entrar al corralillo antes de que aquellos muertos de hambre comenzaran a comernos por los pies. Cerramos la puerta y las mujeres se encargaron de espantarlos. Pero quedó con nosotros el culpable de la persecución perruna. Paquito nos miró muy triste.

—¿Qué te sucede?

—Nada, que soy ladrón, pero un ladrón incipiente y se me había olvidado el robo. Ahora sé por qué han acudido tantos perros a nuestra fiesta. Mira.

Y sacó de sus aparatosas botas de soldado de Flandes una hermosísima morcilla.

—¿De dónde la sacaste? —preguntó Juanito lleno de admiración.

—De ahí. —Y señaló un ventano, casi inexistente, que yo había creído un capricho arquitectónico solitario, como amenazaba ser, ¡ay!, mi vida.

¡Fiesta, fiesta en el Corral del tío Tocana! ¿Cómo pudo suceder que el corralón estuviese colmado de gente a quien no habíamos sentido entrar? Todo estaba lleno de mujeres, pero ¡qué tristeza asomada a los pañuelos cruzados delante de la boca! ¿Para qué venían a una fiesta? Ni tragándonos sables, ni vomitando elefantes, ni comiendo fuego, ni sacándonos leones de las bocamangas, las haríamos reír. Estaban inmóviles, como el pueblo. Al corralón del tío Tocana se asomaban dos nísperos y algunos cipreses sobre el muro de la derecha, que correspondía a un huerto y allí la única cosa viva era una acequia que debía dar vida a algunas flores recalentadas de sol, pues perfumaban. Por el otro muro, un esterón protegiendo las pocas ventanas y una olla colgando con un geranio dentro, rosa y tímido; al fondo, el parral. Subimos con la misma buena fe de siempre a nuestro tablado. Cantamos. ¡Oh, qué mal cantamos! En primera fila nuestros antiguos apedreadores y algunos perros de los que nos habían perseguido. Ni unos ni otros nos guardaban rencor. Inmediatamente llegaron las autoridades que habían pasado sobre las mujeres hasta sentarse en el mejor lugar, que era un pesebre. Los cuatro viejos y el alguacil se pasaban de cuando en cuando un jarrillo de vino. ¿Y las mujeres? Mujeres solas, tristes, de ojos con poca voluntad para escucharnos. Parecían decirnos: «¿De dónde vienen ustedes tan jóvenes, de qué país son que no están en el frente?» Y nosotros cantábamos cantos de arada, de molienda, de soldados, de camino, y ellas seguían fruncidas, con el pañuelo sobre la boca para ahogar el temblor de su conversación. Cantamos cosas risueñas, y no se rieron. Para reír, debían pensar, no se va al teatro. ¡Cantar! ¿Pero si eso es lo que se oía antes todos los días? Claudio estaba a punto de desmayarse y las chicas sudaban.

—Eso está bueno —sentenció alto el alcalde cuando en la jota la Pepa dio un giro mostrando las piernas robustas. Pero nadie aplaudió. Con fiebre comenzamos el entremés del Perro. Allí me tocaba a mí lucirme. Quiñones de Benavente no sonó nunca a cosa más extraña que en aquella oquedad del Corral del tío Tocana en Motilla.

ESPOSO. — ¡Abran! ¿Qué es esto?
ESPOSA. — Yo recelo
que lo vio entrar.
AMANTE. — Pues al hechizo apelo.
ESPOSA *(al amante, mientras el marido golpea la puerta)*. —
Niquis, nasis,
rabudaban seran botraga tesa.

Plutón y Proserpina, yo te pido
que éste parezca perro a mi marido.
Ya le puedes abrir.

Al llegar a este punto yo ya lloraba con voz de difunto. Nadie se reía. Monsell, que hacía de marido, comenzó a decir, mientras ya temblaba, sin autoridad marital alguna:

ESPOSO. — Yo lo vi entrar. ¿Habránse detenido
en esconderle?
ESPOSA. — ¿Qué tenéis, marido,
que tal prisa traéis?

Yo ya no fingía temblores, sino que tiritaba. Monsell se llegó a mí y yo, como estaba ensayado, ladré. Ningún efecto. Me tiró de las orejas y yo, como un buen perro, jadeé, saqué la lengua y hasta intenté lamerle. ¡Inútil, ni una sonrisa, únicamente los perros parecieron adelantarse al escenario preocupadísimos con mi inesperada competencia! Ladré nuevamente, me puse en cuatro patas, ¡ay, todo sin éxito! Pero, ¿qué aguardará esta gente para reírse? Monsell, cuando le pareció que ya estaba la broma pasada de punto, preguntó casi sin resuello:

ESPOSO. — ¿Qué es esto?
ESPOSA. — Un perro.
ESPOSO. — ¿Perro? Bueno, por Dios, ¿pues ciego y loco
me pretendéis hacer? ¡No es nada el yerro!
¡Para engañarme le fingisteis perro!

Nuestro desdichado entremés concluía. Quise ladrar, saludando al concurso. Juana desapareció, Monsell siguió sus pasos. Yo me encontré ladrando ridículamente reclamando unos aplausos que no llegaban, que no llegaron nunca, hasta que una mano salvadora me metió detrás de las cortinas. Era Claudio que preguntaba enloquecido: «¿Sabe alguno tragarse sables?»

No nos atrevimos a seguir. La derrota tiene el ceño duro; algo nos miraba de través en este Corral del tío Tocana.

—Oye, Claudio, ¿quieres que me meta el cigarrillo prendido en la boca?

—¡Bah, eso es inocente! Estos palurdos son capaces de tragarse rayos y centellas.

—¿Y si liásemos el petate?

Pero Claudio no quiso huir. ¿No era nuestra trinchera de combate? Pues combatiríamos. Casi tartamudeando empezaron las primeras escenas de *El degollado* del Lope. Balbuceaba el glotón sus concupiscencias y todo era igual de silencioso como cuando yo hacía de perro. Las mentiras del barbero y los amigos se enhebraron en el aire mudo, cruzado de algunos hipos del alguacil. ¡Se oía hasta el resbalar del vino en los jarrillos! Pero de pronto, cuando fingen la cuchillada y el glotón cree que se desangra y los taponan y envuelven en sábanas y servilletas por el patio, comenzó a correr algo, primero una ligera insinuación sofocada como un arrullo, después una risa rebotando en el muro y, al fin, cuando apareció el inmenso pavo de cartón en su fuente de lata y se lo pasaron repetidamente al glotón por las narices, se soltaron anillos de carcajadas infantiles, frescas, ágiles, que sonaban como a la primera risa del mundo, al primer entusiasmo de Motilla del Palancar, a la resurrección del corral del tío Tocana. ¡Fiesta, fiesta en el Corral del tío Tocana! Concluyó el banquete mentiroso, retiramos al glotón escarmentado de la escena y los aplausos y las voces nos suplicaban:

—¡Más, más! ¡Otra vez!

Claro que intentamos retirarnos, pero el alcalde se encaró con nosotros:

—¡Os he dicho que otra vez, recontra! A empezar.

Sometidos a su tiranía conmovedora recomenzamos la mojiganga llevando los manjares de cartón en alto, haciendo aspavientos y morisquetas para alegrar a los antes tan mudos y que ahora se daban con los codos, muertos de hambre y risa cada vez que pasaba un jamón o morcillas o pasteles o los pollos o el pavo... ¡Fiesta, fiesta en el Corral del tío Tocana!

No repetimos de nuevo la farsa, porque estábamos rendidos. Cuando vieron que eran inútiles los aplausos, se acercaron tímidamente las mujeres:

—Pero ¿serán jamones de verdad?

—Tonta, de cartón piedra, yo los he tocado.

—Pero las morcillas...

—Ésas, no sé. De pasta.

—Pero ¿de pasta dulce?

—Puede. El señor cura de Aranjuez tenía un Niño Jesús de azúcar.

Redobló el tamboril. Las autoridades, considerando que nuestro trabajo, si no tan perfecto como el del tragasables, tenía su mérito, se dejaron escapar de las manos un jarrillo de vino a nuestra intención. ¡Viva la amistad! ¡Hasta los perros nos miraron más tiernamente! Y las mozuelas...

—¿Volveréis por aquí, chicos?

—¡Sí, para que me vacíes encima la bacinica! —soltó con ademanes de gracioso de comedia Paquito Bustos.

Subimos al ómnibus en medio de una suave cordialidad. Nos rodearon las mujeres. Angelines puso su mano en la mía casi con miedo.

—¿Qué te ocurre?

Las mujeres se acercaban más, nos interrogaban sobre algo que llevaban atravesado en la garganta: ¿El marido, el hijo? ¿Sí, dónde andarían los maridos, los hijos mientras ellas esperaban? ¿Dónde, Fernando y Pedro y Julián y Francisco y Luis? Las habían dejado solas en tierra extraña. Porque no eran las de Motilla del Palancar las que cercaban nuestro ómnibus, sino las otras, las refugiadas, las que vinieron andando por la carretera sabe Dios desde qué pueblo bombardeado, donde alguien entró diciendo: «¡Que vienen los moros!»

—Señorita buena, somos refugiados de Toledo, ¿sabe usted?

—Pues yo traía cuatro chiquillos y el burro cuando salí de Oropesa, pero con la tiritona, pues...

—Mi marido es Matías Centeno y yo soy Felisa Santamaría, para servirles. ¡La trotada que dimos desde Malpica! ¡Dios me valga, si parecíamos exhalaciones!

—Pues yo no me quería ir, porque dejaba la cerda con lechigada, pero como dijeron que los moros...

—Yo había dejado ir a las cabras con el pastor. ¡Vaya usted a saber dónde estarán ahora los rebaños!

—¿En la panza de algún fascista?

—Mujer, a lo mejor es un pobre como nosotros y tiene hambre.

—Hambre tendrán, porque cuando empiezan las calamidades...

—Oiga. ¿No conocería usted por casualidad a Venancio

Sánchez Espejo? Dicen que es comisario. Mire, señorita, es que yo traía un niño, mi niño y ahora me he quedado sola. No tuve la culpa. Se me retiró la leche. ¿No se lo podrían hacer decir ustedes que tienen influencias?

¡Cuánta desesperación me dio no conocer a Venancio Sánchez ni a Matías Centeno, ni al que dejó la lechigada o la cabra o la tierra de Toledo! Hablaban todas a la vez y mezclaban las alabanzas con recomendaciones y visitas. Juana y Claudio apuntaban silenciosamente.

—¿Me querrían llevar una carta?

—Y a mí, porque, sabe usted ¡confiársela al correo es echarla al río!

—Oiga. ¿Oropesa es siempre de la República?

—No me empuje, mujer, mi hijo está en «los leones rojos».

—Al mío lo tienen en Guadarrama. Vamos, estaba hace dos años.

—¿Y las del pueblo no tenemos derecho a hablar con los compañeros? —dijeron otras mujeres, mejor vestidas, más pulcras, más peinadas.

—Estas tías creen que todo el monte es orégano y la calle por suya.

—Creemos que estos camaradas nos atienden por valor político individual y no quieren tratarse con carcundas.

—¿Carcunda?

—Anda, que bien sabemos que tienes guardado al sacristán entre la paja.

—¡Eh, que arrancamos, atrás, compañeras! —voceó Manuel.

—¡Apártate, repolluda, déjate de monsergas!

—¡No me da la gana! Grito y gritaré porque estoy sin bozal.

—¡Baja, que te pillan!

—No, sin que sepan que estoy harta de estas tías de Motilla, serpientonas, sin decencia, sin políticas, sin principios cristianos. ¿Qué hacen de nosotras? Pues criadas para irles a buscar agua y labrarles los campos, eso es. ¿Hasta qué día? Nos engañan, diciéndonos que se acabará la guerra; igual dijeron antes. Yo soy de la Puebla de Montalbán. Llegó una mujer rubia, me alistó a mis hijos, los metió en un camión y ala, al frente. No los tuve cuando llegaron los moros y arreamos con el aquel de verlos hacia

Madrid. Pero ¿quién se puede quedar en Madrid? Nadie. Nosotros, los hambrones de Toledo, tuvimos que seguir campo adelante. ¿Y mis hijos? ¿Dónde están mis hijos? Señorita buena, ¿es que todavía no han ganado los republicanos?

Claudio sacó la cabeza por la ventanilla:

—Mujer, ¿es que crees que la guerra es hacer la matanza? Todo se andará.

—Sí, se andará mientras morimos.

—¿Es que piensas que nosotros estamos mejor? Todo lo que sucede nos lo han impuesto los militares traidores y sufrimos por ellos este calvario. Nosotras, camarada, somos el pueblo como tú. Anda, ¿cómo se llaman tus hijos? Yo voy a buscártelos —concluyó audazmente Juana.

El tamboril del pregonero resonó en una despedida triunfal.

—Y usted ¿cómo se llama, compañera?

—¡Guerrillas del Teatro! ¡El alcalde nos conoce! —voceaba llena de intrepidez.

La dulzaina se abrió paso entre la algarabía, las sayas, arremolinadas ante los autos, abrieron círculo.

—¡Adiós! ¡Salud!

—¡Llevaremos vuestras cartas! ¡Diremos al gobierno que sois mujeres valientes!

—Diga a mi hijo que no se vuelva sin echar a los moros.

—¡Salud, alcalde!

—Señorita buena...

—Se llama Venancio...

Salimos rozando sus tristezas. Cuando volví la cara estaban bailando solas, sin maridos, sin hijos, pero bailando como en los tiempos alegres allá en su pueblo, que era idéntico al que las había amparado. ¡Fiesta, fiesta en el Corral del tío Tocana!

Ir por una carretera apretada al brazo de Camilo. ¡Cómo me gusta llorar mientras sé que Camilo me mira! ¡Cómo me gusta! Que se muera de celos por mí ¡cómo me gusta! Estoy llena de lágrimas y celos porque durante todas las horas pasadas en Motilla del Palancar se dedicó a hacerme sufrir. Iba y venía con Monsell, hablaba con Claudio, salía a tomar sol y ni por un segundo quiso enterarse de mis insinuaciones para que fuésemos al huerto. ¡Un huerto con unas naranjas! Juana aupó a la Pepa, la Pepa se trepó cuidándose de las espinas de ese árbol tan parecido a los rosales en malas intenciones y Dorotea extendió la falda para recibir la fruta. Apenas había comenzado a meter dentro de una naranja la boca y la barbilla pues, claro que sí, me gusta sorber con toda mi alma el jugo, cuando volví la vista para tropezarme con tres viejos arriba de una cerca, separando las hojas de una higuera para ver las pantorrillas de la Pepa. «¡Eh, esos de las Vistillas! ¿Van a ver teatro de gorra?» ¡Los tíos aquellos! ¡Y con qué bríos me contestaron! Agarré una naranja, y paf, en el ojo. ¡Diana! *Pa* usted el lorito, señorita. Claro, con lo entrenada que estoy de las verbenas, pero los viejos parecían haber tomado palco porque siguieron el huroneo, adornándolo de exclamaciones como si estuviesen arreando burras. Vaya, que se acabó. La Pepa se atufa con facilidad y también ha nacido en un barrio peligroso. No hizo más que descolgarse del árbol cuando ya volaba otra naranja hacia la cerca. Hasta Juana participó en la atracción. ¡Pasen, señores, pasen! *Pa* usted la botella; y diez tiros para la señorita de uniforme. Era cosa de ver porque lo de oír mejor será olvidarlo. Los viejos, al empezar el chaparrón, se contentaron con injuriarnos por derecho, después agitaron la higuera buscando los higos maduros para espachurrárnoslos en la cara, pero voló una piedra. ¡Madre, la que soltó Juanita! Se sintió generala y:

« ¡Guerrilleras a ellos! », allá fue la batalla más churretosa de todas las guerras; la nuestra y la de Melilla. ¡Hasta higos chumbos les tiramos! Vamos, higos, no, palas de la chumbera que arrancábamos con un palo. Pero sin chillar, silenciosamente como los indios, persiguiendo a lo largo de la cerquilla a los vejestorios que se aupaban de cuando en cuando para ver si podían atizarnos una pedrada con sus ojos de pastores en retiro. Claro que nosotras, a naranjazos, paramos el golpe, porque les vimos la maniobra de rodearnos por el flanco del pozo y atacarnos, el de pelillos blancos, por la retaguardia mientras, no sabiendo ya con qué agredirnos, el más bruto nos lanzaba su cayada de pastor a las piernas. Nos salvó un tronco, al de los pelillos lo cazaron entre Juanita y Dorotea, cascándole las liendres, a los otros dos los hicimos correr a tomatazos. ¡La suerte de descubrirlos me cabe a mí! Nada, genialidad estratégica. De algo me han de servir mis amistades con los altos mandos. « ¡Ataquemos sus reservas de víveres! », grité, yéndome hacia la tomatera. Esa decisión fue definitiva porque los tomates eran del alcalde y ellos, nada más que vecinos viejos, de los que mandan ahora porque no hay mozos para dar órdenes, y aún no se resignan a que puedan más sayas que bragas. Huyeron dejando en las garras de Juanita al de los pelillos, que se quedó sin ellos, y huyó con la cara hecha un tomate de jugos y vergüenza. Nuestro el huerto se oyeron en el cielo las carcajadas. Pero la batalla deja huellas y nuestras faldas quedaron gloriosas, pero impresentables como la casaca de Prim. Mandamos emisarios y Carlitos Durán, siempre buen chico, consintió en traernos las sayas para que Claudio no se diese cuenta de aquella acción militar de castigo contra las costumbres libertinas de los ancianos de Cuenca. Todo esto último lo dijo él y alguna cita más, llamándonos Susanas y lamentando no ser él viejo para zurrarnos debidamente.

Pero nada de esto hubiera sucedido si Camilo no dejase desde hace unos días de quererme. Celos. Ha tenido celos del aviador. ¡Qué idiota eres Angelines, te gusta que sufran por ti! ¿Qué es tener celos? Quererse comer los hígados de alguien. Cuando yo pienso que le puede gustar alguna más que yo... Vamos, que se presente. Camilo, hemos perdido el tiempo. Había un pozo, unos árboles y el silencio que te gusta a ti. Antes de entrar nosotras creo que hasta los pájaros echaban su siesta, hubiésemos podido querernos mejor que en los techos, a ras de suelo, tumbada derechita al costado tuyo como los que duermen. Allí no había sol, puedo asegurártelo, pues las hojas de los naranjos que acabo de ver por vez primera, son duras y se juntan sobre ramas cortas con pinchos largos y al pasarles el dedo resbalan como charol verde y de cuando en cuando, la luz de una naranja. Debajo había yerba. Mirabas hacia arriba y estabas mejor que en los cenadores que hay por Cuatro Caminos donde he ido a veces con mis padres. Pero somos tontos. Dicen que todos los novios son tontos y por algo se ríen de ellos. ¡Qué manera de perder la ocasión de besarnos, Camilo! ¡Y todo para sostenerte en tus trece, hacerme rabiar con mis lágrimas por el aviador, salirte con la tuya siempre y ladrar peor que un perro cualquiera en el entremés que representaste! Chico, para ladrar como un aficionado no se me trata de esa manera. Estuviste para darte cordilla. No se rió nadie y el viejo de los pelillos blancos se durmió de aburrido. Claudio te hubiera asesinado. Iba y venía como la hiena de la Casa de Fieras del Retiro sintiendo que las Guerrillas no llevemos telón porque creo que se hubiera colgado de las cuerdas con mucho gusto. Hasta que salieron los pavos. ¡Bendito sea el hambre de esta gente! ¡Y luego dicen que en Madrid no comemos, pero que en los pueblos hay de todo! ¡Bulos, nada más que bulos! ¡Que se lo pregunten a la infeliz que se acercó hasta los jamones de mentira y les hincó el diente! Y los ojos fijos y las caras y los pañuelos y la ignorancia. ¡Te quiero, Camilo, tengo que agarrarme a tu mano, no sueltes la mía, ríñeme, di lo que quieras, pero déjame, pues soy como un cachorro de la vecina que se quedó solo y no sabía soltarse de la madre que lo llevaba arrastrando! Se me encogió el alma y me prendí de tu mano. ¡Apriétamela siempre, Camilo, entre las tuyas! No quiero que te vayas, ya sé lo que es tener mano de novia, es una mano que ha dejado de pertenecer a un brazo, a un cuerpo y no la sientes sino está dentro de la mano amiga. Me apretaba a ti porque tenía miedo de que tú también te fueses, como los hijos o los maridos de aquellas pobres mujeres. Y ya me veía en un pueblo con el pañuelo blanco delante de la boca para tenerlo más cerca de mis lágrimas. «Señorita buena... Se llama Venancio Sánchez.» ¡Como si nosotros pudiésemos conocer a todos los soldados del frente! ¡Como si tuviésemos la culpa, y no Franco, como si hasta en la guerra hubiese felices y desgraciados...! Nosotros debíamos ser los felices. ¡Sí, sí, felices! ¡Camilo parecía no darse cuenta de que mi mano estaba apretando la suya y mi pierna había enlazado su pierna. Estoy segura de que el tamboril le recordaba algo. Tal vez su tierra porque estos españoles, que no son de Madrid, cada uno tiene su tierra para él solo. Cuando atacó la dulzaina se incorporó Camilo para mirar por la ventanilla, tuvo que casi echarse sobre mí —¿Pero tan enfadao estás, hombre?—. Sentí que al arrancar el coche seguía a las mujeres con la vista como extraviado. No sé lo que pensaría, pero ¡si aquello había sido una fiesta!... Sí, sí. ¡Fiesta en el Corral del tío Tocana! Para no ser menos saqué mi cabeza por la ventanilla junto a la de Camilo. Cerró los ojos como si le molestase yo, el sol y el viento.

Vuelvo de recibir órdenes. «Pregunte si antes de diez días llegará Salvador Pancorbo.»

Parece que necesitamos urgentemente a este señor. Estoy cansado. Estamos en abril, hace frío y nieva. El frío ha encogido los árboles y hasta Fernán González y el Cid, rechonchos y cómicos que veo al pasar el Arco de Santa María, deben furiosos quedarse en su sitio cuidando las palomas supervivientes. Todo se ha puesto feo y negro. Los árboles han ganado en estatura, pero lo que es lo demás... Al paseo de la isla, con sus casas ni bonitas ni desagradables se le han puesto las fachadas llenas de arrugas. La gente que pasa va encogida, pareciéndoles una exageración estar contentos de ser burgaleses y una mala pata este destino bajo cero que los persigue. Las señoritas llevan la nariz colorada y la cara amarilla y tienen sabañones disimulados por los guantes. Pasan monjas negro intenso y curas, tan recortados que pudieran ser ilusiones ópticas. Voy por la ciudad con la vaga esperanza de perder mi nariz, de un momento a otro. No reconozco a nadie, debe ser por las bufandas que han vuelto a salir. El río al que me asomo desliza pizarra líquida, los puentes se han encogido y nadie los cruza porque el viento se ha encargado de interrumpir el intercambio entre las viviendas que se desarrollan por las orillas, enfrentando enemistades, resueltas en muchas ocasiones con pedreas. Mío Cid Ruy Díaz debió pasar el Arlanzón en verano, única estación con posibilidades para acampar en las márgenes de este río, según contaron en la tertulia con una familiaridad conmovedora. Les gusta pasearse entre los antepasados y tutear a Nuño Rasura. A mí me divierte y los azuzo. Casi todos tienen algún parentesco de vecindad: «Vivo junto a la Casa del Condestable o por aquella esquina pasaba un puente sobre la esgueva y allá tiraron al enviado de don Álvaro de Luna, porque: Ésta es Burgos, cara de mona; ésta es Burgos y no

Escalona.» ¡Son cómicos! Se ponen serios si dobla la campana de la Cartuja. «Sopla norte.» Creo que el sonido lejanísimo les trae remordimiento. «Los cartujos rezan por los que pecan.» «¡Pero, hombre, si estamos bebiendo unos tintillos!» Les gusta inquietarse por el pecado mortal, les atrae el vicio por su arrepentimiento y desean ardientemente la mujer de su prójimo cuando pasean por el Espolón y sufren envidia al ver llegar los ricos fabricados a dedo por la guerra. Los traficantes han acampado aquí con sus habilidades fenicias, desbancando los métodos antediluvianos del comercio local. En la tertulia, los miran como intrusos desde su mirador de derecho propio. No así las mujeres. Las señoritas sueñan con estos amansadores de la plata que son, para tranquilidad del momento, adoradores del Caudillo. Pero el Caudillo se les ha marchado a Salamanca y a los burgaleses les queda el soplo de su excelencia y un despacho bastante ordinariote de muebles con lámparas de falditas color castrense y olor a botas y correajes. No sé por qué razón me han dejado a mí la misión de enlazar con el buen hombre de los Madriles. Ya se atosiga por nada y cuando le doy alguna noticia sensacional, llora. Bueno, lo malo no es cuando llora sino cuando por añadidura me canta la Marcha Real entre sollozos. ¡Los hay lelos! Pero me gusta hablar de Madrid y ayer lo hice con una monjita al visitar a un amigo mío en el Hospital Militar. «Ay, Madrid, estuve cinco o seis meses con los rojos hasta que, con la ayuda de Dios, pude salir de aquel infierno. Aquellas calles no eran las mismas. Todos iguales. Qué feo ¿verdad? Porque el rico debe de ser rico y el pobre limpito, limpito pero remendado.» La monjita hablaba con fluidez, segura, coloradita, contenta. Inclinó mundamente la toca y se fue con sus enfermos. Mi amigo me dijo: «Graciosa la monjita ¿no? Se ha especializado en hacer confesar a los recalcitrantes: "Hermano, póngase a bien con Dios, mire que está con las dos botas en la sepultura." La tememos porque frunce la boca al mirar las medicinas: "¿Servirá este mejunje para algo?" Es chistosa y cuando vamos sanando mueve la cabeza: "¡De dos buenas le ha sacado a usted Dios: la herida y el médico!"» Al demonio con la monjita. Si cuando yo digo... Como una marea sube la influencia de los tonsurados. Misas de campaña, misas privadas, misas de comunión colectiva... Las hay de todas longitudes y precios. Ya me incorporo a esta jalea apostólica. Distingo las campanas: San Nicolás, San Cosme, San Lesmes, San Gil, San Lorenzo y la catedral. Sobre la catedral ha caído mucha nieve. Resiste nieve desde hace siglos y siempre el ejército de figuritas está intacto, eso que con las heladas ya no debiera haber quedado ángel con nariz. Hace siglos que todo sobrevive, hasta las niñas que pasean, hasta los viejos que creen que es sano tomar el sol en las murallas. Desde los timbaleros del ayuntamiento llamando a Concejo hasta los oficios menudos, pasando por los canónigos, militares y seminaristas nada mudó y este permanecer me ataca los nervios como si estuviese en una ciudad paralizada. Hace cientos de años repiten los burgaleses sus gestos de habitantes transitorios de la tierra. Llegó el aluvión militar y lo miraron con desconfianza, luego pensaron si convenía o no. Les convino y aceptaron el mal menor de la defensa de sus intereses por segundas o terceras manos, ya que ellos no pueden levantar mesnadas ni ejércitos. Cuando llegué me sorprendió que me dijeran: «¿Vamos a pasear?» Porque se me había olvidado lo que era eso. Luego fui comprendiendo que tomar el sol, pasear, ir de juerga o beber un tintorro añadiendo la tertulia y el tomar café, copa y puro son instituciones burgalesas, anticipo de una eternidad inagotablemente monótona. Como un jubilado cualquiera me voy a veces a pasear hasta el Puente Malatos o recojo mis pensamientos, yéndome con ellos hacia la Vuelta de los Cubos. Allí vive el verdugo.

Siendo muy niño supe por primera vez que existía un hombre singular encargado de la horca, bueno, del garrote. Se me pusieron los pelos de punta ante el garrote vil donde iban a perecer los asaltantes de un expreso. Yo jugaba entonces con un trencito. Lo odié. Pedí precisiones sobre aquella tortura a mi tata María. Sabía menos que yo. Alguien me dijo que se apretaba el cuello y se sacaba la lengua como un Toribio. Miré a mi Toribio de goma y me apreté el pescuezo frente al espejo hasta ponerme las mejillas al rojo. ¿Pero, qué está haciendo esta criatura? Desistí. Aún hoy me intriga el verdugo encargado de hacer lo que otros sentencian pero no se atreven a ejecutar.

La casa del verdugo de Burgos me miraba enteca, arrugadita y triste. Antes que los demás vecinos había encendido la luz. Al aproximarme a ella la sentí zumbar. Se fil-

traba una especie de rugido monótono, una exudación de sonido. Algo como un ahu, ahu, respiraba en la calle nevada saliendo del vientre de algo o de alguien. Ahu, ahu, ahu, ahu, ahu. Pasé las manos sobre las paredes para sentirlas y palpitar ese ahu, ahu que se callaba, resucitando en distintos tonos. Ahu, ahu, ahu. ¿En qué se estaría entreteniendo el verdugo? ¿Cuáles son sus distracciones como no sea apretar algún avestruz gigante que grite ahu, ahu, ahu? Me chistaron desde la casa vecina. «¡Eh, buen hombre, pase de largo, ahí vive el de la justicia!» Corrigió una voz de hombre: «Cállate simple y guárdate la lengua.» «Digo mal, el que era de la justicia porque ahora no hace falta.» «¡Que te guardes la lengua, digo, mujer...!» «Me la guardaré, pero ya no hace falta el de enfrente, eso digo y basta.»

Cerrada de golpe la advertencia me encontré con los ahu, ahu, ahu, llamándome. No pude resistir más y golpeé.

—¿Qué desea?

—Ver al señor.

—Aquí no hay señores. —Iba a cerrarme, pero puse el pie, evitándolo. Se la vio con miedo.

—Pero si no hace mal a nadie, señor.

—Ya lo sé. Déjeme entrar.

La casa es de planta baja y piso alto. Subí sin que me invitaran a hacerlo y me topé con el verdugo. Casi le pido perdón. Era un viejecito pálido que tocaba una zambomba. Se detuvo y sosteniendo mi mirada dejó el instrumento sobre la mesa, diciéndome:

—¿En qué puedo servirle?

Sonreí ante el ofrecimiento.

—Son zambombas.

—Sí, zambombas de todos los tamaños.

—¿Viene a comprar? Aún faltan las más hermosas: unas chiquirritinas hechas con dedales y la zambomba mayúscula para regalar al Cabildo.

Había verdaderos ejércitos. Se veían por los rincones y en los vasares y en la mesa. Había tiras de papeles de colores y mazos de cañitas y moñas de cinta y botes herrumbrosos a medio pegar y el tarro de la cola...

—Y si no viene para comprar ¿a qué viene usted?

Siempre la desconfianza. No se puede venir para ver sino para alguna cosa definida.

—Le advierto que si viene a investigar...

—¿Tengo cara?

—Eso no se sabe nunca. No hay peor espejo. Y como una vez ya me atraparon...

—Aquí.

—No crea que con el aquel de la política...

—¡Ah, ah!

—Llevo ochenta y tres ejecuciones ordenadas por la Ley. He ido a ayudar a otros verdugos. En nuestro oficio, ya decía mi padre, lo que se necesita es brazo. Y a mi fuerza... Yo vivía en mi rincón y venían a buscarme en coche. Sí, señor mío. Me dan la casa, la luz, la paga y trabajo cuando lo hay. Ahí enfrente, marcado con una señalita está mi banco. Algunos no quieren roce conmigo ¡ja, ja! Pagan, pero no les gusto, ¡ja, ja! Las zambombas sí que les gustan. ¡Si las oyese usted en la catedral! Antes, hacía cometas. Luego me cansé y los chiquillos van al vertedero a buscarme los botes viejos. Porque una zambomba —¡ahu, ahu!— no es más que un bote viejo de tomates o así, Fermina los lava y yo les pongo los papeles, haciendo mis combinaciones, luego mire, coloco la badana que me trae uno que mata cabritos y la ato con tripa. El quiz está en colocar la caña —ahu, ahu—. La moña la puede poner cualquiera —ahu, ahu, ahu—. ¿Le gusta? Dicen que las inventaron los moros, pero desde que Dios es Dios y Cristo es Cristo se tocan en Navidad. Ahu, ahu. Mire, oiga, ésta es como una doncellita y ésta —ahu, ahu— un militar, ésta un viejo...

Se me quedó mirando arrepentido de haberse dejado llevar de su charla de hombre solo.

—¿Usted no es de la secreta?

Volví a tranquilizarle.

—No, soy periodista.

—Buenos muchachos, los conozco, pero figúrese que me sucedió un percance y desde entonces... Yo estaba en mi casa —movió una zambomba—. «¿No eres tú el verdugo? Pues echa palante.» *—Puso tres zambombas juntas—. «¿Ves aquellos tres?, pues los tienes que matar. Qué sentencia ni niño muerto. Son rojos» —inclinó la primera zambomba—. «¿Y eso qué es?», pregunté yo —adelantó la que interrogaba—. «Criminales» —separó la que le representaba—. «Pues necesito la sentencia, el confesor y tiempo para preparar el cadalso» —agitó bruscamente las zambombas—. «Nada de formalismos, despénalos y largo» —retiró su zambomba—.*

«Yo no juego a los verdugos y si queréis jugar hacerlo vosotros» —retiró dignamente su zambomba—. Los tres hombres nos miraban estupefactos. Eran uno jalmero, hacía arreos y alforjas, el otro tabernero porque aún llevaba puesto el mandil verde, el otro —y agrupaba las zambombas— algo como oficinista. Yo conozco las caras, las de los individuos no eran de Burgos; sabe Dios de dónde sale la gente en estos tiempos. Se emperraban: «Pues los tienes que matar, porque es tu oficio.» «Yo no tengo oficio, soy el brazo de la Ley y si la Ley dice...» «La Ley ahora somos nosotros, gandul.» Me dieron un culatazo ¡ay, Señor! y me tiraron al suelo. Así —tiró su zambomba—. Cuando Fermina me levantó tenía sangre hasta en las orejas. Ahora ellos se arreglan solos ¿sabe usted?, y yo hago zambombas —ahu, ahu, ahu—. Puercos.

Escupió en la palma y el sonido se desplegó tan fuerte, con una vibración tan grande que oía el lamento intestinal con la boca del estómago. Pensé que yo era una de las zambombas y que aquel ser despreciable no había querido ayudarnos. ¿Por qué la patrulla no se había atrevido a matar al verdugo? El viejecito de la sonrisa bondadosa continuaba hablándome:

—¿Oye qué tiple? Y este bajo —ahu, ahu, ahu— dice: la Ley, la Ley. Las estoy adiestrando para que canten en la próxima Navidad. Bonita sorpresa les preparo —ahu, ahu, ahu—. La Ley, la Ley. Me gustaría verles las caras.

—Quiere usted decirles que ellos han sustituido al verdugo ¿no?

—Pues claro —y se le iluminó la frente.

—¿Vive solo?

—Con Fermina.

—¿Y si le estrangulan un día a usted nadie se entera?

—Al verdugo no se atreve a tocarle nadie. Es la Ley.

—Como usted dice que ahora no hay Ley...

Una mujer, seguramente porque escuchaba detrás de la puerta, cruzó el umbral. Le faltaban todos los dientes menos uno. Con él me sonreía. ¿Para qué? Perdí la oportunidad.

—Ésta es Nicanora, mi padre le curó la lepra y ahora es un perro ¿verdad, Nicanora?

—Verdad.

—¿Y los vecinos?

—No los saludamos. Aquí junto vive el Tetín.

—¿Quién dice usted?

—El Tetín, hombre, el maestro de baile de los gigantones. Pero los gigantones y los danzantes son cosa de Corpus.

Sentí su desprecio por otra fiesta que no fuese la Navidad. Se había sentado entre sus zambombas y alisaba con la palma los papeles. Me asaltó una duda. ¿Cómo irme? ¿Le daba la mano? El verdugo de Burgos en su casa, en su terreno, me intimidaba. Pero si había deseado estrangularlo, por qué de pronto lo veía pequeñito y viejo como un artesano puro que puede decir:

—Fermina y Nicanora, traed un poco de clarete del de Rioja.

Y yo aceptaba y me bebía mi vaso y se me llenaba el paladar de gusto. ¿Es que el viejo sería la Ley y nuestras patrullas apenas aficionados a verdugos?

Bajé casi corriendo. Nieva. Nieva sobre nevado, se me llenan los hombros silenciosamente y la mano derecha se me va enfriando poco a poco porque la ha tocado el verdugo. ¿El verdugo o la Ley? Pero este hombrecito que hace zambombas se ha atrevido a subírseles a los bigotes a los de Falange y ahí está; tan tranquilo. Cuando llegue ese Salvador Pancorbo que nos anuncian...

Cuando se deja el Tajo en Fuentidueñas se queda sin flores el campo abierto. Toda la piel comida de cicatrices, cosida de torrenteras, cancerosa, estupefacta de vivir. Los jardines, como ilusiones de anciano, se han quedado atrás hacia el lugar «donde Tajo a Jarama el nombre quita», recogidos bajo la denominación de Aranjuez. Ahora nos han quedado los horizontes duros de Cuenca al alejarnos de Motilla del Palancar. Mis muchachos descansan de su lucha contra el ambiente lugareño, menos propicio hoy que cuando Angulo el Malo llevaba su mojiganga por los terrales manchegos. El ómnibus jadea en los alcores y veo a Manuel morderse los labios en las repechadas difíciles. A los dos lados del camino autos volcados, herrumbrosos, ya muertos y comenzando a cubrirse de yerbajos porque no son bestias de las que desaparecen en los picos de los cuervos ni vuelven al polvo. Nos hablan del primer miedo cerval a la aviación, de las falsas maniobras de los conductores, de la improvisada fiesta de los primeros días. Dan pena. Tengo ganas de encontrarme los pinos obedientes de la resina para no seguir mirando el vuelo de los gavilanes, que ya me está cansando los ojos. No me quiero confesar que he llorado. ¡Ah, si apareciese un pastor! ¿Se los habrá llevado también la guerra? Las guerras se han llevado siempre a los mozos y si no la había eran las quintas, esa batalla sorda, constante entre las madres y el Estado. Tengo sed de Júcar, pero no entraremos en Cuenca. Me hubiera gustado olvidar —¡Fiesta, fiesta en el Corral del tío Tocana!— entre las aguas del Júcar que son verdes, entre las aceradas del Huécar que allá se vierte el uno en brazos del otro. Me hubiese gustado desviarme para que todos contemplásemos juntos la cocina más singular de que podemos disponer los que tenemos frío. «Aquí no vencerán ustedes nunca», me aseguraron en una ocasión, dando de comer a unos conejos. El hombre seguía dando de comer a unos conejos encerrados sin mirarme. Al ver que yo no contestaba, siguió: «Tenemos nuestras mañas.» Y yo, ingenuo de mí, le pregunté: «¿Pero esto no es Castilla?» «¡Quién sabe! », me contestó el de los conejos, tropezándoles con las hojas de la col en los hocicos hendidos. Después nos sentamos bajo la campana que protegía con su círculo de barro la lumbre, afanosamente soplada por una mujer en cuclillas. Metí la cabeza por aquella enorme corola, aquella inesperada y monstruosa flor, y vi que de su centro retiznado colgaban cadenas. En la cadena de eslabones más duros pendía el perol de cobre con su guisote de patatas y carne de puerco. Sobre mi cabeza, hacia lo alto, se llenó de vaho tibio. «¿Le gusta?» «Nunca he visto una cocina semejante.» «Eso dicen todos.» La mujer y el hombre callaron. Estaban orgullosos de su cocina y mi elogio de las casas despeñadas por mirarse en el río los dejaba mudos. Si Cuenca no era casi Castilla, evidentemente las casas colgadas no debían ser casi una ciudad. Fruncían la frente pensando que las casas son o de ricos o de pobres; lo importante era su cocina, lo que no tenía par, lo que no se daba por paridera como las ovejas y era la obra de sus manos .«¿Van a darnos música?» Tardaron en comprender que los que visitaban la catedral en aquel momento eran escritores extranjeros, muy ilustres, venidos a un Congreso de Intelectuales que se celebraba en Madrid. «Y si se está celebrando en Madrid, ¿por qué vienen?» Se les notaba el rencor en los frunces de los ojillos; juzgaban que, desde la aparición de los rojos, todo estaba indigno de verse y desde la República se consideraban estafados, invadidos por extraños capaces de cualquier villanía. «¿Estará rico el guiso, comadre?» «¿Rico? ¡Si los cerdos están esqueléticos y las ovejas con esto de la guerra no van a pastoreo de invernizo! »

Vi que mi buena voluntad era inútil. El guiso tardaba y me fui a mirar desde el balconaje del Júcar. Allí estaba el río. ¿Cómo pueden bajar por su corriente las «maderadas» desde los picos de la serranía empujados por los gancheros? Me dijeron que nacía en los Ojuelos de Valdeminguete y comprendí su color de pupila y me aficioné a mirarlo como si estuviera solo. Pero aparecieron los huéspedes de España cada uno con su botijo de forma de toro, echándoselo a la boca entre carcajadas, rodándoles cuello abajo el agua verde. La letrilla de Góngora: «Serranas de Cuenca, iban al pinar / unas por piñones, otras por bailar», chorreaba a la vez que el agua. ¿Ofensiva de Brunete, la guerra civil, las penalidades de Madrid? Todo, ¡ay!, tan lejos. Las barbillas relucían soles en cada gota de agua. Se les volvía risas. Los vecinos asomaban medio ojo. Todo lo de aquel tiempo quedó atrás...

Hoy otra vez voy hacia Valencia y la tierra española me va llenando gota a gota de su sin fin. Pienso en el asombro de los viajeros que en distintos siglos nos visitaron al mirar esta vestidura de España tan diversa: aquí raída, allá con sol; por este extremo, pinos albares de alto porte, y en el otro, matojos y carrascas; aquí graciosa de curvas y seca, erosionada, imponente de soledad y hermetismo un poco más allá; tierra de flores o arideces de desierto y chumberas, pero en la más pequeña hondonada, junto al menor regato sauces, fresnos, olmos, chopos... Y siempre la gracia de la desgracia que llevamos flotando encima de la remendada vestidura. Este suelo que veo es malo, deshabitado, lleno aún de correrías y cabalgatas belicosas. Desde Uclés al Campo de San Juan, al Campo de Montiel, al Campo de Calatrava, los caballeros de las Órdenes Militares adustos y vírgenes cruzan aún ante nuestro ómnibus, galopan y desaparecen. Dicen que por aquí hubo telares incansables, pero se perdieron. Quedó la pobreza. La región se fue quedando a trasmano, pues para llegar aquí los viajeros tenían que cambiar en Aranjuez, tomando un trencito de ramal que los llevaba a Cuenca. Si algún empresario contrataba cómicos para esa ciudad siempre se oía a algún gracioso: «¿Pero existe Cuenca?» Y es que todo se había soterrado en el olvido.

Detrás de mí oí que alguno de mis guerrilleros decía:

—¡Si vieras qué miedo tuve!

Era la Pepa hablando con Monsell de lo sucedido en Motilla.

—¿Has guardado bien la carta que nos dieron?

—Tonta, sí, pero los leones rojos ya no son una unidad del Ejército Republicano. Eso es del año de la nanita.

—Entonces, ¿para qué cogiste la carta?

—Mujer, para buscarlo de todos modos, no me chilles. ¿Y la esperanza?

La Pepa terminó riñendo con Monsell, mientras a mí el

paisaje se me metía dentro, pero como chillaban mucho me volví:

—No alborotes, Pepa. La guerra ha sacudido España como un cedazo y quien más quien menos todos hemos saltado fuera de nuestro lugar.

—Algunos cayeron de pie —bromeó sin eco Juanito Monje.

—Si a eso añades que a los españoles nos cuesta el cambio y la novedad. Sí, aunque pensemos ancha es Castilla, no es cierto. Son Castillas o Andalucías o Cataluñas diminutas, personales, intransferibles, porque hemos perdido el sentido de lo universal.

—¿Desde Carlos V? —interrogó zumbón Juanito Monje. No quise enzarzarme con él.

—Hablo de lo universal de nuestra época, de la solidaridad en el dolor, del deseo y la esperanza. Lejos de que penséis en la universalidad a lo Hitler por el destino racial, la superioridad, el avasallamiento. Lo que digo con mi crítica es que me duele el cantonalismo español. La última vez que bajé a Valencia —y digo bajé porque así hay que hacerlo desde la meseta castellana—, salí a bronca por hora. Las embestidas de los fascistas contra Madrid no habían alterado el ritmo de la gente, no estaban ofendidos por la agresión de Franco como los madrileños. «Que vengan aquí y verán lo que es bueno», me decían. ¡Ay, pobres, si viene aquí vais a ver lo qué es malo, gentes sin imaginación! La capital política de España estaba lejos; no se oían los tiros ni se veía la sangre de nuestro pueblo. «Con uñas, con pies, con dientes» no tenía importancia allí, en la republicana Valencia. Valencia con sus pies metidos en el mar miraba a Oriente, volviéndonos la espalda. ¿Habrán cambiado?

También cambiaba lo que mis ojos veían: pinos, peñas, tojos, helechos y una punta de primavera comenzando ligeramente a pintar de azul los tomillares. Mis ojos alcanzaban salvias y romeros. La flora de piedra dura estaba en un tris, alboreando. No sé si mis chicos se dieron cuenta de la nueva cara del paisaje y de la brisa levantina que nos sube del fondo. Hemos coronado una pendiente donde la tierra se frunce y se retira sobre sí para expulsarnos. La carretera está empeñada en bajar, haciéndose lazadas y nudos y las rocas la atajan. Buscamos con los ojos algo que se mueve en el abismo, asomados a las ventanillas. En el fondo está el Cabriel. Este río, aprendiz de arcángel, vive alborotando las profundidades con sus espumas, pasando casi de perfil en el último descenso de las cuestas que llaman de Contreras. Los motores no son necesarios, pero los frenos aúllan de dolor. El ánimo se encoge. Es el precio por cuanto vendrá después de la hondonada. Aleluya. Vamos a pisar la raya de Valencia.

¡Adiós Castilla! ¡Bienvenido, Levante! Bajamos de los camiones para desentumecernos y mirar de cerca el río, breve jaculatoria de los montes, que aguas arriba rompen en Villora en una central eléctrica, pero que aquí son mansas como si el Cabriel plegara sus alas. Parece que con alegría abandona él también la meseta adusta para recrearse en la planicie que vendrá. Allí corretean ríos tan alegres, de acequia en acequia, que cuando se ven entre los huertos olvidados de sus destinos, que es ese dar en la mar, prefieren perderse gota a gota en la tierra, germinándola. ¡Ah, qué alegría siento al ponerme cara a la marina! Algo más al sur, hacia el sol de Ifach, está Calpe, de casas azules, como si sobre la fachada hubiesen las familias extendido sus colchas. Allí pasé varios años de mi vida. El golpe salado de Levante me sacude. Todo este país es como mi heredad y ahora comprendo las dificultades para salir de nuestra porción de tierra para integrarnos en una patria mayor. Si yo, cómico y andariego, personaje de caminos, fondas y baúles, puedo sentir este tirón que siento, ¿cómo no ha de estar atada por todas las enanas ligaduras la gente que no pasó la linde de su aldea? Con el corazón en vilo pienso que van a aparecer los hombres de blusa negra y ancho rostro; las mujeres, que aquí sólo cultivan flores. Hay acequias que dan sangre a los frutos mansos: tomates, cebollas, alcachofas, berenjenas moriscas, ajos prietos. Todas son plantas fáciles de aplastar, bienes que no admiten el peso de los cañones y el aliento de las batallas, efímero bienestar del hombre, cotidiana amistad con la tierra. ¿Cómo van a admitir que todo esto se quiebre por salvar montes desconocidos, pedregales de tierra fría, caras que nunca concibieron?

—Oye, Claudio, ¿qué te pasa? ¿Piensas en alguien?

—No, Juanita.

—Pues parecería.

¡Claro que pensaba! A nuestra ventanilla se había acercado un hombre chupando un palito, seguramente para olvidar el tabaco que no había y alargaba hacia mis ojos en la diestra enorme tres huevos.

—¿Compran?

Saqué cinco duros y pasaron a mi palma.

—¿Estás loco? —protestó Juanita.

—Estoy feliz. Pronto aparecerá el mar. Hay gallinas, hemos visto almendros, vendrán naranjos. Ésta es la tierra propia para el hombre. El milagro de las siete acequias.

—Sí, pero cinco duros de portazgo...

Noto que me hablan y nada contesto. ¡Corre, Manolo, vamos hacia la patria y tenemos que alcanzarla antes de que baje la noche! ¡Ya están aquí las suntuosas aldeas y el labrador de las cuatro cosechas, las mozas de cutis señorito, sin poro, jamás quemadas de sol, jamás inclinadas sobre los surcos de pan llevar, porque ya antes de los árabes esto era un paraíso! El camión se ha puesto a cantarnos y el sol dice: hasta luego a las hortalizas tempranas y a este olor; a este olor que vuela de los azahares. Lagos verdes a los dos lados del camino. Va pariendo sin descanso este campo del hombre y no del hambre, rotaciones sabias y no barbechos, serenidad de los bien comidos y no angustia de los que apenas saben lo que es el pan. No puedo con mi alegría y el brazo de Juana debe tener señales.

—Se me ha dormido el muslo de sostenerte.

—¡Cómo es posible! ¡Despiértalo pronto, Juanita, vamos a llegar al mar!

¡Pobre Juana, envejeciendo mientras yo me aniñaba! Quise declamar a mis muchachos. No supe qué. Balbuceaba al encuentro con mi primer paraíso perdido, ¡ay!, aquella palmera de los dátiles, y el camino hacia el muelle, hacia donde volvían las barcas con su balanceo milenario y mi primera mano extraviada en unos senos tan diminutos que se me quedó para siempre tibia y vacía, esperándolos...

Ahora que pasó todo sé que aquel viaje fue horrible, habiendo debido ser maravilloso. ¡Perdóname, Padre eterno mío, Dios de mi conciencia, si dudé de ti! No podré olvidar cuanto sucedió hasta que me ordenes cerrar los ojos para siempre. ¡Qué fugaz sueño! El padre Ezequiel acaba de decirnos durante el paseo de la tarde que Valencia da doscientos millones de pesetas sólo con veinticuatro millones de plantas. Le relucieron los ojillos. «Sin contar los limones», añadió. Nos ha dado otras precisiones sobre los ríos y la bondad del agua del Turia, y el salto de Cofrentes en el Júcar, el de Villora en el Cabriel y hasta los Almadenes del Segura. «Como ustedes no han estado por allí, pues claro no pueden figurarse aquello.» Bajé la cabeza. ¡No había estado allí! ¡Pero si sigo estando, Dios mío, si no sé apartarme!

¡Adiós, me voy con ellos! He cerrado mi libro. ¡Me daba una lástima que la tarde conventual fuera tan hermosa! Ha vuelto abril. Sí, abril, y cae la primera luz cernida de la primavera.

Angelines no se movió de mi lado, ni consintió separarse de mí. Todo el viaje fue dulce y tibia, pronunciaba mi nombre de una forma especial, como no lo había hecho nunca, quedándosele suspirado en los labios.

—¿Aquella torre no tendrá ya campana?

—Le compraremos una.

—¿Por qué los corderos corren huyéndonos y, de pronto, se paran todos muy juntos a observarnos?

Preguntas de niña ciudadana a mí, hombre del norte, acostumbrado a las vacas robustas que son como parientas. Me adormecí en la domesticidad del ómnibus que nos imponía leguas y caminos; me olvidé de mí para sentir como si sus muslos me purificasen y únicamente su amor fuese serenidad para mi alma. Y como lo sucedido puede parecer que no sucedió si la conciencia duerme y la memoria olvida, olvidado dejé lo ocurrido en Madrid. Angelines, amor, te llevaré como el Cid a Jimena a lo alto de una torre y te mostraré el mar. Tú no lo has visto nunca, niña de tierra adentro; yo, en Santander. Muchacho de prados altos, hice un viaje al mar a vender unos ternerillos que crió mi madre. Ahora nada puedo vender ni comprar y tengo las manos limpias de monedas pero llenas de tactos, de ti. De todas tus bellezas elijo la suavidad. Mira, van pasando cuestas de ceño duro, ríos preciosos y han comenzado los pueblecitos de fachadas pintadas, pues yo no te veo más que a ti. Al olor resinero ha sustituido el del hartazgo y felicidad de la tierra rezumando jugos, pues sólo a tu pelo lo creo capaz de perfumarme la vida. ¡Angelines, hueles a Corpus!

Aterrado, me separé entonces de ella.

—Tú no me quieres, Camilo.

—¿Llegaremos a Levante antes de que anochezca? —preguntó inesperadamente la voz odiosa de Juanito Monje.

—Al mar, dirás. ¡Claro que llegaremos! —afirmó la exaltación repentina de Claudio.

—¿Verdad que tú eres de Levante?

No me contestó: parecía perdido, lejos de nosotros y apretado a Juana, seguramente caminando por algún laberinto político, tanta afición le tiene. Multiplicábanse los pueblos y las iglesias de cúpula brillante de azulejos, los campos parecían colmados de una población disciplinada de colegiales en rígidas hileras; los había en reclusión detrás de cercados y libres, corriendo hacia los horizontes. Los más chicos iban a los colegios abiertos para educar naranjos aplicados, mientras a los mandarinos se les arrebataba de miles de hojitas la cabeza. Debía ser mentira todo lo que ocurriese por el mundo, a no ser la felicidad de mirar. Mentira la guerra, el hambre y la desgracia. Tal vez allí no se pudiese morir.

—El almendro es de terreno seco, los naranjos necesitan mullido —murmuró Claudio, mientras Monsell, sabio en este paisaje, donde casi nació, pues es de la Plana de Castellón, explicaba a los asombrados:

—Los algarrobos aquí sólo sirven para los animales, pero en Madrid la algarroba la comen los niños.

—Es dulce, rica —goloseó la Pepa, recordando cuántas

veces mordió el retorcido cuerno oscuro, encontrándolo delicioso.

—Manjar de pobres.

—Lo que somos en los Madriles.

—Aquí sobra la fruta. Puedes agarrar la que quieras de los árboles, siempre que no estropees las plantas y sea sólo lo que necesites para calmar la sed del camino.

—Hermoso, pero los melones son menos dulces que los de Villaconejos.

—Para, para. ¿Y los espárragos?

—Los de Aranjuez.

—¿Y las mandarinas?

—Las de Murcia.

—¿Y las almendras?

—Las de sierra Aitana en Alicante.

—Odiosos. Entonces todo esto que vemos, ¿es bazofia? —le gritó enfurecido Monsell.

—¡Quia! Es exportación.

¡La que armaron de nuevo! Los gritos y las lecciones de humildad que se dieron mutuamente mientras se lanzaban cifras y cosechas y sabores y gustos a la cara. Claro que ninguno hubiera puesto su cabeza debajo de sus afirmaciones. Me parecieron más hambrientos que nunca, con rabia de parientes pobres yendo a visitar al rico y el rico les devolvía sus míseras palabras de duda en esplendores, mandándoles relumbres de un fino sol poniente sobre la huerta, fresca de azahares en la atardecida pura.

Angelines aprovechó para acomodarse mejor en mi regazo.

—¿Habrá dátiles?

—Ésos, en Elche.

—Ésos, en las tiendas de ultramarinos.

—Lo que es ahora...

—A lo mejor no hay ni arroz. Como todo lo mandamos al extranjero.

—Sí, a la China. No creáis a ese estúpido. Ya veréis qué paella mayúscula con anguila y conejo hacemos en el Grao.

—¿Conejo? Pero si los tiros han ahuyentado a todos.

—Eso, en el Pardo. Aquí están amarrados por una pata.

—¿Conejo casero? Malo, malo, malo. De monte y alimentado con tomillos.

—Pues aquí a berzas y son riquísimos.

—A lo que sea, pero que me lo sirvan —concluyó Paquito Bustos con tanta hambre atrasada en su corpulencia que todos, alargando el cuello, olfateamos el aire. ¡Qué cómicos hambrientos nos descubríamos entre broma y broma! La primavera, llegada a la hora exacta y no contrariando calendarios, como en Madrid, dispuesta siempre a mandarnos soplidos y a traición los hielos del Guadarrama. Era la tarde perfecta, con todo el sabio método mediterráneo para enrojecer la banda del mar. Oriente recibía los rayos solares de: «Hasta mañana, descansa bien, que me aguardes a la hora de la aurora, no me traiciones con la luna», y así iba todo el horizonte centelleando. Aún no veíamos el mar, pero estaba. Las redes de las acequias nos envolvían, mientras Monsell contaba el cansancio de las norias movidas por la esclavitud primero, después por burros casi cautivos que giran frotándose las orejas. En ocasiones les cae una flor y ellos, pobres tontos, la sacuden pensando que es un tábano. Aquí todo gira, todo muele, todo es redondo. Está la Humanidad girando sus molinos hace miles de años; su ruedas, desde que pusimos ejes a un punto.

—Siete acequias —decía Monsell— y la de Murviedro que da color verde a Sagunto. Siete síndicos para que no se obstruyan las caceras y los brazales sean respetados. ¡Atención, el agua! Y solita va de vecino en vecino, de campo en campo, a la madrugada o a la tarde, los días pares o los nones, a la hora exacta que le toca ir de visita y ni un minuto más puede detenerse porque aguardándola están en otra parte. Si no fuese, se malograrían los pies de limoneros recién nacidos o el citrus nuevo injertado. El agua corre y corre por el cuerpo real de Valencia custodiado por cien ojos. ¿Va a retirarse? ¿No llega aún? ¿Llamamos al síndico? ¿Será cosa de levantar la azada y tumbar al vecino si la plantación nueva se malogra? ¡Juicio, juicio! y Dios sobre todos los regantes. ¿Jueves? Los jueves se puede ir a la puerta de la catedral. Allí en una hora se resuelve el litigio y se acata. La cresta negra de la barretina se luce con orgullo y la faja y los duros fuertes sin hoja. El viejo juez parece que ya lo dejó allá sentado el Cid. Los que se acercan pueden descender de moros. La sabiduría acumulada de romanos a moros mantiene el juego vivo del agua. Las torres que se ven son menos viejas que este agua nunca y siempre la misma, que este lecho amoroso de barro que tiene de nupcial los azahares que lleva la corriente.

¿Oí todo esto? ¿Lo viví? ¿Fueron cosas que se me quedaron por contacto por habérseme juntado el alma al aire? Todo lo conservo y lo recobro hoy y lloro sobre mí.

El mar. El mar. Faltaban kilómetros entre él y nosotros. La tarde se puso remansada. Dejé caer mi mano sobre la rodilla de Angelines advirtiéndola una luminosidad lejana: ¡El mar! Sin entenderme volvió a mí su boca infantil y me miró desgraciada de no estar a solas conmigo. También yo hubiera querido decirle entre los dientes: «Mira, el mar.» Pero mírame a mí, voy a contarte cómo es. ¡Ay, cuánta gente forma una compañía de teatro! Monsell continuaba sus explicaciones sabias; Juanito Monje se había cruzado de brazos, indiferente; Paquito comía ya exquisitas paellas; Juana era demasiado experta en todos los caminos; Dorotea y Pepa hablaban muy bajito con Claudio. Me fijé que Manuel llevaba una pistola al cinto. Recordé que, no sé dónde, guardaban las Guerrillas una pequeña arma automática. ¡Qué inútiles en aquella paz! Habíamos hecho pocos kilómetros —¿300?— llegando a un mundo inesperado. Indudablemente todo lo sucedido en Madrid pertenecía a los malos sueños. Respiré hondo.

—Mira, Angelines, esas higueras, esos emparrados, esas casas con su cruz de cristianos viejos. Una casa de ésas y la paz. Tú, junto a mí.

Hablaba Monsell:

—Arriba, en la andana, la fruta; sobre el tejado, las calabazas al soleo —seguía el susurro de la voz—. ¿Veis? En todas las casitas que corresponden a las luces que comienzan a prenderse cuelga un jarro de loza de Alcora para que beba el caminante.

Quiero escribirlo y así, fijo bajo mis pobres ojos, leer lo que nadie va a leer nunca. Esto que sale de mi sangre es la guerra, mi guerra, la que me tocó vivir, llevar sobre los hombros, la que llevo aún... Cada soldado en su mochila de regreso trajo la guerra que vio. La mía es ésta.

Nos habían dicho: «Tened cuidado con el *zapatones*.» Indudablemente el *zapatones* había pasado a ser una obsesión por los campos de Valencia, porque todos nos advertían, al saber que salíamos para la línea de fuego. «El *zapatones*, cuiden, que ayer pasó el *zapatones*», nos dijeron alarmados aún en un control. Y cuidábamos mirando hacia el cielo, pero era inútil. El cielo con *zapatones* o sin él era mucho menos aleccionador que la tierra. Allí estaba la tierra ferozmente sola, aturdidoramente deshecha. ¿Qué había sucedido? ¿Cuál fue el cataclismo que dejó miles de naranjas por los suelos y esos naranjos con las ramas tronchadas aún en azahares y las acequias cegadas y todo lo humano que sucedía por allí desaparecido o aventado? Ni un niño, ni una casa habitada, ni ese pequeño humo de la comida familiar. ¡Cuidado, el *zapatones*! Un terror espantoso hasta en el último rincón de los campos. Las cosechas sin levantar, el estiércol, pudriéndose, las ventanas, golpeándose. Había sido una huida. Una más de esa guerra de caínes en que los hermanos gozan vengándose de los juguetes rotos en la infancia o de la moza que se llevó el amigo o de aquella plantación que al hermano mayor dejó el padre... «¡Eh, el *zapatones*!» Mirábamos al cielo, pero eran los patos. El mar seguía dócilmente a nuestra derecha. También el mar, como el campo, estaba solo. Ya no salían las barcas. La inseguridad iba estrechándonos el corazón. Sentíamos miedo. Hacía sol, pero teníamos aprisionada la sangre. Manuel conducía con excesivas precauciones. Le habían advertido de los hoyos traicioneros que abría el *zapatones* en la carretera para que los vehículos se estrellaran. En cualquier momento volaríamos por el aire, porque desparramaba bombas y nadie podía adivinar dónde estarían. Era como la presencia de un salteador. Nos habíamos convertido en seres indefensos de una diligencia que aguardaban la aparición de algún enmascarado famoso. Angelines se crispaba en mi brazo.

—¿Crees en eso del *zapatones*?

—Exista o no han conseguido su objetivo: los valencianos han abandonado sus tierras.

Íbamos por Almenara. De repente, Manuel frenó. Se le había cruzado un carricoche, una de esas tartanitas de techo blanco que corren a su trotecillo menudo delante de los automóviles sin apartarse, como las vacas de mi Santander. Pero esta tartana se había cruzado en la curva. Manuel se bajó a chillar al huertano, contento de hacerle resaltar la importancia de nuestra misión. Las Guerrillas del Teatro no podían llegar caprichosamente tarde al frente. Yo también bajé para desentumecer mi miedo. Manuel gritó alguno de sus madrileñismos, pero como nadie le contestara en contundente valenciano metió la cabeza.

—¡Mira que dormirse!

Después me asomé yo, al ver la cara espantada de Manolo. Después, todos bajaron.

—¿Qué ocurre?

—Claudio, ¡mira!

—El *zapatones* trabajando.

¡Pobres cómicos de camino sin saber qué hacer ante el hombre muerto! Las ráfagas de ametralladora habían perforado la capota blanca y todo eran estrellitas de sol. El huertano parecía recostado y que así se había traspuesto para vencer el sueño. Llevaba verduras y estaban salpicadas de sangre. Afortunadamente llegaron camiones. Un sargento blasfemó.

—Es el cuarto. Ayer fue una familia entera que huía. Hace dos noches una barca. Nadie se quiere quedar aquí. Claro, para que venga el *zapatones* y los asesine por la espalda...

—¿Y también en el mar?

—También. Encontré catorce.

—¿Quiénes?

—Pescadores del Grao.

Era espantoso que el terror se extendiese hacia aquel

mar intrépidamente azul. Pero en ese azul era donde se escondía el *zapatones* encargado de esas muertes individuales —carros rodando con su muerto caliente en la noche, barcas sin patrón, a la deriva—, deporte inicuo al margen de la guerra. En ese cielo azul unido con el mar impecable, tenía su guarida el *zapatones* y de allí remontaba. El *zapatones* cumplía fumando un cigarrillo su misión de piratería militar para terror de campesinos y gente pobre. Ametrallaba a los indefensos y dicen que los insultaba. Algunos que se salvaron de esa escala mínima de la guerra total dijeron que en la noche se les precipitó encima un rugido ensordecedor y la muerte. Poco entendía aquel español rufianesco de las prácticas caballerescas. La voz popular aseguraba que ese monstruo que precipitaba sus zapatones inmensos sobre el hombre de los caminos, que dicen va cantando para acompañar su soledad, era el demonio.

—Camilo. ¿Crees que vendrá?

—No, Angelines, trabaja de noche. ¿Qué aviador español podría venir de día a matar a los campesinos de los que recibió aunque no haya sido más que una naranja? Creo que éste es un demonio extranjero. Los nacionales se conforman...

—La guerra es la guerra —intervino inoportunamente Juanito Monje, aunque Juanito Monje también se había quedado perplejo porque no había podido nunca adivinar aquella última utilidad destructora de la aviación totalitaria. Su reacción me sacudió profundamente. Discutimos. Presentí que comenzaba a odiarme. Yo recordé el parte de Salamanca oído un día en casa de mi cuñada, junto al padre Blas Torrero: «El Caudillo dice: Cualquier voz que se permita solicitar el cese de los bombardeos será una voz desleal y no española.» Y me parece oír la del padre Blas, que creía en la salvación de las almas, murmurando: «Yo debo ser turco.» Juanito Monje no había querido darme las instrucciones, aunque se las pedí, ni me había comunicado la forma de pasarnos, como en otra ocasión me propuso Xavierito Mora. Algo tenía entre manos que no salía, algún hilo andaba suelto. En Valencia me había dedicado fríamente a observar su conducta. Aquel secreto parecía pesarle más que a mí. Al cambiar de escenario se creía perdido. ¿Dificultad de encontrar los enlaces? ¿Alguna dirección que no encontraba? Yo no le hablé ni él tampoco. Un día apareció con una muchacha sorprendentemente bonita. Los guerrilleros se alborotaron cuando la sentó en nuestra mesa. «Es mi novia, ¿puedo llevarla en la excursión a Sagunto para que me vea representar?» Claudio dudó como siempre le sucede ante la belleza, pero yo le supliqué: «No la llevemos, Claudio, te lo ruego.» «¿Te molesta? Pues es muy bonita.» Pero no la llevó. Juanito nunca supo que había alguien borrándole las huellas, alguien cambiándole las pisadas, alguien interesado en que la quinta columna valenciana no pudiese presentar nuevos méritos en la sucia guerrita del espionaje y la traición. No, no pasaría Salvador Pancorbo la línea de fuego. ¿Cómo evitar que Juanito huyese? ¿Si yo me negaba? ¡Quién sabe, muchas cosas pueden ocurrir en este mundo cruel de los hombres!

Ocurrieron. Mi decisión era confusa. Aquel muerto caído en el frente de su casa al salir con las verduras, después de algunas advertencias domésticas a su mujer, me confirmaba la urgencia de decidir. Digo, y me entrego. Aquella inmovilidad junto a los tomates y las hojas de acelga era demasiada acusación a mi cobardía. Concluimos de tomar precauciones para que no se cayese. Le atamos su propio pañuelo gris ceniciento y no vimos los pequeños hoyos de las balas en su carne, porque un soldado saltó junto a él y arreó al caballo.

Recuerdo que el camino se curva ligeramente como si siguiese la ondulación de la costa. ¡Hasta hay geranios! Hoy el sol me dora la mano sobre la mesa monacal, como entonces, pero su luz no puede ser la misma luz, ni mi mano es aquella mano. Aquélla había conservado en el dorso una gota de sangre. Con un gesto torpe Juanito la indicó con el dedo y Carlos Durán quiso limpiármela.

—No, no. Déjala un momento.

Angelines se inclinó a mirarla con repulsión, se curvaba ligeramente sobre mí y parecía fascinada.

—Multiplícala por millones y millones de gotas iguales, tendrás lo que cuesta la guerra en que nos han embarcado.

Claudio me tocó en el hombro:

—Calla.

Verdaderamente estábamos fuera del espíritu de las Guerrillas. ¿Cómo cantar o decir burlas si la muerte, con su seriedad, nos había salido al paso? Me hubiera gustado decirle: «Te comprendo, pero, qué quieres, la vida es así.» Ella sola va devanándose y aleccionándonos. La primera vez que me hablaste fue para enseñarme dos perros mordiéndose junto a una batería de campaña. Recuerdo que me dijiste que los grandes de un mundo, sospechosamente interesados en apostar cuando dos riñen, nos están mirando. Éramos dos perros furiosos y el mundo apostaba. Al aproximarnos a Sagunto, fija en sus peñas, recordé confusamente los perros de Fuencarral y el sitio de Aníbal. Aquellos edetanos eran los amigos de Roma; también lo eran nuestros Francia e Inglaterra. Aníbal comenzó el sitio de Sagunto y los romanos miraron desde la raya del Ebro cómo uno a uno morían los defensores de la letra escrita. Ocho meses duró la fiesta del heroísmo ibérico. Cayó herido Aníbal. Nosotros, los republicanos, durábamos más... Aníbal quería a Iberia para asegurarse el hierro bien trabajado y hombres de orgullo feroz para atacar a Roma. Iberia sería su almacén estable. Hitler ¿no necesitaba un amigo en la lejana España para atacar sin miedo a la Francia fronteriza? Allí estaban las piedras memorables y yo veía dos perros furiosos agarrados por las carlancas, mientras en una barandilla de preferencia Baldwin, Chamberlain, Blum, Daladier, Spaak, Halifax, Roosevelt se reían de los pactos. Cuando entramos en la ciudad, profundamente silenciosa, vimos que la aviación del Reich había destruido todo mucho mejor que la cólera de Aníbal.

Ya no era necesario ir a ver las piedras ilustres. Caminábamos entre escombros y cascotes de lo que fue una ciudad pacífica, centinela del Palancia que baja regando campos desde Segorbe. Entramos por unas calles que no eran ya más que monumentos del horror. Nadie salió a buscarnos. Los hombres, el sueño de los hombres, sus aciertos, sus fatigas, sus gestos de alcanzar pan propio o la sopa a los hijos o el amor a la mujer habían quedado debajo enterrados, todo definitivamente muerto. Teníamos que vestirnos allí para poder llegar a un sitio del frente donde descansaba una unidad, tan cerca del enemigo, que era oportuno alegrar a los combatientes con cuatro cantos y regresar antes de la noche.

—¡Pero aquí no es posible vestirnos! —gritó Monsell—. Huele a demonios.

—Ya encontraremos entre tantas casas una menos rota.
Las puertas abiertas daban paso a la intimidad de Sagunto. Todo crujía, todo amenazaba. Levemente se desmoronaban esquinas, sonando a susurro los yesos y las cales que querían explicarnos cómo fue. Y unido a un olor blando y sucio colgado de los paredones, seguramente miles de olores en libertad, pues las cañerías reventadas dejaban gotear agua y agua.

—¡Eh, por aquí, Camilo! Toma el corredor de los cántaros, sigue hasta la alcoba de la cama de hierro y entra donde queda una mesa con un tapete de borlitas.

—¿Y Angelines?

—Las chicas han encontrado otro chalet.

Algo se iba recobrando en la voz de los guerrilleros. Oí cantar. Creo que la aventura de una ciudad desmoronada y desierta comenzaba a hacer su efecto mágico. Las chicas reían en la habitación menos rota de todas, pues sólo el papel floreado estaba desprendido y los muebles debajo de la lluvia de polvo y cal estaban intactos. Hasta había un espejo. Allí vi los ojos de Angelines. Me tapé la cara con angustia. ¿Sería posible ver un día a Angelines muerta entre cosas muertas, asesinada por mi cobardía? Conservó los brazos en alto y yo la rodeé con los míos.

—¿Qué te sucede? Deja, llegaremos tarde.

Pero yo lloraba detrás de su nuca lleno de amor, decidido a morir por ella, por todos los amenazados. Y besándola en los cabellos decidí algo espantoso. Se había concluido el juego. Alguien sobraba en las Guerrillas del Teatro. Estuve seguro de que la mano que había acariciado a Angelines no me traicionaría. Salvador Pancorbo no llegaría jamás a Burgos.

Angelines se volvió bruscamente.

—Pareces un muerto.

—¿Me querrías después de muerto?

—No me gusta esa palabra. Bórrala de tu diccionario.

—Contéstame: ¿me querrías, después de muerto, sucediese lo que sucediese?

—Me revientan los acertijos. Además ya me dijeron bastante de ti.

—¿Quién?

—El pajarito. ¡Sacó una mala pata para mí!

—¿Qué?

—Sacó con el pico un billete. Mira, léelo tú mismo.

¡Angelines, amor, desdicha mía! Cómo pudiste ni un minuto creer aquello. El hombre del pajarito había emigrado a Levante y se paseaba por las plazas para distracción de soldados. Jamás pensé que Dorotea y la Pepa y Angelines tomaran en serio sus adivinaciones. Era un gallego cazurro y hasta habíamos hablado con él. Apoyaba un organito de una sola pata en el suelo y sobre la musiquita volaba en su jaula mugrienta un pajarito. «A ver, adivina a esta camarada el destino de su amor, su salud, su fortuna, su suerte. Sal, a la una, a las dos, a las tres.» El pobre pajarito salía hasta un cesto donde estaban un montón de billetitos enrollados. Sacaba uno. Lo entregaba a cambio de una peseta y reanudaba el juego de la intranquilidad en los corazones femeninos.

—¿A ver, a ver? El pajarito acierta siempre.

El de Angelines decía: «*Te quiere, pero tiene compromisos muy serios con una morena.*» Me eché a reír.

—Ríete, pero ¿y este otro?

Me alargó un nuevo billete.

—Pero aquí no hay nada escrito.

—Eso, nada. Y nada en otros cuatro más. ¿Te parece eso bonito?

—No hagas caso y péinate.

—¿Me quieres?

—Pero muchacha, si todas las noches te oigo soñar: ¡Cuánto me quiere Camilo!

—Yo no hablo en voz alta. Además nunca me has *oído* dormir.

—Nunca te veré, amor mío, delicia mía.

—Será porque cerrarás los ojos.

—Eso, cerraré los ojos. Anda.

Claudio me gritó en aquel momento:

—Baja pronto, Camilo, se nos está haciendo tarde. ¿Dónde está Juan?

Y Angelines, mientras se vestía seguía hablándome y yo oía su voz entre los escombros y lo último que oí fue:

—Mira, palomas.

¡Palomas aquellos dos puntos negros!

—¡Aviación! —clamaba enloquecido Claudio—. ¡Pronto aquí!

Pero ¿dónde era ese aquí protector? Vi algunos guerrilleros saltar los derrumbes vestidos ya con sus trajes de escena, absurdos en ese decorado demasiado real. Yo grité con toda mi alma:

—¡Angelines!

—Voy, voy —me contestó su voz preciosa—. Voy, voy, voy, voy, voy —sigo escuchándola, la escucharé siempre hasta que mis oídos se tapien. Subí a tenderle la mano, porque se le había enganchado el guardainfante. Mientras lo desenganchaba murmuró:

—Éstos no son trajes para soportar bombardeos.

Después... ¡Dios y Señor mío! Después... todo lo que sucedió después correspondió al espanto.

¡Pobre, pobre niña! ¿Cuántas veces he repetido hoy estas palabras hasta dejarlas sin sentido? ¡Aquel encuentro con el carro de la muerte! No debimos pararnos. ¿Por qué han insistido en deshacer las ruinas? Ahora estarán contentos y darán en Salamanca un parte históricamente sensacional: «Hemos matado dos cómicos en la nueva destrucción de Sagunto.» ¡Admirable! Nada me consuela. Pienso en mi responsabilidad, mientras todos lloran. Nos hemos quedado rotos. Aquí tenemos a Angelines en las rodillas de Juana. Camilo sigue sin conocimiento. No acierto a comprender por qué hemos encontrado al pobre Juanito Monje herido lejos de nosotros como si corriera, abandonándonos. Dorotea tiembla constantemente. Juanito está destrozado; Angelines, intacta. No sé qué hacer. Todas las decisiones parecen igualmente inútiles. Ha de venir alguien a buscarnos. O no vendrá, porque todo esto debe ser mentira. La muerte ha caído del cielo, desde lo alto de donde dicen que recibimos los cómicos la gloria. Ni flores hubo, ni ovaciones delirantes, ni coronas... Nos ha cubierto el polvo, el humo y mil partículas de cosas asombrosamente menudas que volaban, golpeándonos. Yo me tiré al suelo, mientras Angelines hacía su última escena agarrada a un barandal de aire después de tomar su vestido con una mano, sonriéndonos. La vi vacilar para no caer. Al rodar se ha lastimado una sien. Juana dice que es inútil buscarle las heridas, porque está muerta. Camilo sigue sin volver a nosotros. Paco Bustos llora y pregunta dónde pasaremos la noche. Hay que decir algo. Monsell tiene un pie torcido que no le deja andar. El ómnibus, deshecho, se ha despanzurrado volcándose cuanto llevábamos dentro. Desde aquí veo a Manolo intentando reconocerlo. ¿Qué hago? Es inútil echar a andar. Alguien va a venir. No acierto a salir de mi estupor. Tendremos que decidirnos. ¿Hacia dónde? ¿Están lisa y llanamente muertos? Soy un ser inservible, me toco los brazos, me golpeo, va a llegar la noche. En Salamanca pensarán que somos una pobre gente a la que con poco se atemoriza. Estoy lleno hasta el borde de un eructo amargo. Debe ser la bilis. Tengo atrozmente confusa la cabeza. Debo echar a andar. Juraría que me están hablando del *zapatones*. No, están mudos. Lloran. Nada se puede oír en este silencio. Lloran, lloran, lloran. ¿Y yo no soy nadie? ¿Por qué no lloro? Se acabó, pediré un fusil y me largaré a mi antigua unidad José Díaz, pero temo que ese batallón, con los arreglos de los comunistas, tenga un número. ¿Cuál? ¿Y de qué me va a servir? Reclamo una piedra y una ametralladora. Nadie va a impedírmelo, porque soy capaz... Cómo me gustaría ver al negro aquel cubano que se empeñó en aplicar sus teorías alegres a la guerra: «¿Y por qué no diviertes a todo el batallón o es que crees que los soldados no necesitan reírse?» Aquí me gustaría verle. Tiros y bombas, eso es lo razonable y morir para no ver. ¿Qué nos queda además de la razón, la verdad y la ira? Unos cuantos kilómetros de campos muertos. Al llegar a la costa me he dado cuenta de algo que nunca pensé; España está rodeada de mar y de barcos que nos controlan. Lo dijo el sargento que se llevó al hombre asesinado del carro, lo dijeron las gentes de Ibiza, amigas de nuestra secretaria que se ha instalado en la costa dedicados a pescar. Da estupor verse dentro de todas esas artimañas internacionales que olvidamos. ¡La «No Intervención»! Patrañas, mentiras. Desde la torreta de esos barcos verán al *zapatones* pasar. Ahí va ése a bombardear rojos. Los *rojos* no es un pueblo heroico, los *rojos* no es ni siquiera una fracción traicionada que se opone a morir, los *rojos* son el peligro interno de cada nación que nos vigila. Se miran hacia el vientre y se ven rojo. Portugal, esa pequeña nación sin pudor, dijo al disculparse de haber entregado campesinos de Extremadura que huían de los fusilamientos: «Nos obligó la defensa contra todos los regímenes de subversión social que lleguen a establecerse en España.» «*La question d'Espagne ne nous interesse pas, monsieur*», dice el ministro de Relaciones Exteriores de Francia a nuestro embajador, y Léon Blum clama: «Habéis escuchado a los delegados del Frente Popular español, yo los había visto la misma mañana. ¿Creéis que yo los escuché con menos emoción que vosotros?» Y lloró. Lágrimas de viejo cocodrilo parlamentario. El abejorroneo de los Drohne de Hitler ya molestaba nuestros oídos, pero no los de *monsieur* Blum, que deben estar cegados con cera. ¡Ah, cuánto duramos! Somos ese enfermo molesto que llena la casa de pestilencias, pero se encona en la vida contra los pronósticos de los médicos. Amanece, y vive. Estoy solo con mis Guerrillas diezmadas; no sé qué hacer, y vivo. Hoy vivo con la vitalidad de la desesperación como mi pueblo, pero Angelines está inmóvil, Juana está inmóvil, Dorotea está inmóvil... Pepa llora... Aguardan a que yo decida. A estas horas deliberarán sobre la impertinencia del heroísmo de España y el conte Ciano insultará a algún ministro soviético si éste defiende: «El derecho que tiene la República española por la ley internacional a comprar armas, municiones y material de guerra.» Angelines y Juan están muertos. ¿Han muerto por la causa de la dignidad humana? En Ginebra tratarán muy seriamente de cortar, de cualquier forma, esa insistencia absurda, inoportuna, del pueblo español de recordar a los otros pueblos cómo se muere por la dignidad humana. Podría cundir el ejemplo. Mejor será que esa fogata levantada contra una doctrina que puede prender como yesca una guerra la sofoquemos cuanto antes. ¡Inmundos! Hoy, desde Ginebra, nos han matado a Juan y a Angelines. Me ahogo. Es una realidad monstruosa.

Camilo vuelve en sí. Yo me arrodillo y le beso. No sé cómo ir en su socorro, porque va a ver a Angelines sobre las rodillas de Juana. Ya ni él ni nadie podrán hacerla volver...

—¡Camilo!

No quiero creer a mis ojos, pero se ha levantado con una serenidad inesperada mientras yo me quedaba sin aliento, le ha cerrado los ojos. Al reparar en el cadáver de Juanito Monje ha dado un grito rodando de nuevo desmayado.

El tiempo iba y venía rodando dentro de mí. «Os necesito para mis ciegos.» «¿Te llamas Claudio?» «Señor San Juan... ¡Viva la fiesta y los que en ella están!» «¿Vienes a buscar a estos locos?» Días idos, frases que me bailaban mientras procuraba salvarle de su desmayo. Parece que respira. Las sienes, los pulsos. Vuelvo a dar órdenes con voz seca. Desde tiempo inmemorial dio resultado el hablar tajante y seguro. Manolo irá a buscar gente. Camilo se incorpora. Estamos de nuevo unidos, apiñados. Todo va colocándose en su lugar. ¡Adelante, Guerrillas del Teatro...! ¡Sobre la muerte, más allá de la muerte! Tenemos que empezar otra vez. Ensayemos vivir.

—Tú, Manuel, vas a ir por la carretera. Encontrarás algún camión. Juana, quédate con las chicas. Camilo y Monsell estarán con vosotras. Aún hay mucha luz. Los demás iremos hacia la factoría de Altos Hornos. Allí hay gente. Mírala humear. Si bombardean es a las casas de los obreros, jamás a los crisoles ni a los talleres de la maquinaria porque pertenecen a una compañía internacional. Hay que salvar el capitalismo. ¿Que salen tanques? Vaya, ésos no matan más que a los soldados, no suelen entrar en los consejos de administración jamás. ¿Has oído que hayan matado alguna vez a un accionista?

—Calla, estás desbarrando —me interrumpe Juana. Juana ha encontrado su maternidad y acaricia a la pobre criatura muerta, con el pretexto de espantarle una mosca. Tiene pudor de su gesto maternal. Voy a irme. Miro a Juanito Monje. Conserva los dedos engarfiados sobre el pecho como si allí se le hubiera refugiado el último dolor.

—Camilo, ya vuelvo. Saldremos de aquí como podamos.

—Está bien.

—La guerra no distingue.

—Ya lo veo.

No sé cómo marcharme, pero, al fin, dejo a las mujeres y a Monsell. Camilo, al ver que me alejo, se levanta. Vuelvo la cabeza y veo que se inclina sobre Juan. Seguramente le está pesando la discusión última en la carretera cuando encontramos al carrillo con el muerto.

No necesito alejarme mucho porque ya viene gente. No saben qué decir. Les parece extraordinario vernos con aquellos trajes y más aún con aquellos dos cadáveres disfrazados. Son obreros de la factoría y les parece una manera poco seria de tratar a la muerte. Pronto se reúnen varios automóviles en la carretera. Llega un jefe. Me presento. Parece que no quiere creerme. Puede que todo lo encuentre sospechoso. El obrero dice que recuerda haber visto trabajar a las Guerrillas. Parecen convencer al jefe el camión volcado, las maletas desventradas y su contenido de colores y vestidos alegres. Veo sin ver que Juana ha sacado un pañuelito tapándole a su *hija* la cara.

—Ustedes en ese coche. Otros esperarán hasta que el C. de E. mande algún camión.

Algunos obreros pretenden levantar a Angelines. Camilo se interpone. La levanta como si fuese un brazado de hojas húmedas. Todos le dejan hacer. Probablemente será mejor de ese modo.

—¿Y Juanito?

Camilo me mira como si riese.

—Los buitres —murmura perdida la razón.

Se ha sentado en el coche con Angelines entre los brazos. Juana no quiere que su niña vaya sin su cariño y se sienta al lado. Las otras muchachas van delante.

Los veo arrancar y desaparecer, como si volviese las páginas de un libro.

¿Cuánto tiempo se tarda en recorrer, con distinto ánimo, a la misma velocidad el mismo camino? Angelines, cabeceando sobre mi hombro su último sueño infantil, cubierta con una manta, que la piedad del conductor sacó de debajo de su asiento. Pero quien se helaba de minuto era yo. Creo que todos tiritábamos de angustia y de vigilia. Por el cielo negrísimo parpadeaban estrellas que no puedo asegurar fuesen las mismas que miró con sus ojos azules Angelines. Todo estaba sospechosamente inmóvil para tener piedad de nuestro caso. Vuelta a empezar los naranjales, a subir, a recorrer el laberinto de Contreras, a ver sin ver los pinos, las esquinas de las casas... Igual todo, pero sumergido. El hombro de Angelines, el perfil de Juana (montones de astillas, hierros, la ruina de nuestro camión, el espejo, un tapete de borlitas azules...). Corrimos sin aliento por una carretera que no se acababa nunca. ¡Qué suplicio! ¡Tanto como deseé apoyar a esa niña sobre mi pecho! Ahora no puedo más. (Otra vez la nueva ficción doméstica de la Pepa al quedarnos solos cuando se fue Claudio. Sacudió un taburete y se sentó como si todo empezara de nuevo. Seguramente será así y al llegar a la Alianza esto no será verdad.) Los controles medio dormidos apenas si nos hacían caso. Tal vez presintiesen como los perros guardianes la muerte entre aquellas personas de ojos extraños demasiado vivos. Nos habíamos quedado sin sueño porque todo se lo dimos a Angelines. (Seguía arrodillado, sin entender nada, porque tal vez fuese una ficción y ensayasen alguna tragedia para representar a los combatientes del frente, y como yo venía de tan lejos me habían dejado fuera del juego, porque ¿cómo iba a haber sucedido una cosa que yo no había visto?)

Más allá de nuestros traqueteados cuerpos, libre de enterarnos de sus actos, Angelines relucía con su traje de seda. El chófer preguntó: «¿Fuma?» Dije que sí para asirme a esa lucecita que me tendía complaciente de hombre a hombre. Me agarré al olor, al temblorcito de la lumbre, pero no me atrevía a iluminarle el rostro. Nuestro conductor apagó los faros, deteniéndose. Las chicas aprovecharon para suspirar, yo envolví en humo lo que no me decidía a ver y Juana tosió. (Dorotea me pasó por la cara un pañuelo y lo retiró lleno de tierra oscura. También Juana repitió sobre Angelines el mismo gesto compasivo. ¡Era tan raro todo! Se descubría un corazón común. Hay ocasiones en que puede haber un solo corazón para una muchedumbre.) Al recomenzar el camino, Juana me pidió, casi suplicándome, que le dejase un rato sobre sí el peso de Angelines. No, este peso es sólo mío. La pobre teme que me duerma y no vele bien, porque ella sabe que en la noche última que los muertos están con nosotros no se duerme, no debe uno dormirse para acompañar quién sabe qué visitas del alma a su cuerpo. (Después de sentir el pañuelo de Dorotea sobre mis ojos comencé a darme cuenta de que había más, alguna cosa más mirándome, un horror aún no visto por mí. Me volví con una gota de sudor resbalándome por la nuca. ¿Sería Juanito Monje muerto? Me subió por la médula una alegría tan total que me derrumbé de placer.) El pobre chófer quería hablar: «Así que cómicos.» Cómicos, ya ve usted, y muertos de verdad y sin ninguna trampa, tanto que no sé qué va a contar Angelines en el cielo cuando la vean llegar con este disfraz, porque no tenemos noticia de que ninguna bomba haya matado a un cómico. (A Juanito Monje la explosión le había machacado la cara contra toda alegre previsión de las Guerrillas del Teatro. Claudio se dio cuenta y comenzó a maldecir. Yo cerré los ojos para no sentirme delatado por mi turbio contento. ¡Era tanta, tanta la alegría de mi liberación tan asombrosa! El pago de mi deuda acababa de hacerse en forma tan cabal, era tan exaltador estar seguro de que los de enfrente aguardarían sin que nadie llegase y saldrían a los caminos y todo se les confundiría y al preguntar: ¿Pero no llegó Salvador Pancorbo?, se viesen precisados a decirles: No, que me llené de llamaradas.) Se me cansaron los brazos, sentí sed, la cabeza de Angelines se empeñó en caerse. Dejamos de hablar, porque una leve madrugada vino a mostrarnos, uno a otro, nuestras caras horribles. La Pepa bostezaba, inconsolable. ¿Se puede morir a los veinte años?

La advertencia de su propia fragilidad le daba sueño, cansancio, inseguridad a ella tan satisfecha de vivir. (Todos los problemas solucionados. Qué fabulosa verdad puede traernos la muerte. Ya no les traicionaría nadie, ni mi silencio, ni Juanito Monje, ni aquel señor uniformado, ni el portero, ni el espía, ni siquiera mi cuñada... Todos burlados. Mi voluntad estuvo dispuesta a solucionar el último momento con su muerte o mi muerte. Ni Juanito Monje ni yo hubiéramos llegado vivos a Burgos.) «Se te ha puesto carne de gallina», oí que observaba Dorotea a la Pepa. «Tengo miedo», confesó con mucha humildad. «Lo que hacemos no es más que un deber», añadió Juana. (Claudio cumple también con su deber velando al guerrillero muerto. Habrá estado nervioso pensando en sus palabras para envolverlo bien en elogios, dándole la trascendencia política que a él le gusta tanto. Enterrará a un traidor y no lo sabrá nunca. De una pieza es Claudio. Pero esta vez te darás el gusto de echarle la tierra encima; tú no sabrás, pero él sí.) Me toqué el pecho para sentir el papelito del informe. Está debajo de mi camisa contra la carne. No me puedo mover. Yo perdido y ellos ganados, yo perdido y ellos ignorándolo todo... Me venció el sueño, pero al creer que entraba en un lugar tranquilo donde encontrar un poco de agua para mi sed encontré que la fuente era salobre. Luego me dijeron que grité despavorido: «¡Sangre!» Dorotea encendió un fósforo, presintiendo. El auto, la madrugada, el frío todo se detuvo. Iluminó a mis pies una franja purpúrea. Angelines, que parecía nos había sido arrebatada intacta, se había desangrado.

Otra vez Madrid. Otra vez el edificio rojo donde entré a refugiarme por vez primera después de un bombardeo, el patio demasiado enorme que me acogió mientras preguntaba apresuradamente por las Guerrillas, Perico Ligero... En vez de la puertecita pequeña abren los portones, porque así de respetuosos somos con la muerte. No me agarra de la mano Cotapos, ni oigo tintinear sus llaves, ni el secretario con el simpático tic de sus ojos me acompaña a los sótanos inesperadamente mágicos. Los laberínticos refugios no cantan. Llevamos a Angelines hasta la rotonda, dejándola bajo los vidrios incontables, donde era tan suave soñar mientras caía la lluvia sobre nuestros sueños. Un alguien me dijo:

—Haremos todo lo mismo que cuando murió Gerda.

—Habrá más flores, porque es mayo.

Así supe que era mayo y no me extrañó que hubiera sol. Mientras todos se atareaban yo me senté. Eran los ecos los que cantaban la bienvenida: «Señor San Juan, viva la fiesta y los que en ella están.» Tal vez yo me cantase por dentro. Se me acercó la profesora de baile, me dio la mano; todos me dieron la mano. Trajeron una caja de mal pino, pero una bandera enorme, roja AIA. Repetí interiormente «Alianza Intelectuales Antifascistas». ¿Cuántos años llevo aquí? Sigo oyendo frases buenas de gente buena.

—¡Quién iba a pensar que bombardeasen lo bombardeado!

—Los fascistas no quieren ni ruinas. ¡Ah, lo que es si entrasen!...

—Lo han hecho para mi castigo —murmuré.

—Qué gracia, pero la han matado a ella.

Me eché a llorar por primera vez. Nadie podía detener mis lágrimas. La Pepa tenía razón, por mí, para castigarme Dios a mí había sucedido aquello. Sin mi grandísimo pecado Angelines viviría. El rescate de mi atroz pensamiento, de mi decisión de muerte había sido horrible. ¿Había gritado: Dios? Por fin ese nombre entre mis labios. Desde que Angelines nos fuera arrebatada yo no había pronunciado su santo nombre. Ahora sí que me arrodillo y tiemblo y me aprieto las sienes y me destrozo las manos. ¿Por qué siempre un inocente para calmar las sagradas iras eternas? ¿No era bastante mi crimen y mi expiación y mi renunciamiento a Angelines y todas las horas de penitencia que hubieran venido después o quién sabe si mi muerte? Porque hubiera habido lucha entre Juanito y yo. Cada minuto que va pasando me deja a Angelines más pequeñita, casi tanto como los niños de corbata roja que entran dejando flores. Ya no sé si soy digno de dar la mano a muchos obreros que entran para dar guardia a la pequeña actriz. Algunos pasan cantando «Amigos sinceros del pueblo» y se me sube el alma. Pero yo, yo era también un silencioso amigo sincero arrodillado ante mi culpa, yo tanto como otros suplicando a borbotones a mi Dios un lugar para la victoria de mi pueblo.

Dócilmente se dejó Angelines alzar en nuestros hombros. Hasta llegó Claudio. Fue muy sencillo enterrarla. Uno más. El drama diario escamoteó a nuestra Angelines un gran cortejo. Parecíamos más que nunca una familia. «¿La quieres besar?», me preguntó mi buen teniente. Me arrodillé. Como había muerto en el frente de su trabajo, María Teresa no había querido desvestirla de su guardainfantes y estaba amortajada en la ley de su elección. («¿Qué hace usted aquí?» «¿Y usted?» «Yo, arreglando el mundo.» «Yo, desarreglando su sueño.» «La he despertado.») Incliné mi boca, pero sus ojos no me devolvieron su mirada de azul esplendoroso. El sol impío no era una candileja y su traje plateado se fue desvaneciendo bajo mis lágrimas... Señor, Señor, mírala de nuevo en su hermosura virginal, porque yo vuelvo a pedirte para ella con toda mi alma un lugarcito entre tus ángeles.

Claudio quiso hablar y no pudo. Nadie pudo ante aquella situación decir ni una palabra, pero yo sé lo que quería decir su silencio: «¡Ay, de los que nos han obligado al oficio de enterradores! Pueden echarse a temblar porque llegará el día de la resurrección de los muertos y los asesinos no hallarán tierra bajo sus pies donde esconderse.»

Al llegar al camposanto —ahora que escribo estas páginas de mi confesión atropelladamente, sin saber si me ocurrieron o me ocurren en este instante tantas desdichas— creo que éramos pocos. Cuando me deshinqué del suelo estaba colmado de gentes conmovidas e inmóviles. Hasta instaladas en las tapias. Aquel enjambre humano comenzó a cantar: «El mundo está lleno de lágrimas, la vida llena de dolor...» Era el canto de rebeldía de los humildes que me bajaba por las venas, entrándome por las cuencas de los ojos hasta estrujarme. «Legión esclava, en pie a vencer...» Ellos siguieron con sus esperanzas y yo empapé la tierra de dolor, la tierra que iba cayendo sobre la caja sencillísima, habitación definitiva de su hermosura, sobre la bandera roja, que nadie se había atrevido a quitarle, sobre un puñadito de flores... Golpeaba estérilmente la tierra, yo la oía y legiones y legiones del mundo cantaban...

—Coronel, coronel, ¿sabe que no volvió Juanito Monje? Muerto.

—¿Y el otro? ¿El curita?

—Volvió. Acabo de verle.

—Pues te digo que las cosas comienzan a complicarse. Sólo Dios sabe cómo saldremos de este berenjenal. ¿Se lo has dicho a la señora Panchita?

—Aún no la he visto.

—Dile que haga llamar a su pariente y que informe.

—¿Y si ha hablado?

—Demontres.

—Transmita, transmita.

—Sé, sin tus inútiles consejos, lo que tengo que hacer.

—Pero es que nos jugamos la pelleja.

—¿Golfín se fue?

—Se fue.

—¿Y quién queda en la embajada?

—El poetita.

—Calma y maduremos.

—No hay madurez ni cuernos posibles.

—Retira las palabrotas.

—Digo que no hay que madurar nada, sino decidir en verde.

—¿Por ejemplo?

—Transmita, transmita.

—Con transmitir nada se arregla. Mira, tú no eres más que un portero y se te remonta la impaciencia porque no sabes controlar tus emociones. ¡Ay, si hubieras sido nada más que sargento! A ver, ¿qué te parece?

—Pues una bofetada.

—No, una prueba.

—Pues yo juraría que era una de cuello vuelto.

—Tienes poco aguante. ¿Y ésta?

—No pegue, señor, que el horno no está para bollos. Lo

que es, si ha caído el informe en manos de esa gentuza...

—Simple.

—¿Por qué simple?

—¿Ves cómo no sirves más que para abrir las puertas de un ascensor y guardar las llaves? Idiota. ¿Crees, infeliz, que Golfín dio el informe a... vamos no sé cómo se llamaba, bueno, a Juanito Monje?

—Eso lo he visto con mis propios ojos.

—Pues límpiatelos.

—Por lo visto ahora lo que digo es Diego.

—Exacto, en ese papel no había escrito nada.

—Lo que digo es Diego. Vamos, señor, despierte porque ahora está roncando.

—Infeliz. Si llega el papel blanco quiere decir: Apresuren las conversaciones internacionales, porque ya hay inteligencia con jefes dentro de la plaza.

—¡Lo que puede decir un papel!

—Ninguno de los muchachos corría peligro. Necesitaban un poco de audacia. La aviación iba a venir a protegerlos y aprovechando la confusión de retaguardia...

—Pero, señor, si todo eso está muy bien, pero transmita que Juanito Monje ha muerto y Salvador Pancorbo no llegará a Burgos.

—Algo nos ha salido mal, aunque la señorita Maruja habló bien claro desde Valencia para prevenirnos. Empezaremos de nuevo. Mira, cuando en 1934 fui con Sanjurjo y Beigbeder a ver a Hitler en Berstengaden, el jefe de su servicio secreto me dijo amablemente: «¡Lo que tenemos que amasar en nuestro oficio y la de veces que se nos queman los panes!» Espiritual el *Herr*. Mientras Sanjurjo echaba sus firmitas yo me bebí unas cervezas de Munich. ¡Ay, si Pepe Sanjurjo hubiese sabido no ya jugar al bridge, aunque hubiese sido a la mona o al burro en pie en el jueguecito internacional de las potencias! Pero el pobre Sanjurjo, el día que asesinaron a Calvo Sotelo se le fue el color y todo lo que estaba preparado para el tiempo de los melones, para octubre, pues lo echó a andar en julio. Para mí que donde el diablo mete la cola... No me interrumpas. Estoy hablando solo. Todos los españoles estamos ahora hablando solos porque, quien más quien menos, cree que si él hubiera echado su cuarto a espadas, las cosas... Vamos, que somos entes históricos y cada uno nos estamos viendo en este baile desde la posteridad. A mí me llamarán el emparedado, a Pepe Sanjurjo, el impaciente. ¡Tonto, burro viejo, si no nos hubieras dado el olé ese Frente Popular se hubiera caído como una breva! Pero que si los obispos, dicen, que si las monjitas tienen miedo, que si las mamás opinan que sus niños hacen poco por la Causa, que si los viejos opinan que en su tiempo el coraje era moneda más corriente, que si las acciones bajaban mientras la indiscreción subía amenazando echarlo todo al traste..., pues al agua y a apechugar con lo que venga. Pero Pepe no hubiera debido dejarse amilanar. ¡Qué trastorno! Uno que corre, otro que se resiste, el de más allá, que no se había contado con él, el de más acá que no está hablado, los oficialitos de artillería que si los escalafones abiertos o cerrados y vuelta a enloquecernos con las rencillas y Queipo abriendo el chorro de su elocuencia y transmitiéndonos órdenes y contraórdenes a los que nos quedamos aquí con el pie en la ratonera.

—Señor, deje, que agua pasada...

—Yo sólo bebo agua pasada ¡ay de mí! Dios, que se molesta en verlo todo, sabe lo a destiempo que arrancamos en esta cruzada salvadora. Y menos mal que la protestante Inglaterra y la masona Francia se quedaron quietecitas en cuanto Hitler hizo: ¡Fu! Ese hombre es nuestro padre. Mussolini, nuestro tío, nos mandó los primeros Savoias, que detuvieron los franceses en Argel. ¿Me oyes? ¿Me sigues? ¿Me alcanza tu frente pequeñita de asalariado? Has de saber que diez días justos después de la sublevación de Marruecos ochenta y tres viajeros subían en Hamburgo al *Usaramo*, siendo depositados con toda felicidad en Cádiz. Los primeros Heinkel. Ellos hacen el milagro de transportar dulcemente a toda la Legión Extranjera desde la extraña patria de Abd-el-Krim a esta de Isabel la Católica. Sin esos ochenta y tres alemanes con vocación hispánica tú serías un portero permanente y yo un coronel fusilado o en prisiones militares.

—Déme su permiso para irme, porque si tengo que prevenir a la embajada...

—Un momento. Aunque hablo solo me gustan oídos cerca. Ya no me distrae nada, he agotado todos los entretenimientos de la soledad. Me gustaría oírme decir que Pepe Sanjurjo remontó en un avión desde un aeródromo de

Lisboa donde lo despidieron gritando: ¡Viva el rey! A pocos metros de ese viva se quedó hecho pedazos. Dios lo quiso y si Él nos lleva la cuenta de nuestros desaciertos, ninguno de nosotros se atreve a escribirle la suya.

—Señor, déme su permiso, los tiempos no están para solfas, he de...

—Te quedarás. Lo mando. Lo quiero. He de decirte la rabia que me entró al ver que Paquito se alzaba con el santo y la limosna. ¿Por qué te crees tú que no dejaron pasar a don Juan de Pamplona cuando el real muchacho quería ofrendar su vida por su trono? Embrollo sucio, sucio, sucio. Lo atajaron y otra vez a Suiza a comer queso. Hundido me quedé con la noticia...

—Señor... Coronel...

—Una bellaquería mayúscula. Sólo Kindelán y yo queremos la monarquía y somos dinásticos y borbónicos y juaninos, los demás, pega, pega y pega.

—Coronel...

—¡Qué coronel ni qué cuernos! No me interrumpas cuando *me* hablo. Todo el tiempo quiero decirme...

Lo interrumpí. Ahora, que duerma. No debo haberle roto nada importante y es que cuando se envuelve la mano derecha en un pañuelo y, zas, se aplica al sujeto un directo, éste, sin mugir ni nada, se desvanece hasta el día siguiente. Abur, coronel.

¡Oh, Dios! ¿Por qué permitís a la memoria despertar al menor balanceo de una hoja? Todo, todo cuanto ocurrió sigue aquí en esta mano mía asombrosamente preciso. Me veo solo ¿viviendo? No, arrastrándome.

Todo el monte de encinas parecía dispuesto a quebrarse y caer bajo el calor de julio. Las explosiones vibraban demasiado secas, parecían retorcer cuanto alcanzaba su sonido, entre otras cosas, mi corazón. Claudio me tomó del brazo:

—No tienen que mandar los muertos.

—Comprendo —contesté al salir del ómnibus y entrar en el Palacio del Pardo.

No acabábamos de subir la escalera y ya Ascanio, el comandante de redondas mejillas saludables nos estrechaba con su amistad, diciéndonos:

—Escuchen, escuchen una transmisión sensacional.

Entre miles de ruidillos que se filtraban, interrumpiendo las sílabas y espaciando las notas, oímos cantar:

Hemos pasado el Ebro
novia mía, mi bien amado.
Los unos en las barcas
y otros a nado.

—¿Eh, qué me decís? Vamos hacia Gandesa y si tenemos aviación suficiente, pues nada, que esto se termina. Se acaba el mito. Franco deja de ser un negocio para la Bolsa internacional y pierde su crédito, nosotros lo recuperamos, Francia se da cuenta, Inglaterra entra en el juego. ¡Ah, los soldaditos republicanos tirándose al agua frente al cuerpo marroquí, a la Littorio, a las Flechas Negras, verdes y azules, al cuerpo requeté navarro de cresta colorada y al Tercio Extranjero! ¿Os dais cuenta que el chico de blusa, el repartidor del pan, el de la carne, el empleadito, el sereno, el muchacho del Banco, el limpiabotas, el torerillo, el gañán de la yunta, el herrero, el tipógrafo, el electricista, el ferroviario, el panadero, todos, todos esos antiacuáticos soldados se han tirado al agua del río más español de todos los ríos, el ibérico Ebro? ¿Brindamos?

Apreté los labios mientras pasaba el vino. Apreté los ojos. ¿En qué lugar de la tierra estaba respirando? Era un salón donde antes se habían paseado los reyes de España. En los muros había habido tapices de Goya y quedaba su recuerdo, del esplendor relativo de un palacio de caza únicamente quedaban los caireles de las arañas balanceándose con nuestros gritos. Allí, allí me enteré de que estábamos a 25 días del mes de julio de 1938.

—¡Ah, si tienen aviación, vamos a ver algo grande! De aquí se han llevado hasta el último bote viejo.

—¿No te parece, Ascanio, que si sólo fuéramos un ejército medio derrotado no hubiéramos pasado el río?

—Jamás, nuestro motor es el político. Nuestros hombres marchan cuanto mayor es la carga de verdades políticas que hemos sabido meterles en la cabeza. Ésa es la ventaja de los mandos como Modesto, Tagüeña o Líster. Aunque los militares sepan perfectamente su papeleta les falta la fe de una integración política.

—¿Sugieres para ellos una duda?

—Jamás. Creo que gracias a los mandos militares existimos. Yo pediré un monumento para el militar leal cuando esto se termine y un desagravio, si alguien le pudo ofender. Fueron los fascistas los que hicieron cuestión de clase nuestra guerra y de casta militar. Ellos, sí, ellos matando pobre gente, sacaban a flor su política de odio de clase, nosotros, no, nosotros defendíamos una forma de gobierno liberal democrático que no era precisamente el comunismo. Defendíamos una República, gala del pensamiento, adornada por intelectuales, apoyada por ellos, aprendida en ellos, auspiciada por ellos, firmada por ellos: Ortega y Gasset, Pérez de Ayala, Marañón... En fin, una república burguesa. Y al principio del ataque de Franco había miles de burgueses indignados por el desplante de los rebeldes y la felonía del ejército. Sólo después burgués vino a ser sinónimo de franquista y militar, de traidor.

—Cuántas contradicciones en pocas palabras.

—Hay que convenir en nuestra torpeza, pero a veces se

es torpe porque no hay otra forma mejor para defenderse, porque tal vez es la única y no podemos elegir otra mejor. Aquí estamos oficiales improvisados y otros salidos de la más rigurosa academia. En el Ebro pasa lo mismo. El jefe del Ejército del Ebro es Modesto Guilloto, un obrero de las bodegas del Puerto de Santa María, un tonelero genial. A sus órdenes está Líster, un gallego fino como un coral mandando el V Cuerpo. En el XII, Vega; en el XV, Tagüeña. Ése es un intelectual. Como yo, viene del Instituto Escuela, esa institución odiada por las gentes de Franco. Manda el grupo de Ejércitos un general suave y fino, el general Sarabia, y el jefe del Estado Mayor es el teniente coronel Matilla. Junto al presidente del Consejo está el general Rojo, un hombre de ojos bizcos y pocas palabras, de una serenidad japonesa y capaz de hacer comprender un plano a un ciego. Pues todas estas gentes de diferentes orígenes y hasta respondiendo a diversos partidos, forman nuestro complejo mando militar. Debajo está la trabazón política. Esta guerra es lo que Clemenceau llamó una guerra de civiles.

—Claro, demasiado complicada para entretener en ella a los militares.

—La menor embestida de nuestra parte rompe la moral del enemigo, porque todo lo apoyan en los cálculos de la estrategia. Pero nosotros podemos reaccionar hasta límites increíbles: por ejemplo, perder Toledo y detenerlos en Madrid; iniciar una ofensiva en el peor mes de operaciones, y tomar Teruel; quedarnos cortados en dos mitades, y pasar a nado un río imprevistamente.

—¡Por el ejército del Ebro!

Sobre el ademán con que Ascanio levantó su vaso se le notaba el temblor de no haber asistido a esa cita que la Gloria acababa de dar al Ejército de Cataluña. Quedaron secos los vasos, repetimos los brindis, las palabras comenzaron a perder eco y ganar niebla:

—Ahora yo creo que con un poco de material... Lo malo será si fallan los suministros, porque el milagro de la vitalidad monstruosa del pueblo español está hecho. Tengo miedo a la gusanera de los politiquillos y a la quinta columna que empezará a fregar el piso para que resbalemos. La gusanera empezará a actuar negando méritos a todos por miedo al *bonapartismo*, en cambio cuando chaqueteamos, todo es: pase usted primero, camarada ministro, a ver ¿quién es el señor que arregla las malas situaciones?

—Llaman a los comunistas.

—Eh, tú, no te apuntes el florero, que no se rifa.

Carlitos Durán aquella tarde se nos cayó al suelo mientras hacíamos *El dragoncillo* de Calderón. Los soldados se dieron cuenta y Claudio lo arregló diciendo:

—Este soldado de Flandes... que viene del Frente del Ebro...

Jamás habíamos oído una ovación tan estruendosa, es que como nos dijo el ayudante de Ascanio, las fuerzas de nuestro ejército ya no son voluntarios, sino quintas llamadas lisa y llanamente a servir al gobierno de la República. Tampoco están los internacionales. La insinuación de Juanito Monje se cumplió y los deseos de la quinta columna se cumplieron, también. Observadores de diferentes países llegaron para velar sobre el cumplimiento del tratado.

—Qué opinas, Manolo, se llevan a las Brigadas Internacionales, ¿ves?

—Mal hecho, camarada Claudio, lo que yo digo: si es la Humanidad progresista la que está en juego y el hombre es libre de morir donde le plazca, si se le antoja ¿por qué no dejarles morir aquí si luego han de tener que morir un poco más allá?

—¿Tú insistes en que el fuego no será sólo en esta casa?

—No, compañera Juanita, a mí me lo ha dicho uno del Comité Central. Hitler quiere el mundo porque lo ha prometido, porque lo ha escrito y por eso le han votado los suyos. Dice que hay más alemanes que piojos en Sacro Monte. A mí, los que he visto, como me parece que están despellejados me dan repeluzno. ¡Y ayudan al Franquito, eh! ¡Vaya qué compadre se han echado esos tíos! Que si aviones, aviones; que si tanques, tanques; que si hay que ponerse bigotes, pues bigotes. ¡Caray, qué lotería!

—A nosotros, en cambio, duro y que escueza.

Al salir del Pardo estaba decidido a irme al frente.

—¿Qué tengo que hacer para venirme aquí contigo, Ascanio?

—Que Claudio te dé de baja en las Guerrillas y yo te reclamo para mi Estado Mayor.

Bromeó Claudio:

—Te advierto que sabe latín.

—Eso es lo que nos está haciendo falta. Yo soy ingeniero y le enseñaré a hacer puentes con un mecano.

No me enseñó, no le volví a ver. Los hombres pasaron como los acontecimientos. Madrid se empezó a poner amarillo. En aquel mes de noviembre las Guerrillas del Teatro dijimos nuestro adiós a las Brigadas Internacionales.

—Desde esta mañana parece que me he quedado huérfano.

—¿Dices? —pregunté sin entender lo que quería decir Carlos Durán.

—Sí, huérfano. No me gusta que se vayan.

—¡Pero tú jamás te has preocupado de ellos! Todo te da aproximadamente lo mismo.

—Pero me había acostumbrado a que me defendieran.

—Mucha gente pensó como tú: si esos extranjeros tan machos van delante recibirán las primeras perdigonadas.

Claudio, que había hablado de lejos traía entre los dedos un telegrama.

—Hombre, tan mal no nos hemos portado los *nativos*, digo yo.

—Es una aclaración pequeña a ciertos estados de ánimo que padecemos.

—¿Temes la depresión colectiva? Hay muchos Duranes en España —quise bromear.

—Y mucha buena gente en el extranjero. A ver ¿qué has comido hoy?

—La variación acostumbrada: lentejas.

En la mano le temblaba el papel azul.

—Pues gracias a muchas gentes que nada sabemos de ellas y que viven en la Argentina vas a comer carne.

Carlos Durán quiso gallear un poco, pero le interrumpieron bruscamente. Nuestro teniente no admitía bromas.

—Nos tienden su devoción. Son una sombra apenas y, sin embargo, juro que los conozco... —añadió con una pequeña nerviosidad— ...y los quiero.

Aquella declaración dirigida a cientos de miles de gentes, era conmovedora. Yo no podía decir lo mismo. Estaba hecho un ramajo seco. Pero Claudio nos acababa de descubrir que debíamos querer a miles de hombres que aunque no llegaron con su mochila militar estaban allí, en ese telegrama. Salían a sus ocupaciones, en cualquier ciudad del mundo, hombres preocupados con la defensa de Madrid, el bombardeo de Guernica, la caída del Norte o la toma de Teruel o el paso del Ebro. Abrían el diario para dirigirnos una sonrisa. Quitaban unas monedas a su jornal. Besaban a sus hijos y recordaban los nuestros. Hasta eran capaces de pegarse en un café con los fascistas locales. Y no les habíamos dado nada. Puede que conocieran por casualidad a algún español, pensarían que todos son valientes, de ojos profundos, casi africanos. Nuestra ópera nacional, *Carmen*, y las españolas, cigarreras de pasiones hondas y desesperadas. Desde que tomaron nuestra divisa habrán pensado, sin realizarlo, que deberían leer el *Quijote* y hablar fuerte de problemas minúsculos y tener razón en todo y por todo, sin diálogo con el vecino, pues así lo habían visto hacer los que convivieron con los empecinados discutidores peninsulares que han inventado aquello de no dar su brazo a torcer y el «sostenerla y no enmendarla». Presentían que a lo lejos no enmendábamos nada y creo que más que a tiros nos vieron pelear a puñetazos, a cabezadas y a mordiscos. Aquellas monedas que juntaron una a una se convirtieron en el mes de noviembre, en camiones de manjares increíbles para los hambrientos de la Alianza de Intelectuales. Al abrir una cajita nuestra secretaria se demudó. Dentro venían toda suerte de lápices y pastas para maquillaje de las Guerrillas... ¿Cómo nos íbamos a dejar vencer por el otoño, si a nuestro llamamiento de comediantes habían respondido tan ampliamente para ayudar a la alegría? Lo que ella pidió allí estaba, y el chocolate y sopas y carne que llamábamos «de mono». La Navidad de 1938 no nos iba a pillar desprevenidos. ¡La Navidad! Estaba hecho un ramajo seco, pero temía encontrarme con la Navidad. Temía muchas cosas, hasta dormirme en mi cama. Temía encontrarme con mi familia, asidua en molestarme. Temía que sonase el timbre, que no había vuelto a sonar. Temía vivir demasiado largo tiempo...

Claudio ¿se daba cuenta de algo? Lo cierto es que no me perdía de vista.

—Juana será esta vez España —dijo lentamente.

—¿Ya no necesita ser una novia? —preguntó Paquito Bustos sin darse cuenta.

—No. Comienza, Juana.

—Sobre mi verde traje de trigo y sol han puesto
largo crespón injusto de horrores y de sangre.
Aquí tenéis en dos mi cuerpo dividido:
un lado preso, el otro, libre al honor y al aire.

—Más dureza en la voz, más drama. A nosotros los españoles nos gustan los símbolos. Tenemos que fijarles un símbolo de amor en la retina a los camaradas que se van. Sigue.

—Palpitantes, partidas, rotas y dos a hierro
mis profundas entrañas de domadora y madre:
separadas a tajo las cuencas de mis ojos,
a tajo el predominio de mis dos grandes mares.

—Levanta la cabeza, pero no la barbilla. No te eches para atrás. Mira al frente. Que te salgan alas en los hombros. España no se doblega nunca.

—Balazos, explosiones de injurias y desprecios,
puntapiés y metralla de rencor, todo en balde.
Si altos van los caminos futuros de mi frente
más altas sus estrellas para que me acobarde.

—Deja caer las manos. Sin gestos, por favor. Eres un símbolo. Una voz. Grita, grita.

—¡Destruid, destruidme!, maniatada por todos
los ladrones que envidian mis lauros inmortales.
Hijo que de mis pechos bebiste la bravura,
hijo leal, mis hijos, venid a mí. ¡Ayudadme!

Me sentí en llamas. No era ya la voz de Angelines demasiado dentro de mis huesos, era otra compuesta de millones de sonidos quedados en el aire, la voz de las generaciones que nos hicieron. Me sentí hundir. ¡Yo no era digno, yo no era digno!

Cuando llegó el día y la música dio entrada a Juana, verde vestido y blonda negra, acuchillado el seno, dolorosamente vencida, yo, que la miraba, dejé de verla. «¡Salid sin duelo lágrimas corriendo!» Un rumor me desentendió de repente de lo que sucedía en la escena. Allí estaban los jefes militares, tensos y firmes, estrangulados de emoción. Los muchachos de las Brigadas Internacionales, ya sin uniforme, se habían puesto de pie al ver aparecer a España.

Estaban en posición de firmes dentro de sus trajes de civil, de cortes diferentes, de sastres de todas las latitudes, comprados con el dinero de muy variados bolsillos, pero estaban firmes mirando a España venir hacia ellos, tenderles los brazos, llamarles hijos, acariciarles con un soplo... Se habían puesto en pie, obligando a los generales a llorar y a los hombres barbudos a recobrar su infancia y a las mujeres a sentirse cerca de aquellos soldados. La voz de España se iba modulando en los versos de Alberti, confirmando a todos aquellos hombres que los seres humanos han venido a la tierra a realizar altísimos fines y las Brigadas Internacionales los habían cumplido. Se produjo en el teatro como una dulce declinación de una tarde hermosa. Nadie volvió a sentarse. Se sucedieron los cantos y pocos nos contuvimos porque se habían roto las riendas. ¿Hacia dónde van los pensamientos sin brida si no es hacia ti, niña Angelines, dulce melancolía, gaviota pálida, hora oscura, anticipo de mi muerte? Y sin saber lo que hacía, olvidado de las indicaciones de Claudio, yo, soldado español leal, me precipité a los pies de Juana besándole, besándole las manos. Dicen que decía: «Angelines, Angelines.» Nadie se dio cuenta. Luego me quedé suspendido barboteando mi papel entre el estupor de mis compañeros. Me di cuenta de que todos estábamos sangrando. Y aquel cementerio de Fuencarral, ¿quién lo cuidaría?

¡Tres años de juventud idos! ¿Cómo recobrarlos? Estas calles asombradas no pueden ser las mismas. Nosotros no podemos ser los mismos. ¿Qué ha quedado en aquella hermosa construcción tan alta, asilo de nuestra valentía? Dicen que hay hambre. Se aprietan los puños. Muchas sombras nos tocan en el hombro. Dicen: «¿Nos vais a dejar?» Deben ser los muertos. Ahora abrimos la radio. ¿Volverán los que se han ido? Sí, volverán y venceremos. No podemos morir. Por el aire vienen noticias horribles. Se calló Figueras. El parte oficial se da desde cualquier rincón. ¡Hemos pasado a Francia para reorganizarnos! Aquel internacional que vino con la noticia de la muerte de Gerda volvió ayer. «¿A qué vienes?» «A buscar mi uniforme.» «Tu maleta está ahí», dijo la secretaria. «No, quiero sólo mi uniforme. Me incorporo de nuevo.» «¡Pero no lo puedes hacer! ¿Y los observadores militares?» «A la m...», respondió muy castizamente y se marchó hacia no sabemos qué fusil abandonado. La radio se nos va convirtiendo en una obsesión. Está siempre de servicio. Es una boca abierta mandándonos canciones de Francia, indiferencia de los corazones y pus y gangrena internacionales peor oliente que los pies y los pelos revueltos y los eructos y los pánicos de la pobre gente que huye. Huyen, mientras los piadosos aviones de marcas alemanas ametrallan para decir a las casas centrales los defectos de fabricación o las excelencias de la industria. Algún señor calvo y rosado, limpio como un bidet, reirá satisfecho de comprobar su sabiduría, y en esa risa estará la boca llena de tierra de los niños ametrallados y la desesperación de los que dejan todo vacío detrás: el vacío de los que se llevan el aire de su patria, la ansiedad de los que huyen apresuradamente por llevarse el alma. Si no se lo llevan, ¿cómo respirarán? Si no tienen en los pulmones una pequeña porción de ese aire que los alimenta desde niños, ¿cómo vivirán? Pasan los camiones, la gente lleva a cuestas cosas inútiles que luego deja en la cuneta: la jaula del pájaro, la jarra, el retrato de esponsales, una esponja —porque sin esa esponja no se sabe lavar—, una almohada —sin ella ¿cómo podrá dormir?—, la colcha —«¡Pero si era regalo de casamiento!»—, la muñeca —¿cómo la vamos a hacer callar?—. Y se meten cosas y cosas en las maletas para llegar desnudo con el niño en el anca y la mujer sobre el hombro... La radio es cruel como un juguete mecánico. Tiene una voz sin sexo. Trae insultos para nosotros. Vuelan palabras casi soeces. ¿Qué querían, que trescientos mil, que cuatrocientos mil hombres llevasen zapatos de baile? La queja del campesino francés, la queja del pequeño rentista francés, la del pequeño propietario francés, la queja del hombrecillo con su barriguita satisfecha llena de berridos furiosos la atmósfera. ¡Calma, calma, mosiús! Se abre la frontera para que pasen los cuadros del Museo del Prado, que van hacia Ginebra. Cae ceniza sobre nuestros hombros. La secretaria está sentada en el suelo y solloza. Yo le he puesto la mano sobre su pelo joven lleno de canas. Todos vamos encaneciendo. «En medio de ese río de gente asombrada por la derrota ¿cómo habrán podido pasar los camiones? Os dais cuenta de que iban por la carretera mujeres, niños, hombres con los pies sangrando y no se subieron bajando a tierra los reyes, las ninfas, los santos, las vírgenes, las diosas... ¿Ése es el pueblo incivil de que habla la radio francesa? Incivil porque tiene frío y ha cortado unos árboles perjudicando la *riqueza nacional* de Francia. Nos agrupamos como corderos en la neblina. ¿No querían la opinión del pueblo español? Pues se les está entrando por las fronteras. ¿Qué más plebiscito?» Las malas noticias se suceden. «Azaña dimite. ¿Y Negrín?» «Antonio Machado ha muerto en Colliure.» Nos hemos quedado sin habla, olvidados del frío de este febrero sin fluido en las estufas. ¡Antonio Machado! Durante unos segundos pasó la noticia la Radio de Toulouse y siguieron con una canción. ¡Unos segundos! Los suficientes para retorcernos las entrañas. Alberti dijo: «Esto se acabó. Empezamos con la muerte de un poeta y terminamos con la de otro.» ¿Y el gobierno? Salimos a las calles y Madrid estaba suspendido de una respiración helada. Los transeúntes se quedaban bizcos de vernos paseando como si no nos estuviésemos muriendo, del brazo, caminando como el primer día, como si fuese el primer día y no se enfriasen sobre los muros los gritos jubilosos. «¡No pasarán! ¡No pasarán!» Pero es que no habían pasado. Madrid permanecía. Nosotros conservábamos los ojos abiertos, aunque las ventanas se cerrasen para defenderse del soplo de la Sierra. Era un invierno como otro invierno; el mismo hambre, los teatros abiertos, los cines, los pequeños vendedores de engaños y falsificaciones... Los edificios lucían aún sus banderas, pero era atroz esa cotidiana armonía casi doméstica que va tomando, con la costumbre de los rutinarios, una ciudad. La calma, la calma, la calma. Íbamos partidos en dos y todo sucedía sin consultar con nuestra angustia. Cuando miré la torrecilla del Ministerio de la Gobernación vi que el reloj estaba roto. ¿Quién lo iba a echar a andar? ¿Para quién marcaría las horas venideras dejando caer su bola de oro, asombro de los papanatas? Tengo llena la boca de saliva futura, amarga. Ahora quiero dormirme. Los otros se han quedado escuchando la odiosa voz de Toulouse. «En Toulouse —decía mi tía María— compro siempre violetas al pasar hacia París.» Eso habrá sucedido hace largos, largos años, los españoles que vendrán no podrán creer nunca en las dulces violetas de Toulouse.

Sé que Camilo quiere irse al frente. Ahora a todos se nos reavivan los riñones. No le dejaré porque no debemos separarnos. Las Guerrillas del Teatro permanecerán. Dorotea me avisó que su novio ha vuelto del Frente del Sur y le dijo que algo se preparaba para aliviar a Barcelona. Un poco tarde. Dorotea camina como una perdiz y se estremece. ¿Es que hemos vuelto a ser para ella los que mataron a su hermano? Levanto los puños para aplastarme las lágrimas. Me aprieto los párpados para dormir. Mañana Dios dirá.

Un aliento frío me lame los pulmones. ¿Miedo? A estos bombardeos de castigo les tengo miedo. He pasado miedo estos días. Juana también se pasea nerviosa. En el caserón no hay nadie. Llega el presidente Negrín de Francia. Juana se pasea intentando llamar mi atención. Me dejo querer.

—Abrázame —me pide con una vocecita de angustia, esa que sacan las mujeres para conmovernos como un ilusionista un pajarito para asombrarnos.

Mis brazos rodean sus hombros.

—¡Juana!

Yo también encontré mi voz justa para enternecerla. Ha sido siempre generosa y valiente. Presiento que en este descenso nos quedaremos, poco a poco, cada uno con nuestras virtudes individuales. Ya no está vieja, es una mujer fatigada nada más, cansada del esfuerzo de haber llevado la cabeza demasiado alta. Como todas nuestras mujeres que pronto se avergonzarán de los hombres.

—Juana, Juana. ¿Tienes esperanzas?

—Sí —me contesta con un leve tartamudeo—. Ahora será a vida o muerte.

¡A vida o muerte! Siempre ha sido a vida o muerte. Todo lo que hemos vivido con tan despreocupado entusiasmo ha sido a vida o muerte.

Me besa, se incrusta en mí, la recibo. Es demasiado dulce una caricia cuando se está desorientado. Veo infinitas tardes de amor militar, las que ocurrieron mientras bombardeaban, las que fueron un escorzo, una improvisación, un apasionamiento, un roce leve; las que dolieron en la nuca, en las ingles, en la sangre, en el corazón; las audaces, las temerosas, las escondidas, las perfectas... La aprieto más y su veteranía me sirve para llenarla de lágrimas sin que se asuste, de besos profundos sin que se moleste. Nada pedirá a cambio ni me hablará nunca ni tendremos que darnos explicaciones de por qué nos mordemos sin sentido, ni por qué nos hemos encontrado de pronto mirando al techo, suspirando.

Fuera la muerte barre y barre con una insistencia que nos parece increíble si va a bajarse el telón. Los vidrios tiemblan. Levanto a Juana de un brinco.

—No nos rendimos, ¿verdad, Juana?

—Jamás —dice siguiendo con humor el doble sentido.

La he tomado del brazo.

—Un minuto de vida...

—No perdamos ni un segundo —coquetea con su excelente arte de actriz.

—¿Salimos?

—A sus órdenes, mi teniente.

Pero ha entrado antes de que saliéramos el odioso individuo que guarda la casa de al lado. Ahora lleva doblada la cabeza, sonríe y ya varias veces se ha hecho el encontradizo. Estrecha su amistad con nuestro portero y le gusta sentarse al rayito de sol junto a él.

—Compañero... señor Ortiz, perdóneme si falto, pero, ¿no cree usted que debiéramos rendirnos?

—Oiga usted, ¿sabe que hubo un general que se llamaba Palafox? Pues pregunte usted lo que contestaba a los que hacían su pregunta.

—¿Salimos? —propongo ostentosamente a Juana.

Hemos bajado la calle Marqués del Duero, salido a Recoletos, llegado a Alcalá. Vamos del brazo. ¿Dos amantes? Dos seres perdidos en una ciudad a la que miramos fijamente para que queden dentro todos sus perfiles. Vamos eligiendo para el futuro, así no tendremos que preguntar: «¿Cómo era Madrid?» Juana propone que vayamos a la calle de Jovellanos para ver el Teatro de la Zarzuela; yo le ofrezco entrar en un café. Las explosiones se han vuelto insistentes, pareciera que nos las dedican y no podremos atravesar la calle porque marcan las dos aceras de Alcalá. Corremos como si fuera posible guarecerse. La última explosión nos proyecta contra la entrada de La Granja. Tiro de Juana. Empujo la puerta giratoria. No cede y las explosiones nos cubren de humo y olor podrido. Grita Juana, grito yo. Veo gente a través del cristal. Están en un acuarium monstruoso de peces-hombres sentados. Golpeo. Siento correr agua por una pierna. Rompo un cristal. Doy un alarido. Juana se desvanece y pesa. Apoyo mi frente no sé dónde y luego el hombro. Los de dentro sacan algo como un montón de basura delante de mí y gira la puerta mientras trastabilleo y recogen a Juana. Aún oigo un clamor y salto sobre unos trapajos que me impiden moverme. Pido disculpas. Bajo los ojos. ¿Qué tengo debajo del pie?

Llevo algunos días como huyendo. Me han contado lo de la bomba, lo del muerto en la puerta giratoria y mi herida. Es leve. Dorotea, Juana y la Pepa vienen trayéndome pequeños halagos, difíciles de encontrar. Estiro los dedos de los pies para librarme de la sensación de haber pisado un muerto. Estoy en el cuarto aparatoso que decíamos de la condesa. Le echo ventosidades. Me río de su lujo y saco la lengua a los espejos. Los balcones tienen con el sol transparencias de luz teatral. Mi luz. Me despabilo en cuanto amanece. Desde este amanecer de teatro sigo el de la calle. Nunca ha sido más silencioso. Un ojo, dos ojos, tres ojos, diez mil ojos están en las ranuras de las persianas. ¡Vaya, abran los balcones, señores de la quinta columna!

Ahora se levantan y rezan, ahora se lavan, añorando los baños largos y calientes, ahora escuchan apretados contra la radio, luego comen un poco de pan y mandan a la criada a que escuche por el balcón: «Señorito, no pasa nada.» Y la pobre chica pensará en su novio que sigue con un fusil. Un ojo, dos ojos, miles de ojos parpadean para este último acto. Tienen un miedo increíble estos ojos. Puede arder la ciudad, comentan. «Convertirse esto en una Numancia», dicen. «Nos van a perseguir como a liebres», temen. Algunos hasta sentirán la preocupación de presentarse sin más mérito que sus nalgas sentadas ante los requetés cargados de condecoraciones o los moros de dientes pálidos, cruzados de Cristo contra la canalla marxista. Muchos han contemporizado aceptando beneficios de los rojos, hasta fueron leales a su manera, con reservas mentales, claro está; otros, llenos de dudas, aguardaron la inclinación de la balanza. Van a tener que hacer mucho ejercicio de levantar el brazo verticalmente y adiestrar la lengua para que no se les trabe al gritar el triple «Franco, Franco, Franco». Los estoy viendo, ¡ja, ja, ja! Levantan el brazo y la mujer opina: «Más recto, por favor, van a creer que sufres reuma madrileño.» Y habrá pobre hombre que diga ¿reuma madrileño? ¿Pero cómo demonios *hemos* perdido? Se morderá la lengua. Y es que a él también le gustaba tener su partecita del heroísmo de Madrid. «No me negarás que el frenazo que dieron a las mismas puertas les deslució bastante...» ¿Y los otros? ¿Qué harán los otros? ¿Qué haré yo? Daría una mano por encontrarme muerto. Me da risa esta última representación metido en la cama de la marquesa, sudando y secándome con brocateles de oro. Camilo durmió aquí la primera noche de su deslumbramiento teatral. ¡Qué buena criatura! Mis bárbaros se precipitaron a mantearlo y por poco se mueren de risa al verlo envuelto en encajes cubriendo sus desnudeces. ¡Ja, ja, ja! Ahora, se sienta a mi lado y tiene siempre, como los pachones, los ojos húmedos.

—¿Me traes noticias?

—Malas. Bueno, no queda nadie. Han sido reclamados por el presidente Negrín y están en Elda. Dicen que se ha sublevado la escuadra, haciéndose a la mar con Paco Galán, que había ido a convencerlos para que no zarpasen de Cartagena rumbo a Africa.

—Chismes, chismes de la quinta columna. Nos quieren desmonetizar en el exterior.

—Claudio, es que aquí ocurren otras cosas... Ha llegado Miaja, y hay una Junta para... para...

—Para capitular, dilo. Ves, siempre la misma historia: el frente lleno de moral y la retaguardia de reptiles. ¡Viva la indisciplina y otros tienen su ambición de figurar, quieren ser alguien aunque sea para firmar una derrota! Ese señor fue el que firmó la derrota de España y entregó Madrid. Magnífico nombre para esculpirlo en los libros de texto. Digo, para escupirlo. ¿Me oyes? Y sabe Dios qué habrá más y quién manejará y si la dulce Francia no estará intrigando. Los que vieron a Negrín llegar supieron lo que quería decir con su presencia: «Resistir es una paz con honra.» ¿No se dice así cuando dos ejércitos han sido valientes? Una paz de valientes. Un valiente se quita el gorro ante el otro y le dice: pase usted, amigo. No, usted primero... y los dos se miran de igual a igual y los demás lloran.

—Aquí sólo lloraremos nosotros.

—Pesimista. ¡Si son españoles y la guapeza es la institución nacional! ¡Si estarán orgullosos en su fondo de que hayamos defendido Madrid y de las palizas que los rojillos dieron a los italianos! ¡Si saben que somos unos tíos formidables!

—Temo que nos persigan con la saña de la Inquisición.

—Bah, si ahora van a empezar a resucitar curas. Mis tías tienen escondidos lo menos doscientos.

—Exagerado. También en mi casa tuvieron uno. A lo mejor tú, hasta tú has protegido a otro.

—Hombre, yo, no, pero, ¿quién no tenía algún pariente cura o alguna prima monja? Oye, Camilo, yo, yo tenía una novia monja. ¿Qué te parece la revelación?

—Españolísima.

—Bueno, de monja ya no era novia mía. Quiero confesarte algo absurdo: cuando yo estaba en Sevilla, aterrado como un perro de que descubrieran mi carnet sindical todas las noches, cuanto más oía a Queipo hablar de que los rojos asaltaban conventos y corrían detrás de las monjas, más ganas me entraban de llegar a Madrid. En sueños asaltaba su convento y la robaba.

—Eso es el Tenorio.

—Pliegue de cómico, seguramente. Ríete, pero es verdad. No me dejaron hacer ninguna escena. Su convento estaba en manos de la Junta del Tesoro Artístico que ponía etiquetitas salvadoras hasta en las escupideras.

Nos interrumpen los alaridos de las descargas. Juanita llega despavorida.

—Se ha sublevado Casado. ¡Corro al Comité Central!

—Quieta aquí. Explica.

—No sé nada. Dorotea dice que su novio le ha dicho que dicen los ingleses que ya tienen bastante de guerrita española.

—Habla en orden.

—El novio de Dorotea dice que estuvo presente cuando llegó alguien de la embajada de Chile y dijo a Alberti: «Todo ha concluido, Casado ya ha tenido una entrevista con el enviado inglés y va a reconocer a Franco como han hecho Alemania e Italia. Franco exige la rendición incondicional.»

—¡Mienten, mienten! ¿Rendición incondicional de un ejército y de la República?

—No te tires de la cama que estás herido. ¡La herida!

—No tengo herida o tengo miles de heridas y entonces tanto da. Ayúdame un poco. Inútil, inútil. Pásame el brazo por aquí, la manga. Abróchame. Las botas. No aprietes. Vamos.

—¿Adónde?

—A donde vas tú.

—Pero no puedes ir. No eres afiliado. Los comunistas van a resistir, a matarse. No quieren rendición, ¿entiendes?

—Y si tú no quieres rendirte, ¿por qué vas a obligarme a mí a que me rinda? Echa a andar. Vamos, nada, me presentas y que me den un carnet.

Los últimos días fueron ásperos. Un turbión revuelto de polvo y hojas secas y tiros por las calles. Los del frente de Madrid se sintieron traicionados y acometieron. La ciudad se volvió a cerrar bruscamente.

Estas páginas las escribo cayéndome la última sombra sobre las cuartillas. Pronto se habrá terminado la luz y el postrer temblor de la tarde retrocederá, temeroso. No me atrevo a levantar la mirada porque me alucinaré, creyendo que aquel montón lejano, que sin cesar deseo, se levanta vehemente hacia las nubes. Prefiero que todo suceda aquí en esta limpia pobreza de mi pena.

Recuerdo que Paquito Bustos me pidió que le aconsejara. Le dije:

—Vete. Tu familia vive en Madrid, ¿no? Estará intranquila. Las calles van a volverse a levantar piedra a piedra. Monsell se ha incorporado no se adónde sin despedirse. Carlos Durán se subió al camión de nuestros amigos del Pardo que pasaba; Claudio, según la Pepa, anda con los comunistas.

—¿Y tú? ¿Por qué nos hemos quedado tú y yo sin irnos a agarrar un fusil? —me preguntó el gordo y simpático Paquito Bustos.

—No he podido nunca manejar un fusil.

—Pero has sido soldado.

—Sí, de libro. Nuestra gente necesitaba muchas cosas. Eran como un pueblo que se pone en marcha más que una nación en guerra. Pensándolo bien ésa es la hermosura que hemos vivido.

—Dices *hemos* como si todo estuviera acabado.

—Lo está. Comenzamos por una traición y concluimos por otra. La Pepa ha escuchado la radio y sé por ella que Franco quiere la rendición sin condiciones y se está riendo de la Junta y de los escrúpulos de Besteiro.

Nos interrumpimos al oír entrar en el patio el camión

de las Guerrillas. Volvía a oírse un ruido tan familiar que nuestras palabras se quedaron inútiles. ¡Pero si todo iba a empezar de nuevo! ¡Si ahí estaba Manuel con su sensata y madrileña manera de expresarse, si ahí venía nuestro tabladillo dispuesto y pronto saldríamos hacia cualquier rumbo: un bosque, una plaza, una era o el Corral del tío Tocana! El corazón se nos abrió, se nos precipitó al patio:

—¡Manuel!

Allí varios hombres discutían.

—¿Qué te ocurre?

—Nada, que estos señores me requisan para servicios de urgencia militar en ese comité nuevo —aclaró despreciativo.

—En la Junta de Defensa de Madrid, compañero.

—Pues en eso que dicen y yo les digo que aquí trabajo hay, ¿verdad camarada Camilo?

¡Trabajo, Manolo! ¡Trabajo en esta soledad y este silencio! No se lo iban a poder creer nunca. Manuel se puso a liar unas hojas en un papelito. Ni a él ni a nosotros se nos ocurría nada. Puede uno figurarse muchas cosas que le van a ocurrir, pero nunca pensé en esta circunstancia de tener que decidir la suerte de nuestro ómnibus. Los hombres tampoco parecían muy seguros de su derecho al despojo. Lo hacían sin prisa, apoyándose unos en las frágiles razones de los otros. Uno aventuró:

—¡Cómo Negrín ha tomado el olivo para Francia!

—Y si no lo hace le huele el peluquín a pólvora.

—Si no lleva peluquín, *atontao.*

—¿Y los ministros?

—Como brujas, por el aire, y uno aquí con el chopo.

—Tíralo. Pronto no van a darte por él ni dos pesetas.

El ómnibus había dejado de respirar bajo el pie de Manuel, desconcertado con lo que oía. Estaba quieto y muerto, haciéndose el muerto para pasar desapercibido.

—Basta de cháchara. No hay gobierno, no hay decencia, no hay ni tabaco. A ver, compañero, ¿qué fumas?

—Mondas.

—Todo echa humo. Dame y salgamos por Ventas hacia la Alameda de Osuna.

Manuel me volvió a mirar con desesperación. No le cabía en la cabeza que toda la República se le hubiese desvanecido quedando apenas en pie, dentro de la Alameda de

Osuna, unos señores que querían entregar al pueblo español precipitadamente. Le hubiera gustado presentarse a Claudio para tener más explicaciones. Sentía pundonor de madrileño, pero estaba indeciso. ¿A quién creer? Los hombres tampoco estaban satisfechos. El pequeño grupo apretaba las ralladuras de patatas en papelitos blancos. Podían parecer alas de algunas mariposas pequeñas entre los dedos toscos. Todos enseñaban torpemente sus dedos de trabajadores y esa opaca desconfianza del pobre. Discutían, porque estaban decididos a no volverse a pie. La ciudad gemía, intransitable de muertos. Se les podía encontrar perezosamente descansando contra cualquier quicio. Además ellos llevaban un papel de requisa y, compañero, ¡volverse a pie hasta la Alameda de Osuna!

Se oyó ruido de explosiones cercanas y con un solo movimiento instintivo los hombres se treparon al camión. El más autorizado sacó una pistola:

—Vámonos, compañeros, que van a freírnos.

Yo levanté la mano haciendo señal de que partiera.

—Déjalos donde te digan y vuelve pronto.

—Así será, camarada Camilo —me gritó contento de salir del apuro, de zanjar sus dudas autorizado ya para cualquier acción aunque fuese tirarse a una cuneta, porque lo que es eso de llegar a la Alameda...

Adiviné cuanto pensaba; la respiración del motor de nuestro ómnibus se fue abriendo profunda en su pecho leal. ¡Ah, el campo que ocupan dentro de nuestro pensamiento las cosas inanimadas en las que no pensamos nunca!

—¿Volverá? —me preguntó Paquito Bustos al verlo enfilar el portón.

—Me temo que tengamos distintos destinos.

Bajó los ojos. Nos dio vergüenza que nos hubiesen despojado sin lucha. Seguimos hablando:

—Yo me iría, pero no puedo dejarte solo. Si no tienes a nadie, ven conmigo. ¡Mi familia es más carca!

—Tengo familia ¡y es más carca! —dije riendo sin poderme contener.

—La mía es buena, muy religiosa. Alguien me salvará.

—La mía es buena y religiosa —le respondí con amargura—. Algo más fanática, seguramente. También me salvará.

Nos quedamos silenciosos. En aquel momento, por todo Madrid asesinado, miles de seres pensaban en volver a su rincón, pasando lista a las cualidades de los suyos, pesando la amistad, el amor, la simpatía que supieron despertar en los otros seres. También me había venido a ofrecer protección la Dorotea. ¿Le pesaba su amor entregado a un comunista? A veces nos gustaría pasarnos la mano por el corazón para borrar lo en él escrito. Me habló a media voz, dando a sus palabras sentido de pésame. «¡Qué estupidez habernos dejado vencer!», contesté a su susurro. Se me acercó a mirarme los ojos: «¿Lo dices en serio?» Desafié cuanto pudiera saber de mí. «Lo digo completamente en serio.» Estaba más lívida que nunca, había desarmado su voz maravillosa, su gesto de trágica. ¿A qué esperanzas estaría renunciando su sangre? Éramos los más parecidos de todos los guerrilleros, aunque no nos lo habíamos dicho nunca. Se veían circular sus pensamientos: una fila entera de golpe y luego una pausa, un vacío. Le agarré la mano con esa solicitud con que nos ponemos en comunicación cordial con los enfermos, pero la suya —la mía— era una larga enfermedad de contradicciones incurables. Estábamos seguros de que nadie iba a venir a molestarnos, hubiéramos podido —¿debido?— hablar pero no lo hicimos. Le pasé la mano por la cara. «¿Te acuerdas de Angelines?» Me quedé asombrado de encontrarla tan fría. «No la olvides nunca. No me olvides.» Era imposible que el gusto de mirar nuestra desdicha durase tanto. Además, por parte mía, todo eran suposiciones. La gota de deseo que su contacto había despertado en mí se deshacía en una inexplicable desconfianza. Ni a ella, ni a Pepa, que quiso, sin duda con su espíritu de chiquilla de barrio ver hasta el final lo que pasaba, las volví a ver nunca.

Las aletas de la nariz de Paquito Bustos temblaban sin sosiego. Tenía orejas pequeñas de mujer, se le ensortijaba en las sienes un pelillo ralo que anunciaba una calvicie prematura, su corpulencia dejaba una gran sombra en el suelo. Si todo comenzaba a perder su anterior sentido, él era una realidad, aunque comenzase también a marchitarse.

—¿Crees que Negrín y sus ministros debieron oponerse al contragolpe que les hizo la Junta?

Me miró como si empezásemos a enloquecer antes de consumirnos.

—¿Qué te parece el haber perdido la guerra?

—Una injusticia.

—Tienes razón —contesté a su observación casi colegiala—. Yo también había apostado por ellos.

Nos abrazamos cada uno con su pequeña ilusión rota. Nunca pensé que aquel hombre gordo, ocupado en asuntos de fácil sensualidad, pudiese conmoverse tanto. Siempre había creído que pertenecía a los que se someten a las incomodidades de la guerra como a una operación quirúrgica, pero no era así. Me besó. Lloraba. Salió rápidamente y no volví mi cabeza por no ver si él volvía la suya.

Me quedé solo. El cabeceo constante de las nubes coronaba Madrid de transparentes cielos alegóricos. ¿De qué rincón de la belleza habrían llegado los enormes cúmulos que recuerdo en un azul frío, como si las explosiones ascendiesen hasta el techo máximo de la mirada? Sólo yo las veía desde el patio, ese patio cuadrado y nervudo de aventura medieval. Por primera vez de las monteras encristaladas caían esquirlas. Lo habían respetado los obuses hasta este día en que me veo comiendo un trozo de pan sentado en un escalón de la escalera de hierro. Ya no quedaba otra alma viviente que la mía pues la secretaria y los poetas y los pintores habían sido reclamados por distintas urgencias de último minuto. Como mi pan y cruzan disparos perdidos magullando cosas que debían pertenecer a mi alma, que le pertenecen a mi alma rota y en jirones como nuestras banderas. Estoy entregado del todo en este final y en esta ruina, ya no retrocedo, acepto sin reservas todo cuanto oí, cuanto vi, cuanto me enseñaron. Se me despierta un desdoblado e inquietante ser, un *rojo* que lleva mi nombre y muerdo mi pan de soldado de la República. Entonces ¿era verdad que dos llamas forman la realidad española y que esos dos fuegos nos han quemado sin fundirse? Muerdo mi pan y cruzo mis brazos abrazándome el pecho vestido de fraile, queriendo unir aquellas brasas. Encadenado recuerdo: «Por mí han dejado los mortales de mirar con terror a la muerte.» «¿Y qué remedio encontraste contra ese fiero mal?» «Hice habitar en ellos la ciega Esperanza.» ¿No esperaré ya ninguna hora digna de ser llamada hora? Los veloces días han pasado. Allí está la puerta de exigua estatura por donde entré al sótano de la felicidad y la gracia; más allá la gran puerta de mi primera salida triunfal con Angelines; levantando los ojos, los barandales del tejado... Por ese hueco, hoy tenebroso, la entramos muerta, muerta, con su derecho bien ganado a una bandera roja de héroe; por estos escalones andarán las huellas de mis pies y los suyos; en esta barandilla mis manos y sus manos llevando mis lecciones de actor novel bien aprendidas por amor de su amor, para no irme ni un segundo de su estima... Allí se asomaba Claudio —«¿Eh, Manuel, no falta nada?»— para vigilar si algún hilo de su celo se quedaba enganchado de un olvido y por estas losas, el buen duende de la capa azul, chisporroteaba sonidos innumerables de artificios y fuentes y chorros mágicos. ¡Señor, Jesús, golpeo mi pecho, me humillo ante tu misericordia! ¿Entiendo o no entiendo? ¿Por qué me dejaste entrar aquí? ¿Por qué no puedo irme de aquí? ¡Si aún estoy *aquí*! ¡Si no podré salir nunca de *aquí*!

Nadie se acordaba de mi existencia. Había un olvido general, una tregua o un espanto que confinaba a cada madrileño en su dolor o su esperanza. Panchita, mi hermano, mi sobrino debían andar tan asombrados como los demás. Creo, que la fuerza de la costumbre de tres años había prendido de tal manera, que al verse al final de la angustia comenzaban a temer echarla de menos. Y es que nadie podía figurarse las cosas como fueron.

Ocurría que Madrid luchaba contra Madrid, calle a calle y esquina contra esquina. ¿De dónde sacaban ese valor para la muerte? ¿Para qué morir si todo ha concluido? Y sin embargo, los tanques que yo he visto avanzar contra la Junta de Defensa, cantaban. Los he oído cantar en la noche volviéndose del frente, apuntando sus ametralladoras contra la Junta, contra las potencias extranjeras, contra la lógica militar, contra el mundo entero. ¡Así habían avanzado contra el Cuartel de la Montaña, eran los del 7 de Noviembre, los defensores de la Capital de la Gloria! Traicionados, respondían. ¿Han pensado ustedes en lo que es un ejército vencido, señores de la Junta? No, pues ellos sí y no quieren rendirse porque son España y quieren tener derecho a seguir siéndolo.

Seguía sentándome en el patio a espiar los ruidos, a pensar en la sangre —¿el alma?— que se desparramaba inútil por las piedras. A veces me asomaba a la calle. En ella estaba, cuando oí gritar al violento portero de la casa vecina. Corría detrás de su hijo, casi un chiquillo, aquel escuálido muchachito al que por precaución para encubrir sus espionajes y servicios, había hecho ingresar en las JSU.

—¿A este chico voy a tenerle que volver a hacer la cara a golpes? —gritaba corriéndole—. ¡Por mi cara de lechón, que lo deshago!

Al pasar el perseguido junto a mí se detuvo justo un instante.

—¿Por qué la paz, verdad usted? ¿Es que no tenemos la razón?

No quise atajarle y siguió corriendo.

—¡Para lo que te va a durar, idiota! ¡Si ya está entrando Franco, imbécil! Si merecerías...

El soplo se le cortó con la carrera y viendo sus esfuerzos inútiles regresó desde la bocacalle. Al pasar a mi lado se detuvo.

—¡Críe hijos y que le salgan memos! —Se limpió el sudor—. Pero ya volverá con las orejas gachas y lo zamparé en Santa Rita. —Respiró fuerte para luego mirarme zumbón—. Estamos en los amenes. Ahora, a decir misa y sermones, si es que no se le han olvidado a usted. —Adelantó su mano y me tocó el antebrazo—. ¿A qué no sabe una noticia? Salvador Pancorbo ha llegado a Burgos.

Debí mirarle de un modo atroz, porque sintió mi mirada en el cogote y retrocedió para decirme:

—Creí que le interesaba. Y si se lo digo es por su parentesco con doña Panchita. Todo se arregló a pedir de boca. ¿Recuerda a Golfín? Pues luego se llamó Benigno y sacó de la embajada al poetita y lo entrevistó con Casado y Besteiro en un quirófano, vamos, en un hospital. Un médico hacía una operación y ellos arreglaban España. El de Falange les decía: «Si quieren la pelleja, den la ciudad.» El viejo gimoteaba: «¡No más sangre!» El coronel preguntó: «¿Y quién nos garantiza lo que usted nos dice?» Entonces, el que estaba en la mesa de operaciones se levantó: «Yo, queridos *místers*.» ¡Qué golpe maestro! Era el enviado de Inglaterra. ¿Me oye? «Si es así, aceptado», dijo el coronel. Todo marchaba de rositas hasta que los de la hoz y el martillo se pusieron furiosos al saberlo. ¿Qué pedían los de la Junta? «La expatriación de cuantas personas quisieran abandonar el territorio nacional durante veinticinco días y que no entrasen en la zona en litigio ni los moros ni los italianos.» ¡Boberías! Los comunistas dijeron que aquello era una entrega indecente, pues aún quedaba territorio y agallas para morir o para negociar cosa más lucida; los otros, que cuanto antes se diga amén, mejor. Y que si quítate tú para que hable yo, y el otro, vete de ahí para que barra el patio, la cosa es que se vinieron a la greña y ahí los tiene como demonios sueltos por las calles hasta que se le hinchen las narices al general y haga atacar a los moros.

Debió de darse cuenta de que yo no le oía, de que no veía su cara y que cuanto me rodeaba se me había desvanecido.

—¿Se siente enfermo? Déjese de estar solo y váyase con doña Panchita que le colocará un brazal amarillo y rojo de los que están cosiendo las damas linajudas. ¿No me oye?

Ya me había tomado del brazo cuando reaccioné.

—Aún es prematura toda esa defensa.

—¡Pero si la radio ya ha dicho que el Retiro está colgado de rojillos en todos los árboles!

—Ya sonará la hora, déjeme.

—Véngase, hombre, vamos hacia su casa y de paso los vemos cantar el matarile colgados de una soga. Aún hay tiros, pero ya no nos alcanzan, curita. ¡Olé la vida! ¡Si Francisco Franco está ya montado en su caballo blanco en el Campo del Moro!

Aún no sé por qué lo seguí. Me había quedado vacío, sin voluntad. Todo me resbalaba: muros y paredes. Necesité arrodillarme a los pies del padre Blas Torrero y sollozar mi tragedia, rendirme ante él, que era bueno, contarle paso a paso mi asombrosa aventura, rescatarme y mirar en sus ojos que no le daba piedad verme ni espanto. Creo que sólo por eso le seguí hacia el horror que vino luego.

Echamos a andar por la ciudad helada, por las calles agonizando. La alegría del energúmeno se traducía en observaciones casi obscenas, pero iba unido a él por el mismo grillete. Poco a poco distinguí los ruidos, las explosiones, las descargas cerradas. Durante días y días no habíamos oído otra cosa. Corrieron calle abajo unas ambulancias y nosotros nos pegamos a la verja del Ministerio de la Guerra. Había muertos, barricadas, sacos terreros despanzurrados... En el Banco de España había tanques. «¡Échese a tierra, hombre!» Tardé en darme cuenta que estábamos entre soldados de bruces que me voceaban. Aquellos uniformes iguales me horrorizaron. «¡Échese a tierra!» No podía, los ojos se me llenaban de fango. ¿Dónde estabas, Señor, el día que consentiste todo aquello? Ya las banderas no significaban nada, ni los himnos, ni los juramentos, ni los símbolos, ni el sacrificio de mis muchachos: de aquel que cayó antes de aprender a leer, de Santiago el Verde, de mi aviador ciego, de Gerda, de Angelines... Todo inútil, todo sorbido por esta mancha fratricida doble, por la abominación que mis ojos querían quitarse con dos piedras para no mirar. Y sin embargo miraba y veía cómo los sirvientes del tanque hacían fuego. Oí a mi lado «los de la Junta llevan brazalete blanco». Una sencilla precaución en que no reparé. Los del tanque fueron cayendo uno tras otro. Y, de pronto, saltando de las cadenas o de alguna parte insospechada del acero, cuando ya se alzaba un clamor entre los del brazalete blanco apareció un muchachito, tiró al aire su gorrilla cuartelera y apuntando su fusil continuó él solo la lucha. Casi lo vi sonreír como en una verbena.

—¡En qué fregado estamos, compadre, échese panza abajo y volemos por Recoletos!

Pero el deseo del portero no pudo cumplirse. Dios le había reservado la imposibilidad de la retirada.

—¡Déjelos que se despanzurren! Maldita la gracia que tendría que nos acertasen ahora.

—Ese que llega por ahí es el general Miaja.

—¡Que se mueran todos! ¡Arre! ¿Qué, no se mueve? Si ya dicen que nada con curas ni con mulas.

Me empujó brutalmente. Un clarín de atención hizo volar las últimas palomas de la Casa de Correos. Vimos avanzar al general hacia el tanque donde estaba el chiquillo. Todo se puso tenso, cuajado de angustia. Oíamos o veíamos que el general gritaba y se entabló un diálogo absurdo entre la delgadez del chico, de pie sobre el acero de Madrid, y el viejo general cansado. Aun hoy no sé qué ojos se alumbraron de repente en la cara del portero para poder gritar con una voz tremenda:

—¡Mi hijo!

Pero la conversación entre las dos formas de sentir la derrota había terminado. Seguramente el niño contestó algo así como: «Sí, mi general, usted es el defensor de Madrid del 7 de noviembre, yo, el del 27 de marzo y a mí no me derrota nadie.» Apoyó el cañón del fusil en su barbilla y se levantó la tapa de los sesos.

No me pude mover durante muchos minutos. Mis espaldas se quedaron contra el Ministerio de la Guerra enfriándose poco a poco. Vi al viejo general desconcertado, lamentando su viejo valor no ser él el muerto. Vi pasar prisioneros comunistas que miraban altivamente a sus custodios. Vi correr a las mujeres, besarlos en la boca, ¡valientes!, les decían. Vi llorar a los hombres con tres años de lluvias en la cara y a una mujer, desconocida para mí, a pesar de vivir en mi calle, que detuvo al mínimo cortejo de la camilla que llevaba al muchacho. Vi al portero que intentaba hacer seguir hacia la casa los despojos de su hijo que se deshacían en sangre lentamente y cómo la madre se irguió enfrentándose con su marido y al escapársele algo como un sollozo de pantera clavarle las uñas en los ojos. Gritaba:

—¡Hombres, hombres, hombres! —y pisaba la sangre del hijo sin enterarse.

No sé quién me empujó o si yo me desasí de aquella pena, el caso es que me encontré en el patio de la Alianza.

Perico Ligero no había entendido nunca de estados de ánimo y sin reparar en el mío me lanzó:

—¡Ha visto lo que le pasó al portero! La madre se ha atado un pañuelo a la mano del hijo y nadie se atreve a tocarla. Dice que los enterrarán juntos. ¿Y no oyó la radio? Pues la Junta va a matar a todos los comunistas empezando por el comandante Barceló, al que fusilarán esta madrugada.

—¿Para qué?

—Toma, para escarmiento.

—¿De qué?

—Hombre, ¡si me pregunta tanto!

—¡Triste honor para la Junta! —concluí echando a andar.

Perico Ligero movió la cabeza sin entenderme. ¿Había comprendido algo jamás? Le habíamos visto días y días fiel y tranquilo, moviendo su sillín a la caza de un rayo de sol. ¡Para él la guerra había sido perseguir un rayo de sol! Subí una vez más la escalera. Ya no se oía nada. «Soy un perro y no sé ir más que a mi garita», pensé. Al entrar de nuevo en mi soledad vi sentado al secretario. Tenía la frente apoyada sobre unos papeles y dormía. ¡Dios de misericordia! Yo también volvía del terror la primera vez que vi aquella bondadosa cara. Su voz consiguió calmarme: «¿Qué buscas?» «La calle Marqués del Duero.» «Estás en ella.» «El número 7. Las Guerrillas del Teatro.» Ahora dormía, estábamos frente a frente y dormía. Me pesaban demasiadas cosas, demasiados secretos ¡ay!, demasiadas culpas. Dudé si arrodillarme ante él y contárselo todo, confesarme ante su sueño, decirle quién era exactamente yo. Creo que le murmuré: «Salvador Pancorbo ha llegado a Burgos. Esto quiere decir que todo ha concluido. Vengo de ver caer al último defensor de Madrid como un valiente. Ya pueden negociar tranquilos su pobre paz de derrota sin gloria el general gordo de la Plaza de la Cibeles, el bilioso coronel Casado, el asustadizo Besteiro y los demás tristes y diminutos personajes de la Junta de Defensa, que ya no defendían nada más allá de su piel personal.» Pero nada le dije. Estaba agotado del cansancio de su soledad; yo, demasiado despierto de terror de la mía. Decidí, de pronto, mirar una última vez mis imágenes felices y huir.

Grité: «Angelines», y nadie contestó. Todo estaba severamente muerto. Me deshice las uñas estrujando los trajes relucientes, las sedas fáciles, las galas de nuestra ficción teatral —«¿Vienes a buscar a estos locos?»—. ¡Claudio, si apenas he vivido junto a vosotros unas pobres vacaciones felices! ¡Dónde te fuiste, si ahora sí que me estás haciendo falta! Golpeé los muros. Lancé un grito, que rebotó sordamente. El caserón inmenso se había vaciado de nuestras imágenes. Pronto yo estaría en mi robusto monasterio de ordenadas ventanas y mis amigos por las calles de Madrid esquivados como si la lepra roja manchase. ¿Qué había yo vivido, Jesús mío? ¿Era tu servicio aquel asalto del hermano al hermano, precipitados en los tiempos remotos cuando el crimen no era más que sangre que abandonaba el cuerpo sin enfermedad? La señal del más poderoso ¿volvería a ser la de la muerte? Claudio tenía razón. Se alargaba el brazo y se daba la muerte. Este rito antiguo lo había prohijado nuestra civilización victoriosa reservando a la Iglesia la tarea de bendecirla en nombre del ser más trémulo de amor que vivió entre nosotros, de Cristo. Pero ahora, en el caso de España ¿sobre qué jofaina de plata se lavarían las manos los asesinos? ¿Podrá volver algún día el curso regular de las calles, de la sangre, de las costumbres, de la amistad, de la vida, del amor, de la convivencia? ¿Es que los sermones van a poder comenzarse con el humanísimo exordio: «Queridos hermanos...», prepararán la sala del banquete nuevos Judas: «Aquel a quien yo besare»? ¡Dios, Dios mío, ahora estoy escribiendo todo esto casi sin luz como si Tú me abandonaras también! Un último débil rayo de tu paciencia solar para decirte lo que me sucedió contra aquellos muros tan queridos.

Me quedé perplejo cuando oí que detrás de ellos algo gemía. Llamé a gritos: «¡Hortensia!» Tontamente revivió en mi trastorno la historia del palacio. Golpeé el muro y golpearon a su vez. Me dije «¡Ah, conque estás ahí! ¿Conque no te han sacado todavía y si yo no te auxilio se te pudrirán los huesos?» Y en alto exclamé: «¡Eh, coronel!» Confusamente oí palabras, gemidos de alegría. Me avergoncé de los saltos vengativos de mi corazón. No, tienes que encontrar la manera, el pasadizo, la escalerilla, el resorte. Subí y bajé por los caminos verdes y húmedos que me había mostrado en una ocasión sensacional el aprendiz de conspirador Juanito Monje. No tienes derecho a dejarlo morir. Fuera están los suyos. Sacrifícale el mal instinto de tu corazón. Por una acción buena algo bueno sucede a lo lejos. Claudio habrá encontrado un amigo leal o Carlitos o la secretaria o Juana o la Pepa... Date prisa. Hay un hombre llorando detrás de ese muro. ¿Siempre un muro y a un lado una España y al otro la otra, llorando? Reconocí el hedor a cloaca, empujé una puerta, hallé la mesa, el transmisor, un plato con un pan mohoso. Seguramente el coronel andaba extraviado en el laberinto de los trasmuros del palacio y el portero, absorto en su desgracia, se había olvidado de auxiliarle. Me tocaron el hombro riéndose frenéticamente y bajo la pequeña bombilla colgada del techo, saliendo de debajo de la mesa, como un niño que prepara un susto a un mayor, se fue incorporando el esqueleto vivo del coronel.

—Si yo sabía, Juanito, que tú ibas a volver, malandrín, gusanillo, tontibobo.

Estaba completamente desnudo y tiritaba riéndose.

—¿Ves eso? Pues ya no suena. Le doy cuerda y nada. Arréglalo y oiremos la Santa Misa. Mira. Es domingo.

Y me señaló una cuerda con nudos que pendía del techo. Aquel hombre llevaba tres años haciendo nudos a cada día que pasaba. Di un tirón de aquel suplicio y él se precipitó tembloroso sobre mí.

—No... ¡Eso de ninguna manera, Juanito!

—Ya no le hace falta contar los días, coronel. Todo ha terminado.

—¿Hace sol?

—Sí.

—Entonces tendré que ponerme las cruces sobre la guerrera. Todos vendrán cargados como borricos. Mira, me sobran todos estos huesos para poderme evadir. No se lo cuentes al hombre ese de la portería, pero encontré la reja. Así me falta. Por poco, chist, vuelo.

Le ayudé a vestirse.

—Comprenderás que no puedo salir sin mis rojas, mis blancas, mis Cristinas.

Sus manos no le respondían.

—Me quiero apoyar en ti. Echemos a andar despacito. Temo que el suelo, al saber que le dejo, se enfade.

Tropezaban sus ojos casi ciegos. Le sostuve.

—¿Bajamos? Oye, ¿verdad que huele a primavera?

—Verdad.

Tropezamos y nos caímos. Lo levanté. Al final encontré la escalera y abrí una puerta a una sala iluminada por unos cuantos cirios. El portero se dirigió a nosotros como si se pudiera regresar del olvido:

—¡El coronel!

—Oye, Juanito, ¿qué fiesta se celebra aquí? —preguntó al percibir débilmente los contornos de los arrodillados.

—Llévelo a casa de mi cuñada Panchita —dije al portero.

—Sí, señor —me contestó dócilmente. La madre, atada a la mano del hijo no se fijó en nosotros. Los vi salir por una puerta que abrió una cegadora claridad. Me arrodillé ante el muchachito. Las vecinas decían:

—Pronto van a venir por él.

Yo pensé: Ya no le enterrarán con ninguna bandera de Héroe porque no tenemos bandera. Y el corazón se me volvió a tupir de odio. Sobre la cara tenía un pañuelo. Lo besé. La madre levantó los ojos para mirarme. Así hubiera sido Angelines vieja, madre de mis hijos...

Dos días más y los desconsolados estaremos huyendo. He debido morir y aquí estoy. No soy tan importante para que los arzobispos se acuerden de mí, pero las ovejas volverán a reunirse en rebaños. Camilo, actor, había concluido su parte. Ahí te quedas, riqueza de los ricos, palacio que ahora dudo de si existes o te soñé. Cierro los últimos balcones que se golpean, las puertas, los armarios con los trajes colgados sin sangre; pongo en orden los zapatos desordenados, las plumas. Todo lo hago lentamente para que mi tacto no se olvide de lo que viví. Un orden para los jamones de cartón, para las espadas de madera, para los jarrillos de papel... Voy cerrando y encerrando nuestra hermosa vida de guerrilleros y nada de cuanto sucedió allí de transparente y maravilloso podrán figurarse los que nos sustituyan. Estoy seguro de que buscarán sangre y encontrarán nuestra loca risa de teatro; cámaras de tortura, y se tropezarán con la alegre tropa de cómicos felices que hemos sido. ¡Qué injusticia creer que los vencidos son los débiles! Una puerta más, otra... que cuando las abran les salten nuestros pequeños fantasmas populares y tal vez, ¿por qué no?, que les eructen en sus aristocráticas narices desvergonzadamente. Todo se iba cerrando, enceguecíendo. Oí que me gritaban: ¡Camilo, Camilo, Camilo! No debía ser verdad. ¿Para qué hacer caso a un nombre gritado entre tantos ecos perdidos? ¡Camilo, Camilo, Camilo! Levanté del suelo una cinta olvidada. Al incorporarme me encontré con Xavier Mora.

—Hombre, ya podías contestar.

Me abrazó.

—Frailuco, nunca pude saber de ti. El tío de la transmisora jamás entendió que quería noticias tuyas. Vamos, hombre, ¡qué buenas vacaciones te chupaste! Ahora mismo voy a llevarte al jefe de Falange, que me puso como los trapos cuando llegué a Burgos sin tu ilustre persona. Tu cuñada Panchita quería que te fueras tú y los de allá, a quien reclamaban, era al padre Blas Torrero. ¡El lío que nos armó la señora! ¿No me contestas? Si ya puedes salir, está todo concluido, ahora se les puede matar con palos como a los conejos. ¡Qué mugre de ciudad! Jamás vi nada tan cochino. ¿No oyes la aviación? Pues está tirando billetes de la República para que sepan estos tíos que su dinero no sirve y vale sólo el nuestro.

Me apreté las manos para detenerme la sangre. Arruinados ¿verdad? Apaleados y arruinados. ¿Siempre correremos a dos vertientes? ¿Nunca se suavizarán nuestras costumbres de intransigencia? «Pueblo feroz para quien vivir sin armas no es vivir.»

—¿Qué murmuras?

—Nada. Tito Livio.

—¡Ah!

—Vete a casa de mi cuñada. Iré luego.

—¿Con ese uniforme? Estás mal de la cabeza. Pero, a tu aire. Me voy a buscar el enlace con el de la transmisora. Si me esperas te protegeré. ¡Franco, Franco, Franco!

¿Se había vuelto loco? Seguí cerrando puertas, echando llaves, deshabitando el palacio. Me quedaba una cinta enrollada en el dedo meñique, un pequeño río de recuerdos. Como no había ojos humanos que me mirasen, sollocé al cerrar el zaguán. Al oír el ruido creí que había agarrado un revuelo de la falda de Angelines. Volví a abrir. La bocanada del silencio me hizo toser.

Al bajar la escalera me aguardaba el último sobreviviente.

—Señor —me dijo dándome un tratamiento inesperado nuestro Perico Ligero—, yo quisiera, con su permiso, llevarme esta cama que tengo en la portería porque, sabe usted, la nuestra de novios, que era de nogal, se fue al diablo cuando cayó la bomba en Mataderos y como dicen que esta gente es tan rica, pues por una cama...

—Sí, camarada Pedro, llévesela usted.

—¿Y las mantas?

—Y las mantas.

—¿Y la alfombrilla roja?

—Y la alfombrilla roja.

—¿Y el velador?

—También, también.

Se me quedó mirando tan feliz con las respuestas como yo mismo. En aquel declinar de nuestra fortuna era un tesoro ver una sonrisa.

—¿Cenará hoy?

—Aún no lo he pensado.

—Es que queríamos volver con un carrito. ¿Si le dejo la llave?

—Déjamela.

—¿Esperará a que vuelva?

—Y ¿adónde quieres que vaya?

—Si no tiene familia que lo acoja... pues, si quiere que carguemos otra cama, a lo mejor se podría venir con nosotros. Y eso que... Dígame, señor, ¿nos pasará algo? Porque... porque yo soy republicano ¿sabe usted? o... algo más.

—¡Yo también soy algo más, Pedro, yo también!

Nos quedamos mirándonos. ¡Qué temblor en sus párpados de hombre infeliz! Pues ¿y en los míos? En aquel momento, Perico Ligero, cazador de sol, fuiste todos los míos, mi gente, mi pueblo, mi hogar, mi herencia, mi casta de guadañadores de yerba, inventores geniales de fábulas, trabajadores constructores de España, sudor de sus piedras, crédulos hombres de cosas vagas y candorosas siempre engañados. ¡Pueblo mío inocente! La vaguedad de los presentimientos se me concretó de pronto. ¿Qué iban a hacer los que esperaban fuera reivindicando viejos rencores de rico sin ti, pueblo de España? ¿No era un descorazonador comienzo?

—Hasta luego, camarada Pedro.

—Hasta luego, camarada Camilo.

¡Qué duro trabajo fue para mí el acercarme otra vez a Dios! Fue como si mis sentimientos realizasen un recorrido entre oleajes y espinas. Todas las distancias entre su amor y mi pequeñez estaban frente a mí. ¿Cómo alcanzarle? Yo debía tratar de deciros...

—Anda, frailuco —me gritó Xavier Mora volviendo a buscarme—, vamos. El tío de la emisora se las piró. En la portería había una carroña y tardé porque estuve telefoneando para que venga un furgón a quitarla de en medio.

¿Tanto cuesta, mi Señor, el amor, el respeto, la compasión, la deuda que sólo por nacer tenemos con nuestros semejantes?

—¿Y si no quiero irme? ¿Qué me puede pasar? ¿No sois tan justos? ¿No os habéis sublevado en nombre de los más cristianos principios morales? Si yo también soy una carroña.

—¡Hazte el sutil después de tres años de correrla! Qué, ¿te gustaban las chicas? También a mí. He dejado una novia en Burgos y como hemos ganado, gracias a Dios, pues...

—Xavier, no mezcles a Dios en las turbias victorias de los hombres.

—Hoy, chico ¡arriba España fuerte, grande y una!, no discuto con nadie. Cierra.

—No.

—¿Por qué?

—Porque volveremos, Xavierito, volveremos. Esta puerta no debe dejarse más que entornada.

—¡Chiflado!

Impreso en el mes de febrero de 1987
en Romanyà/Valls
Verdaguer, 1
(Capellades)
Barcelona